尚志钧本草文献全集

本草古籍辑注丛书·第二辑

尚志钧/辑注
尚元胜 尚云飞/整理
尚元藕 任 何

2020年度国家古籍整理出版专项经费资助项目

尚志钧百年诞辰典藏

《雷公炮炙论》辑校
《濒湖炮炙法》辑校

（南朝·宋）雷敩 撰
尚志钧 辑校
（明）李时珍 撰
尚志钧 辑校

北京科学技术出版社

图书在版编目（CIP）数据

本草古籍辑注丛书. 第二辑.《雷公炮炙论》辑校、《濒湖炮炙法》辑校 /（南朝宋）雷敩,（明）李时珍撰; 尚志钧辑校. —北京：北京科学技术出版社, 2021.10

ISBN 978-7-5714-1447-4

Ⅰ. ①本… Ⅱ. ①雷… ②李… ③尚… Ⅲ. ①本草-中医典籍-注释②中药炮制学-中医典籍-注释 Ⅳ. ①R281.3

中国版本图书馆CIP数据核字(2021)第024583号

策划编辑：侍 伟 段 瑶
责任编辑：杨朝晖 董桂红
文字编辑：刘 雪
责任校对：贾 荣
图文制作：北京艺海正印广告有限公司
责任印制：李 茗
出 版 人：曾庆宇
出版发行：北京科学技术出版社
社 址：北京西直门南大街16号
邮政编码：100035
电 话：0086-10-66135495（总编室） 0086-10-66113227（发行部）
网 址：www.bkydw.cn
印 刷：北京捷迅佳彩印刷有限公司
开 本：787 mm×1092 mm 1/16
字 数：330千字
印 张：18.5
版 次：2021年10月第1版
印 次：2021年10月第1次印刷
ISBN 978-7-5714-1447-4

定 价：**390.00元**

总前言

把工作放在日后做，是空的。一日不死，工作不止。

——尚志钧

千年中医，巨变振兴。真正的学者是将学术与生命紧密地联系在一起的，尚公直面人生的艰辛，以理性的思维、冷性的文字、激越的情怀著书立说，将一生奉献给了中医药学。站在中医药学发展的角度，纵观纷繁的沧桑医事，也许更可以使人获得理性的通明，使今天的中医药学术更加繁荣。

一

辑佚，在北宋已成为一门独立的学科。南宋·郑樵说："书有亡者，有虽亡而不亡者。"近代余嘉锡也说："东部藏书者书虽亡，而天下之书不必与之俱亡。"对于亡书，或原书已亡佚，但部分内容保存在史书、类书、方志、金石、古书注解、杂纂散抄之中的书，可以通过搜集诸书所征引的章句，窥其原貌，甚至可以通过类书总集，恢复原书旧貌。

孟子说："不专心致志，则不得也。"尚公下苦功数十年，终成本草大家，他辑复的《新修本草》填补了本草文献整复工作的空白。范行准先生早年指出："我们知道从事重辑《新修本草》者，中外不止一家，而俱未能问世。今尚先生竟能着其失鞭，使1300年前世界上第一部国家药典的原貌，灿然复见于世，是值得我们庆幸的一件事。”

对《吴氏本草经》《名医别录》《雷公炮炙论》《新修本草》《食疗本草》《日华子本草》《开宝本草》《本草图经》等主要的19部本草名著的辑复，是尚公最重要的学术成果。其中，《新修本草》是中国最早也是世界上最早的国家药典，文献价值极高，原书在国内久佚。清末，日本人发现其传抄卷子本10卷，尚缺10卷。清人李梦莹、近人范行准，及日本的小岛宝素、中尾万三、冈西为人等都曾试图对其进行辑复，但均未成功。尚公自1948年开始辑复《新修本草》，于1958年完成初稿，后又重辑，以油印本发行；后尚公再修改、补充之，并于1981年正式出版该书。尚公辑复《新修本草》，历时33年，援引各种参考书91种，做详细校记6319条。他先选定底本、主校本、旁校本和其他资料，再把各种古书中所载《新修本草》药物条文全部录出，加以比较互勘。他以最早的敦煌出土的《新修本草》残卷，及武田本《新修本草》、傅氏影刻本《新修本草》和罗振玉收藏的抄本《新修本草》为底本；《新修本草》所缺，即以《千金翼方》为底本；《千金翼方》亦缺，再以人民卫生出版社影印的《重修政和经史证类备用本草》为底本；最后以其他后出本为核校本核校之。尚公不仅校误字，还校书中有关错引、脱漏、增衍以及《神农本草经》文与《名医别录》文的混淆等。此外，他还对避讳字、通假字进行了解释，对全书进行了断句标点。他所辑复的《新修本草》还原了该书本来面貌，对找回后世本草脱漏佚失的资料有重要价值，如蒲公英治乳痈、蚤休解蛇毒、乌贼骨疗目翳等药物功效，在《新修本草》中即已有记述。此外，对《新修本草》进行辑复还有助于鉴别后世本草中资料的真伪，有助于校正后世本草的舛错，如《本草纲目》卷一“历代诸家本草”项“《名医别录》”条和“陶隐居《名医别录》合药分剂法则”项下所节录的注文，实为《本草经集注》的内容，并非《名医别录》的内容。

二

在驾驭大量本草文献史料上，尚公表现出极强的能力。他自觉地摆脱历史上不同时期本草文献资料谬误对遗佚本草辑复的干扰，力求通过目录学、版本学、校勘学、辑佚学、避讳学等多种学科的知识，结合具体对象和内容，手抄笔录，全面、系统地核实诸多文献记载，建立本草书籍、本草人物及单味药物3个系统的卡片档案，由源及流，追根问底，查清药物运用的概貌。在此基础上，他旁征博引，上下贯通，建成了一张辑佚医药方书的联合网图，进入了左右逢源、得心应手的学术研究佳境。32 部本草文献的辑复本、校点本、注释集纂编写本，见证了其学术功底的深厚广博。

《神农本草经》原书已佚，尚公在校注该书时，首先理顺了其文献源流。尚公认为《汉书・艺文志》没有记载《神农本草经》，故可以推测《神农本草经》成书于东汉。《隋书・经籍志》记载《神农本草经》有 6 种，《本草经》有 9 种。其中有的《本草经》既含有最早的《神农本草经》文，亦含有名医增补的《名医名录》文。陶弘景将诸经中《神农本草经》文加以总结，收入《本草经集注》中，以朱笔书写，定为《神农本草经》文。尚公以《本草经集注》为分界点，把在《本草经集注》以前的多种《本草经》称为“陶弘景以前的《本草经》”，其存于宋以前类书和文、史、哲古文献的注文中；把收载于《本草经集注》中的《本草经》称为“陶弘景总结的《本草经》”，其存于历代主流本草专著中。经过勘比考订可知，“陶弘景以前的《本草经》”在内容上有产地、生境、药物性状、形态、生态、采收时月、剂型、七情畏恶等，并且含有名医增补的内容。“陶弘景总结的《本草经》”有产地但无药物性状、形态、生态和七情畏恶等内容。所以，尚公得出结论：现存的《证类本草》中的白字内容，向上推溯，是由陶弘景综合当时流行的多种《本草经》的本子而成的。明清时期国内外学者，又从《证类本草》白字内容辑成多种单行本《神农本草经》，这些文字实际上是陶弘景整理的，并不是原始古本《神农本草经》。尚公校点的《神农本草经》将文献源流系统、条理地展现出来，对不同时代、不同版本的《本草经》药物条文、内容、取材论断均甚得法，资料搜集甚广，并务求其本源。

三

就尚公具体的学术成就与贡献而言，《〈唐・新修本草〉（辑复本）》和《神农本草经校点》这 2 部传世之作，打通了一道长期令人望而生畏的难关。但仅靠对本草辑复的贡献和成就，还难以窥见尚公学问之全貌。下面就尚公学术思想之一端，进一步证实其学问之博大精深。

“药性趋向分类”是尚公提出的一种新的药性分类方法。尚公根据药物作用趋势将药物分为行、守两大类。行类又分为上行、下行、通行、化行 4 类。上行类药物功用以升散为主，如升举下陷、发散外邪；下行类药物功用以降下为主，如平喘止咳、泻下利水；通行类药物功用以通畅为主，如使气血通畅以止痛；化行类药物功用以转化为主，如将食积、痰饮通过转化，成为无害物质。守即固守，不固守即出现虚损，凡虚损宜补。守类又分为补益和收敛 2 类。各类再分若干小类，每小类先述概要、举药名，次述共同作用、用途，再次述各药其他作用。尚公积 50 多年研究本草之经验，使药物分类更科学，药性更清晰。他对 300 多种常用中药的药性作用直说引述，正说反证，浅说深论，描述得淋漓尽致，十分切合临床，这是尚公对本草学研究的一项创新。

尚公不仅在本草学领域有颇多建树，在临床领域也有所创新。如尚公在《脏腑病因条辨》一书中，以中医五脏、六腑和病因（风、寒、暑、湿、燥、火、气、血、痰、饮）为单元，对临床症状进行归类。例如，患者胃脘隐隐作痛，喜暖喜按，泛吐清水，四肢不温，舌质淡白，脉虚软。从症状分析，胃脘痛和吐清水说明病在胃；四肢不温是脾寒；脉软表示虚；舌质淡白为虚寒。辨证应是脾胃虚寒证。此证是由 3 个单元——脾、胃、寒组成，脾属脏，胃属腑，寒属病因。从上个例子可以看出，五脏、六腑和病因 3 个单元是组成多种证的基础。

综上可以看出尚公之博学多思，勤于实践、总结。

四

尚公集毕生精力和情感于本草文献，在古本草史料的世界寻寻觅觅，始终如一地刻苦钻研而终于成为本草文献的知音。《尚志钧本草文献研究集》“论文题录”部分收录了尚公 268 篇学术论文。这些论文的内容广博而深入，不仅有对古本草史料的广搜精求，也有对纸上遗文的爬梳考订和辨证精释，还有对新发掘的地下实物的阐释（如对马王堆出土《五十二病方》、敦煌出土残卷等的整理和运用）。在 268 篇学术论文中，关于李时珍和《本草纲目》的论文有《〈本草纲目〉版本简介》《〈本草纲目〉断句误例二则》《〈本草纲目·序例〉辨误两则》《〈本草纲目〉标注〈本经〉药物总数的讨论》《金陵版〈本草纲目〉引〈日华子本草〉误注例》等。

在学术思想方面，《本草文献研究的意义及作用》《本草文献研究的目的》等是“熔铸古今，学以致用”的实践，亦相当引人入胜。一方面，尚公自觉脱除旧染与时弊，融目录、版本、校勘、考据、章句、修辞之法于本草学之中；另一方面，其继承并发展中国学术传统中的优秀方法，并赋予它们新的时代内涵，使之超胜前人。这既彰显出尚公的本草学思想和风格，亦彰显出其著述之功力。

五

客观地讲，除分散在各综合本草著作的矿物药外，自唐以来，矿物药专著寥若晨星。唐·梅彪撰写的《石药尔雅》疏注了唐以前道家炼丹书所用的药物。王嘉荫编著的《本草纲目的矿物史料》仅收录了《本草纲目》正文及集解中所列有关矿物、岩石等 137 种；李焕编写的《矿物药浅谈》、谢崇源等主编的《药用矿物》分别介绍了 70 种和 50 种矿物药的性味功用等；郭兰忠主编的《矿物本草》收载了 108 种矿物药。尚公的《中国矿物药集纂》一书独树一帜，对矿物药进行了详尽而深入的论述。该书分上、下两篇，上篇为总论，分述历代主要矿物药发展概况、矿物药的分类、矿物药化学成分概述、矿物药化学成分与药效关系、矿物药的物理性状、矿物药有关中药的药性、有毒矿物药毒性、矿物药配伍宜忌、矿物药炮制加工和煎煮。下篇收载单味矿物药 1200 余种，几乎将矿物药搜罗殆尽。书末附珍贵的矿物药研究资料 10 篇。从尚公对历代本草专著矿物药文献的排检和整理，可见其编纂工作之认真及对矿物药资料学术别择之广博与细致。《中国矿物药集纂》一书不仅在文献整理方面有很大价值，而且在集纂方面亦有很大价值，其体大思精的特点，反映了尚公学术的创新，更能为中医药学术发展指出一条道路。

《中国矿物药集纂》展现的是尚公精彩而寂寞的本草人生。自 1977 年以来，尚公闭户不交人事，甘坐冷板凳，独得东坡“万人如海一身藏”的状态。诚如熊十力所云“不孤冷到极度，不堪与世谐和”。尚公堂堂巍巍做人，独立不苟为学，一生出版著作近 3000 万言，这些冷性文字蕴含着他激越的情怀及集毕生精力和情感于本草文献的决心。尚公在古本草史料的世界里寻寻觅觅，搜剔爬梳，终于成为本草文献的拓荒者和耕耘者。

六

写到这里，我需要交代一下关于本丛书的一些情况。立意编纂本丛书始于 2008 年冬日追悼尚公的余绪；形成具体计划，确定出版，是在 2017 年春月，其间经历了 8 个春秋。尚元藕学妹、尚元胜学弟全力支持和参与这项工作，谨在此，深致谢忱。北京科学技术出版社与我们不约而同地意识到“文章千古事”，出版尚公本草文献，利在当代，功在千秋。在合作过程中，北京科学技术出版社的工作人员精勤慎细，审校书稿，为本丛书的编校质量提供了有力保障。

一个时代有一个时代的学术观念，一个时代的学者有其处身时代的思想烙印。愿本丛书能在追求本草学术的途中与你相遇。

任　何

于合肥倚云居，戊戌春日

目　录

《雷公炮炙论》辑校 ………………………………………………………… 1

《濒湖炮炙法》辑校 ………………………………………………………… 179

《雷公炮炙论》辑校

〔南朝·宋〕雷 敩 撰
尚志钧 辑校

前　言

《雷公炮炙论》，是我国现存最早的中药炮制文献。本书收载了很多有关中药的炮制方法和实验记录。原书已佚，幸运的是其内容被北宋唐慎微作《经史证类备急本草》时收入书中。

关于《雷公炮炙论》的作者和成书年代，向来争论很大，多数人认为它成书于刘宋时期。盖本书非成于一时一人之手，最初创于雷公，后经多人增删修饰。正如苏颂《本草图经》“滑石”条云：“按雷敩《炮炙方》……然雷敩虽名隋人，观其书，乃有言唐以后药名者，或是后人增损之欤?”

笔者在20世纪60年代初整理过《雷公炮炙论》一书，当时是以引有《雷公炮炙论》资料的《经史证类大观本草》《重修政和经史证类备用本草》为底本，并以其他相关书籍，如明·李时珍《本草纲目》、明·李中梓《雷公炮制药性解》、明·缪希雍《炮炙大法》、清·张叡《修事指南》（即《制药指南》）为旁校本，进行整复的。在整复过程中笔者发现，《本草纲目》中有关《雷公炮炙论》资料是从《经史证类备急本草》转引而来的，而《修事指南》又是从《本草纲目》转引而来的。它们在转引雷公炮制资料时，在文字上多加以化裁，在内容上亦有增减，所增减的内容，大都符合实际制药的要求。为了适应临床制药的需要，本书在做校注时将这些增减的内容均收录在注文中，以供读者参考。所以本书校记内容与一般书籍的校记内容不同，它并不单纯校勘各书所引雷公炮制资料互有出入的文字，亦将各书对雷公炮制资料所引申化裁的内容加以记载。这样做，可以帮助读者对

《雷公炮炙论》一书有进一步理解，还能更好地将本书应用到实践中去。

按《雷公炮炙论序》云，本书“……列药……三百件……”，今检《重修政和经史证类备用本草》援引“雷公云”的药物不足此数，兹从敦煌出土《五藏论》“雷公妙典，咸述炮炙之宜”中摘录药物，以补足300种。

全书收药300种，分上、中、下3卷，卷上为玉石类，卷中为草木类，卷下为兽禽虫鱼果菜米类。每类又分上、中、下三品。各类药物，凡见录于《唐本草》的，皆按《唐本草》目次编排；凡是后出于《唐本草》的，即附于各类药之后。为了方便检索，笔者将300个药名，按序编排号码，第1号为丹砂，第300号为阴胶。

在中医书籍中，关于中药炮制资料的记载，很早就有了。马王堆出土的《五十二病方》中就有很多关于药物炮制方面的记载。南北朝时期，陶弘景《本草经集注》对药物炮制和制药法则，都有系统的介绍。但这些书都把制药的资料作为附属的内容，而《雷公炮炙论》则是以制药为内容的专书，它是我国制药专著中最早的一部书。

是书对药物炮制及方法记载详细，对操作过程和实验数据亦有较详细的记录。所以，本书是我国最早的系统介绍中药炮制方法和实验记录的专著，它既有历史和文献价值，又有实用价值。

由于本人学术水平所限，所辑的资料可能有遗漏和错误，敬希读者指正 。

尚志钧

1983年4月1日

辑校说明

（一）《雷公炮炙论》原书久佚，笔者曾予以辑录，后整理成书，于 1983 年由皖南医学院油印，以供学术界交流。

（二）《雷公炮炙论》书名的确定。因原书久佚，故历代书志和本草中所涉及的本书名称并不相同，但它们总由“炮炙”“炮制”“雷公”“雷敩”这些词所组成。现简介如下。

称《炮炙论》者，有《崇文总目辑释》卷 3、《通志 · 艺文略》医方上、《国史经籍志》卷 4 下。

称《雷公炮炙论》者，有宋 · 唐慎微《大观》卷 1 序例、《政和》卷 1 序例、宋 · 洪迈《容斋随笔》卷 3、明 · 李时珍《纲目》卷 1 序例上“历代诸家本草”、《两淮盐策书引证书目》。

称《雷公炮炙》者，有《文献通考 · 经籍考》、《郡斋读书后志》卷 2、《世善堂书目》卷下、《医藏书目 · 普醍函》、《汲古阁毛氏藏书目录》。

称《雷敩炮炙论》者，有苏颂《本草图经》“山茱萸”条。

称雷敩《炮炙方》者，有《宋史 · 艺文志 · 医书》、苏颂《本草图经》“滑石”条。

称《药性炮炙》者，有《东医宝鉴 · 历代医方》。

称《雷公炮制》者，有《古今医统大全 · 采摭诸书》。

称《雷公炮制药性解》者，有明 · 李中梓。

从以上8个书名来看，以第2个书名记载的文献最多。本书辑录的资料，又以出自《大观》《政和》为最多，同时又参考《容斋随笔》《纲目》等书，而这些书中均称之为《雷公炮炙论》，所以本书亦取《雷公炮炙论》为书名。

（三）本书内容。据《雷公炮炙论序》云："直录炮熬煮炙，列药制方，分为上、中、下三卷，有三百件名。"本书所收300种药，主要是从《大观》《政和》所引"雷公云"及"雷公炮炙论序"、《容斋随笔·雷公炮炙论》、敦煌出土《五藏论》等书中辑录的。按《唐本草》药物目次编排，并在每个药条末括号内注明原书出处。

（四）本书资料来源。本书资料，是从《大观》《政和》所载"雷公炮炙论序"及"雷公云"的文字辑录的，并参考敦煌出土《五藏论》、宋·洪迈《容斋随笔》、明·李时珍《纲目》、明·李中梓《药性解》、明·缪希雍《炮炙大法》、清·张叡《指南》诸书校注而成。在上述各书中，《大观》《政和》所引"雷公云"文，多数为药物炮制内容。《大观》《政和》所引"雷公炮炙论序"、《容斋随笔》所载"雷公炮炙论"、敦煌出土《五藏论》等文字，多数为药物主治功用内容，很少涉及药物炮制。此与"雷公炮炙论"是名不符实的。本书在辑录时，只按底本资料辑录。因此，本书中有些药物，仅有主治功用内容，并无炮制内容。

（五）校勘。书中同一种药的文字，见录于诸书时，即以最早本为底本，以后出本为校本。凡校本中有歧义处或有新增的内容，均出注附于当药条文之后。

（六）繁体字的处理。最早的底本文字，多是繁体字，今改用简化字。有些字，古今含义不完全相同。例如"剉"，在《大观》《政和》作"剉"，但在校点本《本草纲目》俱作"锉"。凡坚硬固体药，当用金属锉来锉。至于软弱苗叶的药，则不好用金属锉来锉。而古代用刀将软弱苗叶剁碎，亦称为"剉"。所以本书对"剉"字仍袭用原书字不改动。又如"曝"，在校点本《本草纲目》中全改用"晒"。"曝"虽有"晒"字含义，但也是炮制法中的一种。缪希雍《炮炙大法》在书首所列17法，其中第15法就是"曝"。所以本书辑校时，对某些药物条文中的"曝"字未改，以保留其炮制方法的含义。类似此例很多，详见本书。

（七）标点。最早的底本文字，多无断句，本书辑校时，多加标点。由于古本草文义难懂，笔者学术不平所限，标点可能有误，敬请读者指正。

（八）辑校所用图书版本介绍及简称。

《经史证类大观本草》 宋·唐慎微撰，清光绪三十年（1904）武昌柯逢时影宋并重刊。（简称《大观》）

《重修政和经史证类备用本草》 宋·唐慎微撰，1957年人民卫生出版社影印金刻孤本（在目前已知本中是最好的版本）。（简称《政和》）

《本草纲目》 明·李时珍撰，1957年人民卫生出版社影印清光绪十一年（1885）合肥张绍棠味古斋重校刊本。（简称《纲目》）

《雷公炮制药性解》 明·李中梓撰，清·王晋三重订，1956年上海卫生出版社铅印本。（简称《药性解》）

《炮炙大法》 明·缪希雍撰，人民卫生出版社影印本。

《制药指南》 清·张叡编著，1927年上海中华新教育社石印本。（该书又名《修事指南》，简称《指南》）

《五藏论》 敦煌出土残卷本。

《医方类聚·五藏门·五藏论》 朝鲜·金礼蒙等纂，1981年人民卫生出版社铅印本，第1分册，页83～页84。

《神农本草经》 1955年商务印书馆版。（简称《本经》）

《名医别录》 尚志钧辑校，1986年人民卫生出版社版。（简称《别录》）

《唐·新修本草》辑复本 尚志钧辑校，1981年安徽科学技术出版社版。（简称《唐本》）

编校说明

（一）本书为尚志钧先生辑注的本草古籍。本次整理以尚志钧先生已出版的《雷公炮炙论》原书（以下简称“原书”）为基础书稿。

（二）原书有简化字，也有繁体字，本书统一使用简化字。本书在编辑加工时，主要依据国家语言文字工作委员会文字规范文件（《简化字总表》《异体字整理表》等）的规定，以及《汉语大字典》的相关释义，在不影响原义的情况下，将原书中的繁体字、异体字、通假字等改为现行规范字，但在以下情况中做变通或特别处理。

1. 将原书文字进行简化时，若简化后字义容易淆错或不明晰，则慎重直接简化，如中医病名“癥瘕”之“癥”不简化为“症”。个别字词根据学界专家意见进行简化，如“禹餘粮”之“餘”只简化为“馀”而不作“余”。

2.《异体字整理表》等书中归并不当或关系有歧见的异体字，本书不做简单归并。如《异体字整理表》将“剉”并入“锉”，但“剉”（本草古籍中的“剉”为中草药切制的方法）与“锉”使用的工具、加工的方式与结果都不相同，故不予归并。

3. 古书中的特有的、习惯的用词，不改为现代用词。如“花文”不改为“花纹”。

4. 尚志钧先生摘录古籍药名时为尊重古籍文字原貌，所写药名与现代规范药名不同的，本书不做改动。如“消石”“射香”“漏卢”等。但在非古籍引文部分，仍用现行规范名称表述。

5. 原书凡涉及“炮炙”与“炮制”，除古籍书名中原作“炮炙”者，其他均据《现代汉语词典》改为“炮制”。

（三）对于书稿中明显的错别字以及常识性错误，编加时直接予以改正，不予出注。

（四）为方便读者阅读，在描述古籍卷页时，均用阿拉伯数字表示，如“卷7页13”“卷13页29”等。

（五）书稿中前后相同语句以及校注中断句不一致的，皆按校注古籍原文句读修改。

（六）书稿中部分引文前后不一致，由于无从查证尚志钧先生所用参考资料底本，故尊原书，不予改动。

（七）为方便查找及统计，尊重并保留原书对古籍药物条文添加的编号。

在本书的编辑整理过程中，有幸得到了尚志钧先生弟子郑金生研究员以及国内多位中医文献学者、古籍出版专家的悉心指教。由于本书专业性强、体量较大，且出版时间紧促，编辑水平有限，疏漏谬误，恐所难免，欢迎广大读者批评指正，以期再版更正。

目　录

雷公炮炙论序 …… 23

雷公炮炙论卷上　玉石 …… 29

玉石上 …… 31

1　丹砂 …… 31

2　玉屑 …… 32

3　空青 …… 32

4　曾青 …… 32

5　石胆 …… 32

6　云母 …… 32

7　石钟乳 …… 33

8　消石 …… 33

9　芒消 …… 34

10　矾石 …… 34

11　滑石 …… 35

12　石英 …… 35

13　黄石脂 …… 35

14　太一禹馀粮 …… 35

玉石中 …… 36
15 水银 …… 36
16 雄黄 …… 36
17 雌黄 …… 37
18 孔公蘗 …… 37
19 石硫黄 …… 37
20 凝水石 …… 38
21 石膏 …… 38
22 磁石 …… 39
23 铁 …… 39
24 光明盐（圣石） …… 40
25 密陀僧 …… 40
26 铅 …… 40
27 骐驎竭 …… 40
玉石下 …… 41
28 代赭 …… 41
29 白垩 …… 41
30 石灰 …… 41
31 伏龙肝 …… 42
32 硇砂 …… 42
33 梁上尘 …… 42
34 无名异 …… 43
35 金银铜铁气 …… 43
36 砒霜 …… 43
37 自然铜 …… 44
38 神砂 …… 44
39 神锦 …… 44
40 修天 …… 45
雷公炮炙论卷中　草木 …… 47
草上 …… 49
41 天门冬 …… 49

42 白术 …… 49
43 萎蕤 …… 49
44 黄精 …… 50
45 干地黄 …… 50
46 菖蒲 …… 50
47 远志 …… 51
48 泽泻 …… 51
49 薯蓣 …… 51
50 菊花 …… 52
51 甘草 …… 52
52 人参 …… 52
53 石斛 …… 53
54 牛膝 …… 53
55 细辛 …… 53
56 独活 …… 54
57 升麻 …… 54
58 柴胡 …… 54
59 防葵 …… 55
60 薏苡人 …… 55
61 车前子 …… 55
62 木香 …… 56
63 龙胆 …… 56
64 菟丝子 …… 56
65 巴戟天 …… 57
66 肉苁蓉 …… 57
67 蒺藜 …… 58
68 防风 …… 58
69 络石 …… 58
70 黄连 …… 58
71 王不留行 …… 59
72 蒲黄 …… 59

73 芎藭 …… 60
74 续断 …… 60
75 云实 …… 60
76 黄芪 …… 60
77 徐长卿 …… 61
78 杜若 …… 61
79 蛇床子 …… 61
80 茵陈蒿 …… 62
81 漏卢 …… 62
82 茜根 …… 62
83 飞廉 …… 62
84 营实 …… 63
85 五味子 …… 63
86 鬼督邮 …… 63
87 白花藤 …… 64
草中 …… 64
88 当归 …… 64
89 秦艽 …… 64
90 黄芩 …… 65
91 芍药 …… 65
92 生姜 …… 65
93 麻黄 …… 65
94 干葛 …… 66
95 前胡 …… 66
96 知母 …… 66
97 贝母 …… 67
98 栝楼 …… 67
99 玄参 …… 67
100 苦参 …… 68
101 狗脊 …… 68
102 萆薢 …… 68

103 通草 …… 69
104 瞿麦 …… 69
105 败酱 …… 69
106 白芷 …… 69
107 紫草 …… 70
108 紫菀 …… 70
109 白薇 …… 71
110 枲耳实 …… 71
111 女萎 …… 71
112 淫羊藿 …… 71
113 款冬花 …… 72
114 牡丹 …… 72
115 防己 …… 72
116 泽兰 …… 73
117 白前 …… 73
118 百部 …… 73
119 恶实 …… 73
120 莎草 …… 74
121 水萍 …… 74
122 海藻 …… 74
123 昆布 …… 75
124 蒟酱 …… 75
125 阿魏 …… 75
草下 …… 76
126 大黄 …… 76
127 桔梗 …… 76
128 甘遂 …… 77
129 葶苈 …… 77
130 大戟 …… 77
131 旋复花 …… 78
132 钩吻 …… 78

133 藜芦 …… 78
134 附子 …… 78
〔附1〕 天雄 …… 79
〔附2〕 侧子 …… 80
135 茵芋 …… 80
136 射干 …… 80
137 半夏 …… 80
138 莨菪子 …… 81
139 蜀漆 …… 81
140 常山 …… 82
141 青葙子 …… 82
142 蛇含 …… 82
143 草蒿 …… 82
144 连翘 …… 83
145 蔄茹 …… 83
146 虎杖 …… 83
147 蒴藋 …… 83
148 赤地利 …… 84
149 赤车使者 …… 84
150 刘寄奴 …… 84
151 牵牛子 …… 84
152 蓖麻子 …… 85
153 狼毒 …… 85
154 芦根 …… 85
155 商陆 …… 86
156 角蒿 …… 86
157 天麻 …… 86
158 荜拨 …… 87
159 卢会 …… 87
160 延胡 …… 87
161 补骨脂 …… 88

162　肉豆蔻 …… 88
163　蓬莪茂 …… 88
164　毕澄茄 …… 89
165　马兜铃 …… 89
166　仙茅 …… 89
167　骨碎补 …… 90
168　杕毛 …… 90
169　紫背 …… 90
170　宗心 …… 91
171　芹花 …… 91
172　赤须 …… 91
木上 …… 91
173　茯苓 …… 91
174　琥珀 …… 92
175　柏实 …… 92
〔附〕　柏叶 …… 93
176　桂 …… 93
177　杜仲 …… 94
178　干漆 …… 94
179　蔓荆实 …… 94
180　桑上寄生 …… 94
181　蕤核 …… 95
182　五加皮 …… 95
183　沉香 …… 95
184　檗木 …… 96
185　辛夷 …… 96
186　木兰 …… 96
187　酸枣人 …… 97
188　槐实 …… 97
189　楮实 …… 97
190　枸杞 …… 97

191 橘柚 …… 98
〔附1〕 柑 …… 98
〔附2〕 橘花 …… 99
木中 …… 99
192 厚朴 …… 99
193 猪苓 …… 99
194 竹沥 …… 99
195 山茱萸 …… 100
196 吴茱萸 …… 100
197 栀子 …… 101
198 槟榔 …… 101
199 卫矛 …… 102
200 紫威 …… 102
201 桑根白皮 …… 102
木下 …… 102
202 巴豆 …… 102
203 石南 …… 103
204 蜀椒 …… 103
205 莽草 …… 103
206 郁李人 …… 104
207 雷丸 …… 104
208 榉树皮 …… 104
209 白杨 …… 105
210 皂荚 …… 105
211 楝实 …… 105
212 苏方木 …… 106
213 诃梨勒 …… 106
214 卖子木 …… 106
215 椿木根 …… 107
216 胡椒 …… 107
217 橡实 …… 107

218 无食子 …… 108
219 枳椇 …… 108
220 金樱子 …… 108
221 丁香 …… 108
222 密蒙花 …… 109
223 枳壳 …… 109
224 五倍子 …… 110

雷公炮炙论卷下 兽禽虫鱼果菜米 …… 111

兽上 …… 113
225 龙骨 …… 113
226 牛黄 …… 113
227 射香 …… 114
228 发髲 …… 115
229 溺 …… 115
230 人粪 …… 115
231 酥 …… 115
232 熊脂 …… 115
233 阿胶 …… 116
234 醍醐 …… 116

兽中 …… 116
235 犀角 …… 116
236 羚羊角 …… 117
237 白马茎 …… 117
238 狗胆 …… 117
239 鹿茸 …… 118
〔附〕 鹿角 …… 118
240 鹿角胶 …… 118
241 虎睛 …… 119

兽下 …… 119
242 象胆 …… 119
243 膃肭脐 …… 120

244 獝髓 …… 120
禽上 …… 120
245 鸡子 …… 120
禽中 …… 121
246 雀苏 …… 121
禽下 …… 121
247 鸬鹚 …… 121
248 鸾血 …… 121
249 鹤粪 …… 122
虫上 …… 122
250 石蜜 …… 122
251 牡蛎 …… 122
252 桑螵蛸 …… 123
253 海蛤 …… 123
254 石决明 …… 124
255 鲤鱼 …… 124
虫中 …… 124
256 伏翼 …… 124
257 露蜂房 …… 125
258 白僵蚕 …… 125
259 虻虫 …… 126
260 蛴螬 …… 126
261 水蛭 …… 126
262 鳖甲 …… 126
263 乌贼鱼骨 …… 127
264 蟹黄 …… 127
虫下 …… 128
265 虾蟆 …… 128
266 雄鼠骨 …… 128
257 蜘蛛 …… 129
268 芫青、斑猫、亭长、赤头 …… 129

269 蛇蜕 …… 130
270 蜈蚣 …… 130
271 马陆 …… 130
272 蚯蚓 …… 131
273 贝子 …… 131
264 甲香 …… 131
275 珂 …… 131
276 蛤蚧 …… 132
277 真珠 …… 132
278 白花蛇 …… 133
279 鲑 …… 134
280 蝉花 …… 134
果上 …… 134
281 豆蔻 …… 134
282 覆盆子 …… 134
果中 …… 135
283 枇杷叶 …… 135
284 木瓜 …… 135
果下 …… 136
285 杏核人 …… 136
286 桃核人 …… 136
〔附1〕 桃花 …… 137
〔附2〕 鬼髑髅 …… 137
287 安石榴 …… 137
菜上 …… 138
288 瓜蒂 …… 138
〔附〕 瓜子 …… 138
菜中 …… 138
289 白蘘荷 …… 138
290 紫苏 …… 139
291 香薷 …… 139

菜下 …… 139
292 马齿苋 …… 139
293 胡葱 …… 140
294 醍醐菜 …… 140
米上 …… 140
295 胡麻 …… 140
296 麻勃 …… 141
297 金锁天 …… 141
米中 …… 141
298 麴 …… 141
米下 …… 142
299 甑中箅 …… 142
300 阴胶 …… 142
《雷公炮炙论》有关文献研究 …… 143
一、《雷公炮炙论》成书年代的讨论 …… 145
二、《雷公炮炙论序》的讨论 …… 148
三、《雷公炮炙论序》和陈藏器《本草拾遗序》的讨论 …… 151
四、《乾宁记》成书年代的探讨 …… 156
五、张仲景《五藏论》摘录文 …… 158
六、《五藏论·医人》摘录文 …… 159
七、《雷公炮炙论》中有关炮制方法的概述 …… 160
八、《雷公炮炙论》辑校所用参考文献索引 …… 168

雷公炮炙论序

若夫世人使药，岂知自有君臣；既辨君臣，宁分相制。只如栨毛（今盐草也），沾溺立销班肿之毒；象胆挥黏，乃知药有情异。鲑鱼插树，立便干枯；用狗涂之（以犬胆灌之，插鱼处，立如故也），却当荣盛。无名（无名异，形似玉柳石，又如石灰，味别）止楚，截指而似去甲毛。圣石开盲，明目而如云离日。当归止血破血，头尾效各不同（头止血，尾破血）。蕤子熟生，足睡不眠立据。弊箅淡卤（常使者甑中箅，能淡盐味），如酒沾交（今蜜枳、缴枝，又云交加枝）。铁遇神砂，如泥似粉。石经鹤粪，化作尘飞。栨见橘花似髓，断弦折剑，遇鸾血而如初（以鸾血炼作胶，粘折处，铁物永不断）。海竭江枯，投游波（燕子是也），而立泛。令铅拒火，须仗修天（今呼为补天石）。如要形坚，岂忘紫背（有紫背天葵，如常食葵菜，只是背紫面青，能坚铅形）。留砒住鼎，全赖宗心（别有宗心草，今呼石竹，不是食者棕，恐误。其草出欻州，生处多虫兽）。雌得芹花（其草名为立起，其形如芍药花，色青，可长三尺已来，叶上黄斑色，味苦涩，堪用，煮雌黄，立住火），立便成庚。硇遇赤须（其草名赤须，今呼为虎须草，是用煮硇砂，即生火验），水留金鼎。水中生火，非猾髓而莫能（海中有兽，名曰猾，以髓入在油中，其油沾水，水中火生，不可救之，用酒喷之即燃，勿于屋下收）。长齿生牙，赖雄鼠之骨末（其齿若折，年多不生者，取雄鼠脊骨作末，揩折处，齿立生如故）。发眉堕落，涂半夏而立生（眉发堕落者，以生半夏茎炼之，取涎，涂发落处，立生）。目辟眼䁯，有五花而自正（五加皮是也，其叶有雄、雌，三叶为雄，五叶为雌。须使五叶者，作末，酒浸饮之，其目䁯者正）。脚生肉栨，裩系菪根（脚有肉栨者，取莨菪根于裩带上系之，感应永不痛）。囊皱旋多，夜煎竹木（多小便者，夜煎萆薢一件服之，永不夜起也）。体寒腹大，全赖鸬鹚（若患腹大如鼓，米饮调鸬鹚末服，立枯如故也）。血泛经过，饮调瓜子（甜瓜子内仁，捣作末，去油，饮调服之，立绝）。咳逆数数，酒服熟雄（天雄炮过，以酒调一钱匕服，立定也）。遍体疹风，冷调生侧（附子傍生者，曰侧子，作末，冷酒服，立差也）。肠虚泻痢，须假草零（捣五倍子作末，以熟水下之，立止也）。久渴心烦，宜投竹沥。除癥去块，全仗硝硇（硝硇，即硇砂、硝石二味，于乳钵中研作粉，同煅了，酒服，神效也）。益食加觞，须煎芦朴（不食者，并饮酒少者，煎逆水芦根并厚朴二味，汤服）。强筋健骨，须是苁鳣（苁蓉并鳣鱼二味作末，以黄精汁丸服之，可力倍常十也。出《乾宁记》宰）。驻色延年，精蒸神锦（出颜色，服黄精自然汁拌，细研神锦于柳木甑中，蒸七日了，以木蜜丸服，颜貌可如幼女之容色也）。知疮所在，口点阴胶（阴胶，即是甑中气垢，少许于口中，即知脏腑所起，直彻至住处知痛，足可医也）。产后肌浮，甘皮酒服（产后肌浮，酒服甘皮立愈）。口疮舌坼，立愈黄苏（口疮舌坼，以根黄涂苏炙作末含之，立差）。脑痛欲亡，鼻投硝末（头痛者，以硝石作末，内鼻中，立止）。心痛欲死，速觅延胡（以延胡索作散，酒服之，立愈也）。如斯百种，是药之功。某忝遇明时，谬看医理，虽寻圣法，难可穷微。略陈药饵之功能，岂溺仙人之要术？其制药炮熬煮炙，不能记年月哉！欲审元由，须看海集。某不量短见，直录炮熬煮炙，列药制方，分为上、中、下三卷，有三百件名，具陈于后。

凡方云丸如细麻子许者，取重四两鲤鱼目比之。

云如大麻子许者，取重六两鲤鱼目比之。

云如小豆许者，取重八两鲤鱼目比之。

云如大豆许者，取重十两鲤鱼目比之。

云如兔蕈（俗云兔屎）许者，取重十二两鲤鱼目比之。

云如梧桐子许者，取重十四两鲤鱼目比之。

云如弹子许者，取重十六两鲤鱼目比之。

一十五个白珠为准，是一弹丸也。

凡云水一溢、二溢至十溢者，每溢秤之，重十二两为度。

凡云一两、一分、一铢者，正用今丝绵秤也，勿得将四铢为一分，有误必所损，兼伤药力。

凡云散，只作散；丸，只作丸。或酒煮，或醋，或乳煎，一如法则。

凡方炼蜜，每一斤只炼得十二两半；或一分是数。若火少，若火过，并用不得也。

凡膏煎中用脂，先须炼去革膜了，方可用也。

凡修事诸药物等，一一并须专心，勿令交杂，或先熬后煮，或先煮后熬，不得改移，一依法则。

凡修合丸药，用蜜只用蜜，用饧只用饧，用糖只用糖，勿交杂用，必宣泻人也。

卷上　玉石

玉石上

1 丹砂[1]

凡使，宜须细认，取诸般尚[2]有百等，不可一一论之。有妙硫砂，如拳许大，或重一镒，有十四面，面如镜，若遇阴沉天雨，即镜面上有红浆汁出。有梅栢砂，如梅子许大，夜有光生，照见一室。有白庭砂，如帝珠子许大，面上有小星现。有神座砂，又有金座砂、玉坐砂，不经丹灶，服之而自延寿命。次有白金砂、澄水砂、阴成砂、辰锦砂、芙蓉砂、镜面砂、箭镞砂、曹末砂、土砂、金星砂、平面砂、神末砂，已上不可一一细述也。夫修事朱砂，先于一静室内焚香斋沐，然后取砂，以香水浴过了[3]，拭干，即碎捣之，后向钵中，更研三伏时竟，取一瓷锅子，着研了砂于内，用甘草、紫背天葵、五方草，各剉之，著砂上下，以东流水煮，亦三伏时，勿令水火阙失，时候满，去三件草，又以东流水淘令净，干晒，又研如粉。用小瓷瓶子盛，又入青芝草、山须草半两，盖之，下十斤火煅，从巳至子时[4]方歇，候冷，再研似粉。如要服，则入熬蜜，丸如细麻子许大，空腹服一丸。如要入药中用，则依此法。凡煅自然住火，五两朱砂，用甘草二两，紫背天葵一镒，五方草自然汁一镒，若东流水取足。(《大观》卷3页1,《政和》页79,《纲目》页625)

【校注】

[1] 本条末，《炮炙大法》有“丹砂入药，只宜生用，慎勿升炼，一经火炼，饵之杀人。研须万遍，要若轻尘，以磁石吸去铁气”。按，丹砂是硫化汞，火炼成氧化汞，口服易溶于胃酸中，会致中毒。又，《五藏论》云：“丹砂会取光明。”

[2] **尚**　《大观》作“上”。

[3] **了** 《大观》作“子”。

[4] **时** 《大观》作“将”。

2 玉屑

蓝田玉屑，镇压精神。(敦煌本《五藏论》)

3 空青

消癥止泪。(敦煌本《五藏论》)

4 曾青

凡使，勿用夹石及铜青。若修事[1]一两，要紫背天葵、甘草、青芝草三件，干湿各一镒，并细剉，放于一瓷埚内，将曾[2]青于中。以东流水二镒，并诸药等，缓缓煮之五昼夜，勿令水火失，时足，取出，以东流水浴过，却入乳钵中[3]，研如粉用。(《大观》卷3页26，《政和》页91，《纲目》页668)

【校注】

[1] **修事** 《纲目》作“每”。

[2] **将曾** 《纲目》作“安”。

[3] **中** 《大观》作“内”。

5 石胆

唯除眼膜。(敦煌本《五藏论》)

6 云母

凡使，色黄黑者，厚而顽。赤色者，经妇人手把者，并不中[1]用。须要光莹如冰[2]色者为上。凡修事[3]一斤，先用小地胆草、紫背天葵、生甘[4]草、地黄汁各一镒，干者细剉，湿者取汁了，于瓷锅[5]中，安云母，并诸药了，下天池水三镒，著火煮七日夜，水火勿令失度，其云母自然成碧玉浆在锅底，却以天池水猛投其中，将物搅之，浮如蜗涎者即去之。如此三度，淘净了，取沉香一两，捣作末，以天池水煎沉香汤三升已来[6]，分为三度，再淘云母浆了，日中晒，任用之。(《大

观》卷3页4，《政和》页80，《纲目》页619）

【校注】

[1] **中** 《大观》无“中”字。

[2] **冰** 《纲目》作“水”。

[3] **凡修事** 《纲目》作“每”。

[4] **甘** 《炮炙大法》误作“目”。

[5] **瓷锅** 《政和》作“瓷埚”。

[6] **三升已来** 《纲目》作“二升，以末”。

7 石钟乳[1]

凡使，勿用头粗厚并尾大者，为孔公石。不用[2]色黑及经大火惊过，并久在地上收者。曾经药物制者，并不得用。须要鲜明，薄而有光[3]润者，似鹅翎筒[4]子为上，有长五六寸者。凡修事法，以五香水煮过一伏时，然后漉出。又别用甘草、紫背天葵汁渍，再煮一伏时。凡八两钟乳，用沉香、零陵、藿香、甘松、白茅等各一两，以水先煮过一度了，第二度方用甘草等二味，各二两，再煮了，漉出，拭干，缓火焙之，然后入臼，杵[5]如粉，筛过，却入钵中。令有力少壮者三两人，不住研，三日夜勿歇。然后用水飞澄[6]了，以绢笼之，于日中晒令干，又入钵中研二[7]万遍，后以瓷合子收贮用之。（《大观》卷3页10，《政和》页83，《纲目》页650）

【校注】

[1] **石钟乳** 《纲目》引《证类本草》文有节略。

[2] **用** 《药性解》作“是”。

[3] **光** 《大观》作“滋”。

[4] **鹅翎筒** 《药性解》作“鹭翎管”。

[5] **杵** 《大观》作“捣”。

[6] **澄** 《药性解》作“净”。

[7] **二** 《大观》作“一”。

8 消石[1]

凡使，先研如粉，以瓷瓶子于五斤火中，煅，令通赤。用鸡肠菜、柏子仁和作一处，分丸如小帝珠子许[2]，待瓶[3]子赤时，投硝石于瓶子内，其硝石自然伏火。每四两消石，用鸡肠菜、柏子人，共[4]十五个帝珠子尽为度。（《大观》卷3页

15，《政和》页85，《纲目》页696）

《雷公炮炙论序》云：脑痛欲亡，鼻投硝末。[5]除癥去块，全仗硝硇。[6]

【校注】

[1] 本条，《纲目》引文略异。又，《五藏论》云："朴硝火烧方好""痈肿必须硝石"。

[2] **如小帝珠子许** 《药性解》作"饼子许大"。

[3] **瓶** 《药性解》作"饼"。

[4] **共** 此下，《纲目》有"二"字。

[5]《雷公炮炙论序》注云："头痛者，以硝石作末，内鼻中，立止。"又，《政和》引"陈藏器拾遗序"云："头疼欲死，鼻内吹消末愈。"

[6]《雷公炮炙论序》注云："硝硇即硇砂、硝石二味，于乳钵中研作粉，同煅了，酒服，神效也。"

9 芒消

凡使，先以水飞过，用五重纸滴过，去脚于铛中干之。方入乳钵研如粉，任用。芒消是朴消中炼出，形似麦芒者，号曰芒消[1]。（《大观》卷3页16，《政和》页86，《纲目》页693）

【校注】

[1] **芒消** 《本草衍义》云："芒消是朴消淋过炼成。"

10 矾石[1]

凡使，须以瓷瓶盛，于火中煅，令内外通赤，用钳揭起盖，旋安石蜂窠于赤瓶子中，烧蜂窠尽为度。将钳夹出，放冷，敲碎，入钵中，研如粉。后于屋下掘一坑，可深五寸，却以纸裹留坑中一宿，取出再研。每修事十两，用石蜂窠六两，烧尽为度。又云：凡使，要光明如水精，酸、咸、涩味全者，研如粉，于瓷瓶中盛，其瓶盛得三升已来，以六一泥泥于火畔，炙之令干。置研了白矾于瓶内，用五方[2]草、紫背天葵二味自然汁各一镒，旋旋添白矾于中，下火逼令药汁干，用盖子并瓶口，更以泥泥上下，用火一百斤煅，从巳至未，去火，取白矾瓶出，放冷，敲破取白矾。若经大火一煅，色如银，自然伏火，铢累不失，捣细研如轻粉，方用之。（《大观》卷3页12，《政和》页84，《纲目》页706）

【校注】

[1] **矾石** 《炮炙大法》云："生用解毒，煅用生肌。"又，《五藏论》云："矾石须炮。"

[2] **方** 《大观》作"角"。

11 滑石[1]

凡使，有多般，勿误使之。有白滑石、绿滑石、乌滑石、冷滑石、黄滑石。其白滑石如方解石，色白，于石上画有白腻文，方使得。滑石，绿者，性寒，有毒，不入药中用。乌滑石似黳色，画石上有青白腻文，入用妙也。黄滑石，色似金，颗颗圆，画石上有青黑色者，勿用，杀人。冷滑石，青苍色，画石上作白腻文，亦勿用。若滑石色似冰白青色，画石上有白腻文者，真也。凡使，先以刀刮，研如粉，以牡丹皮同煮一伏时，出，去牡丹皮，取滑石，却用东流水淘过，于日中晒干，方用。(《大观》卷3页22，《政和》页89，《纲目》页643)

【校注】

[1] 本条，《纲目》《指南》引文有节略。又，《五藏论》云："淋涩，须加滑石。"《幼幼新书》卷40"滑石"条引雷公云："色白青似水，画石上有白腻文者可用，余者杀人。"

12 石英

研之似粉。(敦煌本《五藏论》)

13 黄石脂[1]

凡使，须研如粉用，新汲水投于器中搅，不住手了，倾作一盆，如此飞过三度，澄者去之，取飞过者任入药中使用。服之不问多少，不得食卵味[2]。(《大观》卷3页32，《政和》页94，《纲目》页647)

【校注】

[1] **黄石脂** 《纲目》《指南》作"赤石脂"，并将条文简化为"凡使赤石脂，须研如粉，新汲水飞过三度，晒干用"。又，《五藏论》云："石脂加颜发色。"

[2] **不得食卵味** 《纲目》作"服之忌卵味"。

14 太一禹馀粮

凡使，勿误用石中黄并卵石黄，此二名石，真似禹馀粮也[1]。其石中黄，向里赤黑黄，味淡、微跙。卵石黄，味酸，个个如卵，内有子一块，不堪用也。若误饵之，令人肠干。太一禹[2]馀粮看即如石，轻敲便碎，可如粉也，兼重重如叶子雌黄，此能益脾，安脏气。凡修事四两，先用黑豆五合，黄精五合，水二斗，煮取五升，置于瓷埚中，下禹馀粮，著火煮，旋添，汁尽为度，其药气自然香如新米，捣了，又研一万杵，方用。(《大观》卷3页27，《政和》页92，《纲目》页666)

【校注】

[1] **真似禹馀粮也** 《纲目》作“真相似”。

[2] **禹** 《纲目》无“禹”字。

玉石中

15 水银

凡使，勿用草中取[1]者，并旧朱漆中者，勿用经别药制过着，勿用在尸过者，半生半死者。其水银若在朱砂中产出者，其水银色微红，收得后，用胡芦收[2]之，免遗失。若先以紫背天葵并夜交藤自然汁二味，同煮一伏时，其毒自退。若修十两，用前二味汁各七镒，和合煮足为度。(《大观》卷4页14，《政和》页107，《纲目》页628)

【校注】

[1] **取** 《纲目》作“汞”。

[2] **收** 《纲目》作“贮”。

16 雄黄[1]

凡使，勿用黑鸡黄、自死黄、夹腻黄。其臭黄，真似雄黄，只是臭不堪用，时人以醋洗之三两度，便无臭气，勿误用也。次有夹腻黄，亦似雄黄，其内一重黄，一重石，不堪用。次有黑鸡黄，亦似雄黄，如乌鸡头上冠也[2]。凡使，要似鹧鸪鸟肝色为上。凡修事，先以甘草、紫背天葵、地胆、碧棱花四件，并细剉，每件各五两，雄黄三两，下东流水入坩埚中，煮三伏时，漉出，捣如粉，水飞，澄去黑者，晒干，再研，方入药用。其内有劫铁石，是雄黄中有，又号赴矢黄，能劫于铁，并不入药用。(《大观》卷4页2，《政和》页101，《纲目》页635)

【校注】

[1] **雄黄** 《药性解》云："雄黄，解藜芦毒，大块透明，中无砂石者佳。研细，水飞用""中其毒者，以防己解之"。本条，《炮炙大法》作"雄黄，取透明色鲜红质嫩者，研如飞尘，水飞数次"。又，《指南》全引《纲目》"雄黄"条"修治"的文字。又，《五藏论》云："飞尸走疰，速用雄黄""雄黄除黑皯"。

[2] **上冠也** 《纲目》脱此文。

17 雌黄

凡使，勿误用夹石黄、黑黄、珀熟等。雌黄一块，重四两。按《乾宁记》云：指开拆得千重，软如烂金者，上。凡修事，勿令妇女、鸡、犬、新犯淫人、有患人、不男人、非形人，曾是刑狱地臭秽，已上并忌。若犯触者，雌黄黑如铁，不堪用也，反损人寿。凡修事四两，用天碧枝、和阳草、粟遂子草各五两，三件干，湿加一倍，用瓷埚子中煮三伏时了，其色如金汁，一垛在埚底下，用东流水猛投于中，如此淘三度了，去水，取出拭干，却于臼中捣筛过，研如尘，可用之。(《大观》卷4页13，《政和》页104，《纲目》页638)

《雷公炮炙论序》云：雌得芹花，立便成庚。[1]

【校注】

[1]《雷公炮炙论序》注云："其草名为立起，其形如芍药花，色青，可长三尺已来，叶上黄斑色，味苦涩，堪用，煮雌黄，立住火。"

18 孔公孽

消食肥泽。(敦煌本《五藏论》)

19 石硫黄[1]

凡使，勿用青赤色及半白半青、半赤半黑者。自有黄色，内莹净似物命者，贵也[2]。凡用[3]四两，先以龙尾蒿自然汁一镒，东流水三镒，紫背天葵汁一镒，粟遂[4]子茎汁一镒[5]，四件合之搅令匀。一坩埚，用六一泥固济底下，将硫黄碎之，入于埚中，以前件药汁旋旋添入，火煮之，汁尽为度了。再以百部末十两、柳蚛末二斤、一簇草二斤，细剉之，以东流水并药等同煮硫黄二伏时，日满，去诸药，取出，用熟甘草汤洗了，入钵中研二万匝，方用。(《大观》卷4页10，《政和》页

103，《纲目》页 702）

【校注】

[1] 本条，《炮炙大法》作“研如飞尘，用以杀虫行血”。又，《指南》在此条末引李时珍曰：“凡用硫黄，入丸散用，须以萝卜剜空，入硫黄在内，合定，以紫背浮萍同煮过，消其火毒；以皂荚汤淘之，去其黑浆。一法：打碎，以绢袋盛，用无灰酒煮三伏时用。又，硝石能化硫黄为水，以竹筒盛硫黄埋马粪中一月亦成水，名硫黄液。”

[2] **内莹净似物命者，贵也**　《药性解》作“如鸡雏初壳者为真”。

[3] **用**　《药性解》作“硫”。

[4] **粟遂**　《纲目》《指南》作“粟逐”。但《纲目》卷 9“雌黄”条引“敩曰”作“粟遂”，并不作“粟逐”。

[5] **一镒**　《药性解》作“四镒”。《大观》《指南》脱此 2 字。

20　凝水石

凡使，先须用生姜自然汁，煮汁尽为度[1]，研细[2]成粉用。每修十两，用姜汁[3]一镒。（《大观》卷 4 页 25，《政和》页 112，《纲目》页 690）

【校注】

[1] **煮汁尽为度**　《纲目》作“煮干”。

[2] **细**　《政和》脱“细”字。

[3] **姜汁**　《纲目》作“生姜”。

21　石膏[1]

凡使，勿用方解石。方解石虽白，不透明，其性燥，若石膏出剡州茗[2]山县义情山，其色莹净如水精，性良善也。凡使之，先于石臼中捣成粉，以密物[3]罗过，生甘草水飞过了，水澄令干[4]，重研用之[5]。（《大观》卷 4 页 16，《政和》页 108，《纲目》页 639）

【校注】

[1]《指南》在本条末引李时珍曰：“古法惟打碎如豆大，绢包入汤煮之。近人因其性寒，火煅过用，或糖拌炒过，则不妨胃。”又，《炮炙大法》在本条末增“作散者煅熟，入煎剂半生半熟”。

[2] **茗**　《纲目》《药性解》作“若”。

[3] **以密物**　《政和》作“以夹物”，《药性解》《炮炙大法》作“以密绢”，《纲目》《指南》

无此3字。

[4] **水澄令干** 《政和》作“水尽令干”,《药性解》作“去水令干”,《纲目》《指南》作“澄晒筛”。

[5] **重研用之** 《药性解》作“重研细,用之良”,《纲目》《指南》作“研用”。

22 磁石[1]

凡使,勿误用玄中石并中麻石。此石之二真相似[2]磁石,只是吸铁不得。中麻石心有赤皮粗,是铁山石也。误服之,令人有恶疮,不可疗。夫欲验者,一斤磁石[3],四面只吸铁一斤者,此名延年沙;四面只吸得铁八两者,号曰续未[4]石;四面只吸得五两已来者,号曰磁石。若夫修事一斤[5],用五花皮一镒、地榆一镒,故[6]绵十五两,三[7]件并细剉,以捶于石上,碎作二三十块了[8]。将磁石于瓷瓶[9]子中,下草药,以东流水煮三日夜[10],然后漉出,拭干,以布裹之,向大石上再捶,令细了,却入乳钵中研细如尘,以水沉飞过了[11],又研如粉用之[12]。(《大观》卷4页23,《政和》页111,《纲目》页661)

【校注】

[1]《指南》在本条末云:“宗奭曰:入药须用火烧醋淬,研为末,水飞或醋煮三日夜。”《药性解》对本条增补“入火煅红,醋淬七次,研绝细用”。

[2] **此石之二真相似** 《纲目》作“此二石俱似”,《药性解》作“此二石真相似”。

[3] **一斤磁石** 《纲目》作“真磁石一片”,《药性解》作“磁石一片”。

[4] **未** 《纲目》《药性解》作“采”。

[5] **若夫修事一斤** 《纲目》《药性解》作“凡修事一斤”,《炮炙大法》作“修事一斤”,《指南》作“凡使慈石,或一觔”。

[6] **故** 《纲目》《指南》作“取”。

[7] **三** 《纲目》《指南》作“二”。

[8] **了** 《大观》《炮炙大法》作“子”。

[9] **瓶** 《大观》作“孔”。

[10] **三日夜** 《指南》作“三日三夜”。

[11] **却入乳钵中研细如尘,以水沉飞过了** 《纲目》作“乃碾如尘,水飞过”,《指南》作“乃碾入尘,水飞过”。

[12] **又研如粉用之** 《纲目》《指南》作“再碾用”。

23 铁

《雷公炮炙论序》云:铁遇神砂,如泥似粉。(《大观》卷1页30,《政和》页41,

《纲目》页608)

24 光明盐（圣石）

《雷公炮炙论序》云：圣石[1]开盲，明目而如云离日。(《大观》卷1页30,《政和》页41,《纲目》页689)

【校注】

[1] **圣石** 《政和》卷4“光明盐”条，掌禹锡按《蜀本》注云：“光明盐，呼为圣石。”按，光明盐是《唐本草》新增药。

25 蜜陀僧[1]

时呼蜜陀僧，凡使，捣令细，于瓷埚中安置了[2]，用重纸袋盛柳蚛末[3]，焙蜜陀僧埚中，次下东流水浸令[4]满，著火煮一伏时足[5]，去柳末、纸袋，取蜜陀僧用。(《大观》卷4页29,《政和》页113,《纲目》页604)

【校注】

[1] 本条末，《炮炙大法》增“近人以煎银炉底代之，误矣。炉底能消炼一切衣帛，焉可服耶？如无真者，勿用”。又，《五藏论》云：“蜜陀僧去疥癞。”

[2] **于瓷埚中安置了** 《纲目》《指南》作“安瓷锅中”。

[3] **柳蚛末** 《纲目》《炮炙大法》《指南》作“柳蛀末”,《药性解》作“柳木末”。

[4] **令** 《大观》作“今”。

[5] **足** 《纲目》《指南》无“足”字。

26 铅

《雷公炮炙论序》云：令铅拒火，须仗修天。(《大观》卷1页30,《政和》页41)

27 骐驎竭[1]

凡使，勿用海母血，真似骐驎竭[2]，只是味咸并腥气。其骐驎竭，味微咸，甘，似栀子气是也。欲使，先研作粉，重筛过，临使，安于丸散或膏中，任使用。勿与众药同捣，化作飞尘也[3]。(《大观》卷13页15,《政和》页321,《纲目》页1373)

【校注】

[1] **骐驎竭** 《指南》作“血竭”。

[2] **真似骐驎竭** 《纲目》《指南》作“真相似”。

[3] **勿与众药同捣，化作飞尘也** 《纲目》作“若同众药捣，则化作尘飞也”。《指南》作“若同众药捣，则化作灰飞也”。

玉石下

28 代赭[1]

凡使，不计多少，用腊[2]水细研尽，重重飞过，水面上有赤色、如薄云者去之。然后用细茶脚汤煮之，一伏时了，取出又研一万匝，方入用。净铁铛一口，著火得铛热底赤，即下白蜡一两，于铛底逡巡间，便投新汲水冲之，于中沸一二千度了，如此放冷，取出使之[3]。(《大观》卷5页15，《政和》页129，《纲目》页663)

【校注】

[1] 本条末，《指南》引李时珍曰：“今人惟煅赤，醋淬三次或七次，研，水飞过，取其相制，并为肝经血分引用也。”又引《相感志》云：“代赭石以酒醋煮之，插铁钉于内，扇之成汁。”

[2] **腊** 《大观》作“蜡”。

[3] **于中沸一二千度了，如此放冷，取出使之** 《纲目》《指南》作“再煮一二十沸，取出晒干用”。

29 白垩

凡使，勿用色青并底白者，先单捣令细，三度筛过了，又入钵中研之。然后将盐汤飞过，浪干[1]。每修事白垩二两，用白盐一分，投于斗水中，用铜器物，内沸十余沸了，然后用此沸了水飞过白垩[2]，免结涩人肠也。(《大观》卷5页21，《政和》页132，《纲目》页576)

【校注】

[1] **浪干** 《纲目》作“曝干用”。

[2] **投于斗水中……水飞过白垩** 《纲目》无此文。

30 石灰

凡使，用醋浸一宿，漉出，待干，下火煅，令腥秽气出，用瓶盛著，密盖，放

冷[1]，拭上灰，令净，细研用。(《大观》卷5页21，《政和》页123，《纲目》页576)

【校注】

[1] **冷** 《炮炙大法》作“令”。

31 伏龙肝

凡使，勿误用灶下土。其伏龙肝，是十年已来，灶额内火气积自结，如赤色石，中黄，其形貌八棱。取得后细研，以滑石水飞过两遍，令干，用熟绢裹，却取子时安于旧额内一伏时，重研了用[1]。(《大观》卷5页1，《政和》页122，《纲目》页583)

【校注】

[1] **取得后细研……重研了用** 《纲目》作“取得研细，以水飞过用”。

32 硇砂[1]

《雷公炮炙论序》云：硇遇赤须，水留金鼎。注云：其草名赤须，今呼为虎须草，是用煮硇砂，即生火验。《雷公炮炙论序》又云：除癥去块，全仗硝硇。注云：硝硇即硇砂、硝石二味，于乳钵中研作粉，同煅了，酒服，神效也。(《大观》卷1页30，《政和》页41)

【校注】

[1] 本条，《五藏论》作“痈肿，硇砂石却”。

33 梁上尘

凡使，须去烟火远[1]，高堂殿上者，拂下，筛用之[2]。(《大观》卷5页28，《政和》页134，《纲目》页588)

【校注】

[1] **远** 《纲目》作“大远”。

[2] **之** 此下，《炮炙大法》增“一云：凡用倒挂尘，烧令烟尽，筛取末入药。雷氏所说，似是梁上灰尘，今人不见用”。

34　无名异

《雷公炮炙论序》云：无名[1]止楚，截指而似去甲毛。注云：无名异，形似玉柳石[2]，又如石灰[3]，味别。(《大观》卷1页30，《政和》页41)

【校注】

[1] **无名**　《开宝本草》云："无名异，主金疮折伤内损，止痛生肌。出大食国，生于石上，状如黑石炭。"

[2] **柳石**　商务本《政和》作"柳面"，校点本《纲目》、张本《纲目》作"仰面"。

[3] **石灰**　《纲目》卷9"无名异"条集解项下引"敩曰"作"石炭"。

35　金银铜铁气[1]

凡使，在药中。用时，即浑安置于药中，借气生药力而已。勿误入药中用[2]，消人脂也。(《大观》卷4页21，《政和》页110，《纲目》页594)

【校注】

[1] **气**　商务本《政和》作"器"，《纲目》无"气"字。按，本条全文据《政和》"生银"条所引"雷公云"辑补。生银虽为《开宝本草》新增药，但晋代葛洪《抱朴子》已有著录。

[2] **勿误入药中用**　《纲目》《炮炙大法》作"勿入药服"。

36　砒霜[1]

凡使，用[2]小瓷瓶子盛，后入紫背天葵、石龙芮二味，三件便下[3]火煅，从巳至申，便用甘草水浸，从申至子，出，拭干，却入瓶盛，于火中煅，别研三万下用之[4]。(《大观》卷5页5，《政和》页124，《纲目》页673)

《雷公炮炙论序》云：留砒住鼎，全赖宗心。

【校注】

[1] 本条末，《炮炙大法》有"一法，每砒霜一两，打碎，用明矾一两为末，盖砒上，贮罐中，入明火一煅，以矾枯为度。砒之悍气，随烟而去。驻形于矾中者，庶几无大毒，用之不伤也。用砒霜，即用矾霜是也，似简便"。按，砒霜为《开宝本草》新增药，但唐·独孤滔《丹房镜源》已有著录。

[2] **用**　此下，《纲目》有"以"字。

［3］**三件便下**　《纲目》无此文。

［4］**之**　《大观》无“之”字。

37　自然铜[1]

石髓铅，即自然铜也。凡使，勿用方金牙，其方金牙真似石髓铅，若误饵，吐煞人。其石髓铅，色[2]似干银泥，味微甘。如采得，先捶碎，同甘草汤煮一伏时，至明漉出，摊令干，入臼中捣了，重筛过，以醋浸一宿，至明，用六一泥[3]泥瓷盒子，约盛得二升已来[4]，于文武火中养三日夜，才干，便用盖盖了泥[5]，用火煅两伏时，去土，抉盖，研如粉用。若修事五两，以醋两镒为度。（《大观》卷5页24，《政和》页133，《纲目》页597）

【校注】

［1］本条前，《药性解》增“凡使，须捶碎，以甘草水煮过，又用醋浸一宿，以泥包裹之，火煅，研细用”。本条末，《指南》引李时珍曰：“今人只以火煅，醋淬七次，研细，水飞过用。”按，自然铜为《开宝本草》新增药，但是唐·独孤滔《丹房镜源》已有著录。

［2］**色**　《纲目》无“色”字。

［3］**泥**　《纲目》《炮炙大法》作“混”。

［4］**约盛得二升已来**　《纲目》《指南》作“盛二升”。

［5］**泥**　《炮炙大法》作“火”。《纲目》《指南》无“泥”字。

38　神砂

《雷公炮炙论序》云：铁遇神砂，如泥似粉。（《大观》卷1页30，《政和》页41）

39　神锦[1]

《雷公炮炙论序》云：驻色延年，精蒸神锦。注云：出颜色，服黄精自然汁拌，细研神锦于柳木甑中，蒸七日了，以木蜜丸服，颜貌可如幼女之容色也。（《大观》卷1页30，《政和》页41）

【校注】

［1］**神锦**　神锦是什么呢？其注文中讲到细研，那么可能是玉石类药。按，玉石类药中具有驻色延年功用的，有丹砂、雄黄、石钟乳。《别录》谓丹砂、雄黄能延年悦泽人面，又谓石钟乳能延年好颜色。三者唯有石钟乳与“驻色延年”意合。柳宗元《与崔连州论石钟乳书》云：“以微食之，使人荣华……寿考康宁。”日华子亦云：“石钟乳……合镇驻药，须一气研七周时。”柳宗元、日华子所言

石钟乳功用，皆与“驻色延年”意合。疑神锦或是石钟乳一类药物。

40 修天

《雷公炮炙论序》云：令铅拒火，须仗修天。注云：今呼为补天石[1]。(《大观》卷1页30，《政和》页41)

【校注】

[1] **补天石** 《淮南子》《史记》有“女娲氏炼石补天”的传说。

卷中　草木

草 上

41 天门冬

采得了，去上皮一重，便劈破[1]，去心，用柳木甑，烧柳木柴，蒸一伏时，洒酒令遍[2]，更添火蒸，出曝，去地二尺已来，作小架上，铺天门叶，将蒸了天门冬，摊令干用[3]。(《大观》卷6页20，《政和》页147，《纲目》页1025)

【校注】

[1] **去上皮一重，便劈破** 《纲目》《指南》无此文。《炮炙大法》作“劈破”。

[2] **遍** 《炮炙大法》作“逼”。

[3] **出曝，去地二尺已来……摊令干用** 《纲目》作“作小架去地二尺，摊于上，曝干用”，《指南》作“摊地暴干用”，《炮炙大法》作“出曝”。

42 白术

有散气消食之效。(敦煌本《五藏论》)

43 萎蕤

凡使，勿用钩吻并黄精，其二物相似。萎蕤只是不同，有误疾人[1]；萎蕤节上有毛，茎斑，叶尖处有小黄点。采得，先用[2]竹刀刮上节皮了，洗净，却以蜜水浸一宿，蒸了，焙干用。(《大观》卷6页41，《政和》页154，《纲目》页734)

【校注】

[1] **只是不同，有误疾人** 《纲目》《指南》无此文。又，“同”，《大观》作“可”。

[2] **采得，先用** 《纲目》作“采得以”，《指南》作“须用”。

44 黄精

凡使，勿用钩吻，真似黄精，只是叶[1]有毛钩[2]子二个，是别认处，若误服害人。黄精叶似竹叶。凡采得，以溪水洗净后蒸，从巳至子，刀薄切，曝干用[3]。（《大观》卷6页5，《政和》页143，《纲目》页732）

【校注】

[1] **叶** 此下，《纲目》有“头尖”2字。

[2] **钩** 《药性解》无“钩”字。

[3] **曝干用** 《药性解》作“晒干用”。又，“用”字后，《指南》引苏颂曰：“羊公服黄精法：二三月采根水煮，可去苦味，取汁煎膏，以炒黑黄豆末相和作饼，亦可焙干筛末，水服。”又引孟诜曰：“饵黄精法：取瓮去底，入黄精，密盖，蒸暴。九蒸九暴，生则刺人咽喉。渐渐服之尽，则鬼神从，必升天。根、叶、花实皆可食。相对是正，不对名偏精。”

45 干地黄[1]

采生地黄，去白[2]皮，瓷锅上柳木甑蒸之，摊令气歇，拌酒再蒸，又出令干。勿令犯铜铁器，令人肾消并白髭发[3]，男损荣，女损卫也。（《大观》卷6页26，《政和》页150，《纲目》页892）

【校注】

[1] 本条末，《指南》引李时珍曰：“近时造法：拣取沉水肥大者，以好酒入缩砂仁末在内，拌匀，柳木甑于瓦锅内蒸令气透，晾干。再以砂仁酒拌蒸晾。如此九蒸九晾乃止。盖地黄性泥，得砂仁之香而窜，合和五脏冲和之气，归宿丹田故也。今市中惟以酒煮熟售者，不可用。”又，《五藏论》云：“伤身要须地髓。”（《本经》云：“干地黄……一名地髓。”）又，“干地黄”，《炮炙大法》作“生地黄”。并注云：“生地黄大如大指，坚实者佳，酒洗晒干，以手擘之，有声为度，好酒拌匀，置瓷瓮内，包固，重汤煮一昼夜，胜于蒸者，名熟地黄。生者酒洗用。”

[2] **白** 《纲目》无“白”字。

[3] **白髭发** 《纲目》《药性解》《指南》作“发白”。

46 菖蒲[1]

凡使，勿用泥昌、夏昌，其二件相似，如竹根鞭，形黑、气秽、味腥，不堪用。凡使，采石上生者，根条嫩黄紧[2]硬节稠，长一寸有九节者，是真也。采得后，用铜刀刮上黄黑硬节皮一重了[3]，用嫩桑枝条相拌，蒸，出暴干，去桑条，剉用。(《大观》卷6页8，《政和》页144，《纲目》页1063)

【校注】

[1] 本条，《五藏论》云："菖蒲强寄（志）。"

[2] **紧** 《炮炙大法》作"坚"。

[3] **了** 《政和》作"子"。

47 远志[1]

凡使，先须[2]去心，若不去心，服之令人闷[3]。去心了，用熟甘草汤浸一宿[4]，漉出，曝干[5]，用之也。(《大观》卷6页69，《政和》页163，《纲目》页749)

【校注】

[1] 本条，《五藏论》云："远志、人参巧含开心益智。"

[2] **须** 《药性解》作"须捶"。《炮炙大法》无"须"字。

[3] **若不去心，服之令人闷** 《纲目》作"否则令人烦闷"。

[4] **一宿** 《政和》脱"一"字。

[5] **干** 此下，《纲目》有"或焙干"。

48 泽泻[1]

不计多少[2]，细剉，酒浸一[3]宿，漉[4]出，曝干，任用也。(《大观》卷6页66，《政和》页162，《纲目》页1060)

【校注】

[1] 本条末，《炮炙大法》有"一法：米泔浸，去毛，蒸。或捣碎焙"。又，《五藏论》云："泽泻、茱萸能使耳目聪明。"

[2] **不计多少** 《炮炙大法》作"不油不蛀者良"。

[3] **一** 《大观》脱"一"字。

[4] **漉** 《纲目》《指南》作"取"。

49 薯蓣[1]

凡使，勿用平田生二三纪内者，要经十[2]纪者，山中生，皮赤，四面有髭生[3]者妙。若采得，用铜刀削去上赤皮，洗去涎，蒸用[4]。（《大观》卷6页62，《政和》页160，《纲目》页1223）

【校注】

[1] 本条，《炮炙大法》作“薯蓣，补益药及脾胃中熟用，外科生用。切，用铜刀”。

[2] **十** 商务本《政和》、《纲目》、《指南》作“千”。

[3] **髭生** 《纲目》《指南》作“须”。

[4] **蒸用** 《纲目》《指南》作“蒸过暴干用”。

50 菊花

头风旋闷，须访菊花。（敦煌本《五藏论》）

51 甘草[1]

凡使，须去头尾尖处，其头尾吐人。每斤皆[2]长三寸，剉，劈破作六七片，使瓷器中盛，用酒[3]浸蒸，从巳至午，出，暴干，细剉[4]。使一斤[5]，用酥七两，涂上炙，酥尽为度。又[6]，先炮令内外赤黄用良。（《大观》卷6页23，《政和》页148，《纲目》页717）

【校注】

[1] 本条，《五藏论》云：“甘草有安和之性，故受国老之名。”

[2] **每斤皆** 《纲目》《药性解》作“每用切”，《炮炙大法》作“截作”。

[3] **酒** 《炮炙大法》脱“酒”字。

[4] **出，暴干，细剉** 《纲目》《药性解》《指南》作“取出暴干剉细用”。《炮炙大法》作“出暴干，或用清水蘸炙，或切片用蜜水拌炒。如泻火生用”。

[5] **使一斤** 《纲目》《药性解》作“一法：每斤”。

[6] **又** 此下，《纲目》《药性解》有“法”字。

52 人参[1]

凡使，要肥大，块如鸡腿，并似人形者。采得，阴干，去四边芦头并黑者，剉入药中。夏中少使[2]，发心痃之患也。（《大观》卷6页15，《政和》页146，《纲目》页722）

【校注】

[1] 本条，《炮炙大法》作“人参，色微黄，皮薄、滋润明亮、润而独株，味甘回味不苦者，良，去芦”。《指南》援引《纲目》文，和本条文字略异。又，《五藏论》云：“人参巧含开心益智。”

[2] **夏中少使** 《纲目》作“夏月少使人参”。

53 石斛

凡使，先去头土了[1]，用酒浸一宿，漉出，于日中曝干，却用酥蒸。从巳至酉，却徐徐焙干用。石斛锁涎，涩丈夫元气。如斯修事，服满一镒，永无骨痛。[2]（《大观》卷6页76，《政和》页165，《纲目》页1076）

【校注】

[1] **先去头土了** 《纲目》作“去头根”，《药性解》作“先去头上子”，《炮炙大法》作“长而中实、味不苦者真，去头土了”，《指南》作“须去头根”。

[2] **石斛锁涎……永无骨痛** 《纲目》《指南》作“入补药乃效”。《药性解》作“然后用”。又，“无”字，《炮炙大法》作“不”。又，“痛”字后，《大观》有“也”字。《炮炙大法》有“暂使酒蒸用，服饵当如法”。又，《五藏论》云：“脚弱行迟，宜求石斛。”

54 牛膝[1]

凡使，去头并尘土了，用黄精自然汁浸一宿，漉出，细[2]剉，焙干用之。（《大观》卷6页37，《政和》页153，《纲目》页896）

【校注】

[1] 本条，《炮炙大法》作“酒浸蒸曝干，形长二尺五寸已上者方佳。蜀地及怀庆产者良。”又，《五藏论》云：“河内牛膝，疗膝冷而去腰疼。”本条末，《指南》引李时珍曰：“今惟以酒浸入药。欲下行，则生用。滋补则焙用，或酒拌蒸过用。”

[2] **细** 《纲目》无“细”字。

55 细辛[1]

凡使，一一拣去双叶，服之害人。须去头土了[2]，用瓜水浸一宿，至明漉出，曝干用之。（《大观》卷6页74，《政和》页164，《纲目》页788）

【校注】

[1] 本条，《炮炙大法》作"拣去双叶，服之害人，洗净去泥沙"。

[2] **须去头土了** 《纲目》《药性解》作"切去头子"。

56 独活[1]

采得后，细剉，拌淫羊藿，裛[2]二日后，暴干，去淫羊藿，用，免烦人心。(《大观》卷6页52，《政和》页158，《纲目》页773)

【校注】

[1] 本条末，《炮炙大法》《指南》有"此服食家治法，寻常去皮，或焙用尔"。按，此文原出于《纲目》"时珍曰"。

[2] **裛** 《药性解》作"蒸"。按，裛音 yì，原意是书囊，此处意为包起。

57 升麻[1]

采得了，刀刮上粗皮一重了[2]，用黄精自然汁浸一宿，出，暴干，细剉，蒸了，暴干用之[3]。(《大观》卷6页55，《政和》页158，《纲目》页775)

【校注】

[1] 本条末，《药性解》有"佳"字。《指南》引李时珍曰："今人惟取裏白外黑而紧实者，谓之鬼脸升麻，去须及头芦，剉用。"

[2] **刀刮上粗皮一重了** 《纲目》《指南》作"刮去粗皮"。

[3] **之** 《纲目》无"之"字。

58 柴胡

凡使，茎长软，皮赤，黄髭须。出[1]平州平县，即今银州[2]银县也。西畔生处，多有白鹤、绿鹤于此翔处[3]，是柴胡香直上云间，若有过往闻者，皆气爽[4]。凡采得后，去髭并头，用铜[5]刀削上赤薄皮少许，却以粗布拭了，细剉用之。勿令犯火，立便无效也。(《大观》卷6页46，《政和》页156，《纲目》页769)

【校注】

[1] **出** 此下，《政和》有"在"字。

[2] **银州** 北周（557—581）置，今陕西榆林南无定河滨。(《中国历史地图集》第4册页67～

68）据此，“即今银州银县也”，当出后人所注，非本书文。

［3］**翔处** 《纲目》《药性解》作“飞翔”。

［4］**爽** 此下，《炮炙大法》有“此种治骨蒸，不入发表药”。

［5］**铜** 《政和》作“银”。

59 防葵

凡使，勿误用狼毒，缘真似防葵[1]，而验之有异，效又不同[2]，切须审之，恐误疾人。其防葵在蔡州沙土中生，采得二十日便蚛[3]，用之唯轻为妙[4]。欲使，先须拣去蚛末后，用甘草汤浸一宿，漉出，暴干，用黄精自然汁一二升拌了，土器中炒令黄精汁尽[5]。（《大观》卷6页43，《政和》页155，《纲目》页947）

【校注】

［1］**防葵** 《纲目》无此2字。

［2］**同** 《纲目》作“能”。

［3］**蚛** 《纲目》作“生蚛”。

［4］**唯轻为妙** 《五藏论》云：“防葵唯轻为上。”

［5］**令黄精汁尽** 《纲目》作“至汁尽用”。

60 薏苡人

凡使，勿用糙[1]米，颗大无味。其糙米，时人呼为粳糙是也。若薏苡人，颗小色青，味甘，咬着黏人齿[2]。夫用一两，以糯米二两同熬，令糯米熟[3]，去糯米，取使[4]若更以盐汤煮过，别是一般修制亦得[5]。（《大观》卷6页63，《政和》页161，《纲目》页1129）

【校注】

［1］**糙** 《药性解》作“秔”，秔即稉，与“粳”同义。

［2］**齿** 《大观》作“齿牙”。

［3］**同熬，令糯米熟** 《纲目》作“同炒熟”。

［4］**取使** 《纲目》作“用”。

［5］**别是一般修制亦得** 《纲目》无此文。

61 车前子[1]

凡使，须一窠有九叶，内有蕊，茎可长一尺二寸者。和蕊、叶、根，去土了[2]，秤有一镒者，力全堪用。使叶勿使蕊、茎，使叶剉，于新瓦上，摊干，用之。(《大观》卷6页56，《政和》页159，《纲目》卷918)

【校注】

[1] 本条，《炮炙大法》作“车前子，自收玄色者良。卖家多以葶苈子代充，不可不辨。使叶，勿使蕊、茎。入补益药中，用米泔淘净蒸，入利水、治泄泻药，炒为末用”。《指南》引李时珍曰：“凡用车前子，须以水淘洗泥沙，晒干。入汤液，炒过用。入丸散，则以酒浸一夜，蒸熟，研烂作饼，晒干焙研。”

[2] **去土了** 《纲目》作“去上子”。

62 木香[1]

凡使，其香是芦蔓根条，左[2]盘旋。采得二十九日，方硬如朽骨硬碎[3]。其有芦头丁盖子色青者，是木香神也。(《大观》卷6页59，《政和》页160，《纲目》页805)

【校注】

[1] 本条，《药性解》注云：“(木香) 宜生磨用，火炒令人胀。形如枯骨，苦口沾牙者良。”又，《炮炙大法》作“形如枯骨油重者良。忌见火，入煎药，磨汁内熟汤中服。若实大肠，宜面煨熟用”。又，《指南》引李时珍曰：“凡使木香，如入理气药，只生用，不见火。若实大肠，宜面煨熟用。”

[2] **左** 《药性解》作“互”。

[3] **硬碎** 《纲目》无此2字。

63 龙胆

采得后，阴干。欲使时，用铜刀切去髭土头了[1]，剉，于甘草汤中浸一宿，至明，漉出，暴干用。勿空腹，饵之令人溺不禁。(《大观》卷6页72，《政和》页164，《纲目》页785)

【校注】

[1] **去髭土头了** 《纲目》《指南》作“去须上头子”，《药性解》作“去髭头上顶”。

64 菟丝子[1]

凡使，勿用天碧草子，其样真相似，只是天碧草子味酸涩并粘，不入药用。其菟丝子，禀中和凝正阳气受结，偏补人卫气，助人筋脉，一茎从树感枝成，又从中春上阳结实，其气大小受七镒二两。全采得，去粗薄壳了，用苦酒浸二日，漉出，用黄精自然汁浸一宿，至明，微用[2]火煎至干，入臼中，热烧铁杵，一劲[3]三千余杵成粉。用苦酒并黄精自然汁与菟丝子相对用之。（《大观》卷6页33，《政和》页152，《纲目》页1002）

【校注】

[1] 本条，《炮炙大法》作"菟丝子，米泔淘洗极净，略晒，拣去稗草子，磨五六次，酒浸一宿，慢火煮干，木槌去壳。一法：用酒煮一昼夜，捣作饼晒干，然后复研方细。一法：以白纸条同研方细"。又，《五藏论》云："菟丝酒渗乃良。"本条末，《指南》引李时珍曰："凡用以温水淘去沙泥，酒浸一宿，曝干捣之。不尽者，再浸曝捣，须臾悉细。又法：酒浸四五日，蒸曝四五次，研作饼，焙干再研末。或云：曝干时，入纸条数枚同捣，即刻成粉，且省力也。"

[2] **微用** 《纲目》作"用微"。

[3] **劲** 《政和》作"去"。

65 巴戟天[1]

凡使，须用枸杞子汤浸一宿，待稍软，漉出，却用酒浸一伏时，又漉出，用菊花同熬令[2]焦黄，去菊花，用布拭，令干用。（《大观》卷6页77，《政和》页165，《纲目》页748）

【校注】

[1] 本条末，《炮炙大法》《指南》引李时珍曰："今法：惟以酒浸一宿，剉焙入药。若急用，只以温水浸软去心也。"

[2] **令** 《纲目》无"令"字。

66 肉苁蓉

凡使，先须[1]用清酒浸一宿，至明，以棕刷刷去沙土浮甲尽，劈破中心，去白膜一重，如竹丝草样。是此偏[2]隔人心前气不散，令人上气不出。凡使用，先须酒浸，并刷草了，却蒸，从午至酉，出，又用酥炙得所[3]。（《大观》卷7页16，《政和》页179，《纲目》页737）

《雷公炮炙论序》云：强筋健骨，须是苁鱓。[4]

【校注】

[1] **凡使，先须** 《炮炙大法》作“肥大者良”。

[2] **是此偏** 《纲目》《指南》作“有此能”，《药性解》作“是此能”。

[3] **得所** 《药性解》作“佳”。

[4]《雷公炮炙论序》注云：“苁蓉并鳝鱼二味作末，以黄精汁丸服之，可力倍常十也。出《乾宁记》宰。”

67 蒺藜[1]

凡使，采得[2]后，净拣，择了，蒸，从午至酉，出，日干。于木臼中舂，令皮上刺尽，用酒拌再蒸，从午至酉，出，日干用[3]。（《大观》卷7页13，《政和》页177，《纲目》页935）

【校注】

[1] **蒺藜** 《药性解》作“白蒺藜子”，《炮炙大法》作“刺蒺藜”。

[2] **得** 《政和》无“得”字。

[3] **从午至酉，出，日干用** 《药性解》作“一二时用”。又，“用”字后，《炮炙大法》有“一法：炒研去刺为末。如入煎药，临时调服，不入汤煎”。《指南》有“大明曰：入药不计，丸散并炒去刺用”。

68 防风

上蔡防风，愈头风而抽胁痛。（敦煌本《五藏论》）

69 络石

凡采得后，用粗布揩叶上茎蔓上毛了[1]，用熟甘草水浸一伏时，出，切，日干任用[2]。（《大观》卷7页11，《政和》页177，《纲目》页1049）

【校注】

[1] **了** 《纲目》作“子”。

[2] **出，切，日干任用** 《纲目》作“切晒用”。

70 黄连[1]

凡使，以布拭上肉[2]毛，然后用浆水浸二伏时，漉出，于柳木火中[3]焙干用。若服此药得[4]十两，不得食猪肉；若服至三年，不得食猪肉一生也。(《大观》卷7页8,《政和》页176,《纲目》页761)

【校注】

[1] 本条,《炮炙大法》作“黄连，非真川黄连不效。折之中有孔，色如赤金者，良。去须，切片，分开粗细，各置姜汁拌透，用绵纸衬。先用山黄土炒干，研细，再炒至将红，以连片隔纸放上，炒干，再加姜汁，切不可用水。纸焦易新者，如是九次为度。赤痢，用湿槐花拌炒。上法入痢药中”。本条末,《炮炙大法》《指南》同引李时珍曰:“治本脏之火，则生用之；治肝胆之实火，则以猪胆汁浸炒；治肝胆之虚火，则以醋浸炒；治上焦之火，则以酒炒；治中焦之火，则以姜汁炒；治下焦之火，则以盐水或朴硝研细调和火炒；治气分湿热之火，则以茱萸汤浸炒；治血分块中伏火，则以干漆水炒；治食积之火，则以黄土炒。诸法不独为之引导，盖辛热能制其苦寒，咸寒能制其燥性，在用者详酌之。”又,《五藏论》云:“黄连断痢除疳，目赤须点黄连。”

[2] **肉** 《药性解》作“髭”。

[3] **中** 《纲目》《指南》作“上”。

[4] **得** 《纲目》作“至”。

71 王不留行[1]

凡采得，拌浑[2]蒸，从巳至未，出，却下浆水浸一宿，至明出，焙干用之。(《大观》卷7页54,《政和》页191,《纲目》页915)

【校注】

[1] 本条,《药性解》注云:“治风毒，通血脉，酒蒸焙用。”

[2] **浑** 《纲目》《炮炙大法》作“湿”。

72 蒲黄[1]

凡使，勿用松黄并黄蒿。其二件全似，只是味跙及吐人[2]。凡欲使蒲黄，须隔三重纸焙令色黄，蒸半日，却焙令干，用之妙。(《大观》卷7页21,《政和》页180,《纲目》页1066)

【校注】

[1] 本条末,《炮炙大法》有“行血生用，止血炒用”。

[2] **味跙及吐人** 《药性解》作“味异”,《炮炙大法》作“味粗及吐人”。

73 茑蓉

心急即用加之。(敦煌本《五藏论》)

74 续断[1]

凡使，勿用草茆[2]根，缘真似续断，若误用，服之令人筋软。采得后[3]，横切剉之，又去向里硬筋了，用酒浸一伏时，焙干用[4]。(《大观》卷7页24，《政和》页181，《纲目》页867)

【校注】

[1] 本条，《炮炙大法》作"续断，皱皮黄色，折之烟尘起者，良。用酒浸一伏时，捶碎，去筋，焙干用"。

[2] **茆** 《纲目》作"茅"，《药性解》作"苎"。

[3] **后** 《纲目》作"根"。

[4] **焙干用** 《纲目》作"焙干入药用"。

75 云实

凡使，采得后[1]，粗捣，相对拌浑颗橡实，蒸一日后，出用[2]。(《大观》卷7页52，《政和》页191，《纲目》页955)

【校注】

[1] **后** 《纲目》无"后"字。

[2] **出用** 《纲目》作"拣出暴干"。

76 黄芪[1]

凡使，勿用木[2]耆草，真相似，只是生时叶短并根横。先须去头上皱皮一重[3]了，蒸半日，出后，用手擘令细，于槐砧上剉用。(《大观》卷7页15，《政和》页178，《纲目》页720)

【校注】

[1] 本条，《炮炙大法》作"黄芪，软如绵直而细，中有菊心味甘者，良。补气药中蜜炙用，疮

疡药中盐水炒用，俱去皮”。本条末，《药性解》有“熊氏曰：黄芪动三焦之火”。《指南》有“李时珍曰：人但捶扁，以蜜水涂炙数次，以熟为度。亦有以盐汤润透，器盛，于汤瓶蒸熟切用者”。

［2］**木**　《药性解》作“水”。

［3］**一重**　《政和》无此2字。

77　徐长卿

凡采得，粗杵，拌少蜜令遍，用[1]瓷器盛，蒸三伏时，日干用。（《大观》卷7页50，《政和》页190，《纲目》页789）

【校注】

［1］**用**　《纲目》作“以”。

78　杜若

凡使，勿用鸭喋草根，真相似，只是味效不同。凡修事[1]，采得后，刀刮上[2]黄赤皮了，细剉，用二[3]三重绢作袋盛，阴干。临使，以蜜浸一夜，至明[4]漉出用。（《大观》卷7页46，《政和》页189，《纲目》页808）

【校注】

［1］**凡修事**　《纲目》无此3字。

［2］**上**　《纲目》作“去”。

［3］**二**　《大观》无“二”字。

［4］**至明**　《纲目》无此2字。

79　蛇床子[1]

凡使，须用浓蓝汁并百部草根自然汁，二味同浸三[2]伏时，漉出，日干，却用生地黄汁相拌，蒸，从午至亥，日干。用此药，只令阳气盛数，号曰鬼考也。（《大观》卷7页40，《政和》页186，《纲目》页798）

【校注】

［1］本条，《药性解》注云：“蛇床子，酒浸一宿，地黄汁拌蒸，焙干用。”又，《五藏论》云：“阴阳疮汤煎蛇床。”

［2］**三**　《纲目》作“一”。

80　茵陈蒿[1]

凡使，须用叶，有八角者。采得[2]，阴干，去根，细剉用，勿令犯火。(《大观》卷7页45，《政和》页188，《纲目》页851)

【校注】

[1] 本条末，《炮炙大法》有“山茵陈，俗呼为帝钟茵陈，即八角也”。又，《药性解》注云：“茵陈蒿，去根用，犯火无功。”

[2] **采得**　《纲目》无此2字。

81　漏卢

凡使，勿用独漏，缘似漏芦，只是味苦酸，误服，令人吐不止，须细验[1]。夫使漏芦，细剉，拌生甘草相对，蒸，从巳至申，去甘草，净拣用[2]。(《大观》卷7页27，《政和》页182，《纲目》页868)

【校注】

[1] **凡使……须细验**　《炮炙大法》作“漏卢，枯黑如漆，味不苦酸者真”。

[2] **去甘草，净拣用**　《纲目》作“拣出晒干用”。

82　茜根

凡使，勿用赤柳草根，真似茜根，只是味酸[1]涩，不入药中用[2]，若服[3]，令人患内障眼，速服甘草水解[4]之，即毒气散。凡使茜根，用铜刀于槐砧上剉，日干。勿犯铁并铅[5]。(《大观》卷7页33，《政和》页184，《纲目》页1040)

【校注】

[1] **味酸**　《炮炙大法》作“滋味”。

[2] **不入药中用**　《纲目》《指南》无此文。

[3] **若服**　《纲目》《指南》作“误服”。

[4] **解**　《纲目》《指南》作“止”。

[5] **铁并铅**　《纲目》作“铅铁器”，《指南》作“铅铁气”。

83　飞廉

凡使，勿用赤脂蔓，与飞廉形状相似，只赤脂蔓见酒色便如血色，可表之[1]。

凡修事，先刮去粗皮了，杵[2]，用苦酒拌之一夜，至明[3]漉出，日干，细杵用之。(《大观》卷7页34，《政和》页184，《纲目》页868)

【校注】

[1] **可表之** 《纲目》作“以此可表识之”。

[2] **杵** 《纲目》作“杵细”。

[3] **至明** 《纲目》无此2字。

84 营实[1]

今蔷薇也。凡采得，去根，并用粗布拭黄毛了，用刀于槐砧上细剉，用浆水拌，令湿蒸一宿，至明出，日干用。(《大观》卷7页28，《政和》页182，《纲目》页1017)

【校注】

[1] 本条，《五藏论》云：“蔷薇却其疥癣，杖打稍加营实。”

85 五味子

凡小颗皮皱泡者，有白扑盐霜一重，其味酸、咸、苦、辛、甘味全者，真也。[1]凡用，以铜刀劈作两片，用蜜浸，蒸，从巳至申，却以浆水[2]浸一宿，焙干用[3]。(《大观》卷7页36，《政和》页185，《纲目》页1003)

【校注】

[1] **凡小颗皮皱泡者……真也** 《炮炙大法》作“辽东者佳，去枯者”。

[2] **水** 《纲目》《指南》无“水”字。

[3] **焙干用** 《炮炙大法》作“或晒或烘炒”。

86 鬼督邮

凡采并[1]细剉了，捣[2]，用生甘草水煮一伏时，漉出用也。(《大观》卷7页54，《政和》页191，《纲目》页789)

【校注】

[1] **并** 《纲目》作“得”。

［2］**捣**　《纲目》无“捣”字。

87　白花藤

凡使，勿用菜花藤，缘真似白花藤，只是味不同，菜花藤酸涩，不堪用[1]。其白花藤味甘香[2]，采得后，去根，细剉，阴干用之。（《大观》卷7页54，《政和》页191，《纲目》页1045）

【校注】

［1］**只是味不同，菜花藤酸涩，不堪用**　《纲目》作“只是味酸涩”。

［2］**香**　《纲目》无“香”字。

草　中

88　当归[1]

凡使[2]，先去尘并头尖硬处一分已来，酒浸一宿。若要破血，即使头一节硬实处。若要止痛止血，即用尾。[3]若一时用，不如不使，服食无效[4]，单使妙也。（《大观》卷8页15，《政和》页199，《纲目》页794）

《雷公炮炙论序》云：当归止血破血，头尾效各不同。

【校注】

［1］本条，《药性解》有“未可尽信，性泥滞，风邪初旺及气郁者，宜少用之”。又，《指南》作“雷敩曰：凡使当归，须去头芦，以酒浸一宿入药。张元素曰：先以酒洗净土。治上，酒浸；治外，酒洗过或火干日干入药。李时珍曰：凡晒干乘热，纸封瓮，收之不蛀。《圣济总录》：堕胎下血不止，当归焙用。”又，《五藏论》云：“当归有止痛之能，相使还须白芷。”

［2］**凡使**　《炮炙大法》作“当归色白味甘者良”。

［3］**若要破血……即用尾**　《幼幼新书》卷40“当归”条引雷公云：“头节破血，尾止血止痛。”《雷公炮炙论序》注文为“头止血，尾破血”，与本条正文意思相反。

［4］**若一时用，不如不使，服食无效**　《纲目》作“若一并用，服食无效，不如不使”。又，“一时”，《药性解》作“一齐”，《炮炙大法》作“一概”。

89　秦艽

凡使秦并艽，须于脚文处认取：左文列为秦，即治疾，艽[1]即发脚气。凡用秦，先以布拭上黄肉毛尽[2]，然后用还元汤[3]浸一宿，至明出[4]，日干用[5]。（《大观》卷 8 页 30，《政和》页 204，《纲目》页 768）

【校注】

［1］**艽** 此上，《纲目》《药性解》有“右文列为艽”。

［2］**拭上黄肉毛尽** 《纲目》作“拭去黄白毛”。

［3］**还元汤** 《炮炙大法》作“童便”。

［4］**至明出** 《纲目》《药性解》无此文。

［5］**日干用** 《药性解》作“日暴干用之”。又，《五藏论》云：“秦艽有结罗纹之状，须汗。”

90 黄芩

以腐肠为精。（敦煌本《五藏论》）

91 芍药[1]

凡采得后，于日中㬠干，以竹刀刮上粗[2]皮并头土了，剉之[3]，将蜜水拌，蒸，从巳至未，㬠[4]干用之。（《大观》卷 8 页 22，《政和》页 201，《纲目》页 802）

【校注】

［1］本条末，《炮炙大法》有“今人多以酒浸，蒸，切片。或用烦（按，疑原文有误）亦良”。又，《指南》引李时珍曰：“今人多生用，惟避中寒者，以酒炒。入女人血药，以醋炒耳。”

［2］**上粗** 《纲目》作“去”。

［3］**之** 《纲目》作“细”。

［4］**㬠** 《纲目》《药性解》《指南》作“晒”。《炮炙大法》作“曝”。

92 生姜

半夏有消痰之力，制毒要藉生姜。（敦煌本《五藏论》）

93 麻黄[1]

凡使[2]，去节并沫，若不尽，服之令人闷。用夹刀剪[3]去节[4]并头，槐砧上用铜刀细剉，煎三四十沸，竹片掠去上沫尽，漉出，㬠干用之[5]。（《大观》卷 8 页 18，《政和》页 200，《纲目》页 886）

【校注】

[1] 本条，《纲目》《指南》作“弘景曰：凡用麻黄，折去节根，水煮十余沸，以竹片掠去上沫，沫令人烦，根节能止汗故也”。又，《五藏论》云：“伤寒发汗，要用麻黄。”

[2] **凡使** 《炮炙大法》作“陈久者良”。

[3] **剪** 《炮炙大法》误作“煎”。

[4] **节** 《大观》作“背”。

[5] **暰干用之** 《药性解》作“熬干用”。《炮炙大法》作“熬干用之”。

94 干葛

呕吐汤煎干葛。（敦煌本《五藏论》）

95 前胡

凡使，勿用野[1]蒿根，缘真似前胡，只是味粗酸。若误用，令人胃反，不受食。若是前胡，味甘、微苦。凡修事，先用刀刮上[2]苍黑皮并髭土了[3]，细剉，用甜竹沥[4]浸令润，于日中暰干用之。（《大观》卷 8 页 53，《政和》页 210，《纲目》页 771）

【校注】

[1] **野** 《药性解》作“埜”。

[2] **上** 商务本《政和》、《纲目》、《药性解》作“去”。

[3] **土了** 《纲目》作“上了”。《药性解》无此 2 字。

[4] **竹沥** 《药性解》作“水”。

96 知母[1]

凡使，先于槐砧上细[2]剉，焙[3]干，木臼杵捣。勿令[4]犯铁器。（《大观》卷 8 页 34，《政和》页 205，《纲目》页 736）

【校注】

[1] 本条末，《药性解》有“引经上行，酒炒用”。《指南》引李时珍曰：“凡用，拣肥润里白者，去毛，切。引经上行，则用酒浸焙干；下行，则用盐水润焙。”又，《五藏论》云：“知母通痫开胸。”

[2] **细** 《药性解》作“捶”。

[3] **焙** 《纲目》《药性解》《指南》作“烧”。

[4] **令** 《纲目》无“令”字。

97　贝母[1]

凡使[2]，先于柳木灰中炮令黄，擘破[3]，去内口鼻上[4]有米许大者心一小颗，后拌糯米于鏊[5]上同炒，待米黄熟，然后去米，取出。其中有独颗团、不作两片、无皱者，号曰丹龙精，不入用[6]。若误服，令人筋脉永不收，用黄精、小蓝汁合服，立愈[7]。(《大观》卷8页36,《政和》页205,《纲目》页780)

【校注】

[1] 本条,《指南》引文有删改，并引《集效方》云："治忧郁不伸，姜汁炒去心。"又，引《救急易方》云:"孕妇咳嗽，去心，麸炒黄为末。"

[2] **凡使**　《炮炙大法》作"黄白轻松者，良"。

[3] **破**　《纲目》《指南》无"破"字。

[4] **上**　《纲目》《指南》作"中"。

[5] **鏊**　《炮炙大法》作"銚",《药性解》作"锅"。

[6] **用**　《纲目》《炮炙大法》作"药用",《药性解》作"药中"。

[7] **立愈**　《纲目》作"立解"。

98　栝楼[1]

凡使皮、子、茎根，效[2]各别，其栝并楼样全别。若栝自圆黄皮厚蒂小，若楼唯形长赤皮蒂粗。是阴人服[3]。若修事，去上壳皮革膜并油了。使根待构二三围，去皮细捣，作煎，搅取汁，冷饮，任用也。[4]（《大观》卷8页10,《政和》页197,《纲目》页1018)

【校注】

[1] 本条,《炮炙大法》作"栝楼根，雪白多粉者，良""栝楼仁，捣碎用粗纸压去油"。

[2] **效**　《纲目》《指南》作"其效"。

[3] **是阴人服**　《纲目》《指南》作"阴人服楼，阳人服栝"。

[4] **使根待构二三围……任用也**　《纲目》《指南》作"用根亦取大二三围者，去皮捣烂，以水澄粉用"。又，"围",《大观》作"团"。

99　玄参[1]

凡采得后[2]，须用蒲草重重相隔，入甑蒸两伏时后，出，干曒[3]。使用时，

勿令犯铜，饵之后噎[4]人喉、丧人目，拣去蒲草尽了，用之。(《大观》卷8页27，《政和》页203，《纲目》页752)

【校注】

[1] 本条末，《炮炙大法》有“一法：用酒洗去尘土，切片，晒干用”。
[2] **凡采得后** 《炮炙大法》作“墨黑者良”。
[3] **干暾** 《纲目》《药性解》作“晒干”。
[4] **噎** 《药性解》作“臆”。一本作“堕”。

100 苦参

凡使，不计多少[1]，先须用糯米浓泔汁浸一宿，上有腥秽气，并在水面上浮[2]，并须重重淘过，即蒸，从巳至申，出，暾干[3]，细剉用之[4]。(《大观》卷8页14，《政和》页198，《纲目》页776)

【校注】

[1] **凡使，不计多少** 《纲目》《指南》作“采得”。
[2] **在水面上浮** 《纲目》作“浮在水面上”，《药性解》作“在水面上浮去”。
[3] **出，暾干** 《纲目》《指南》作“取晒”，《炮炙大法》《药性解》作“出，暴干”。
[4] **细剉用之** 《纲目》作“切用”。又，“之”字后，《炮炙大法》有“不入汤药”。

101 狗脊

凡使，勿用透山藤，其大腑根与透山藤一般[1]，只是入顶苦，不可饵之[2]。凡修事[3]，细剉了，酒拌[4]，蒸，从巳至申，出，暾[5]干用。(《大观》卷8页44，《政和》页207，《纲目》页746)

【校注】

[1] **其大腑根与透山藤一般** 《纲目》无此文。
[2] **之** 《大观》无“之”字。
[3] **事** 此下，《纲目》有“火燎去须”。
[4] **酒拌** 《纲目》作“酒浸一宿”。
[5] **出，暾** 《纲目》作“取出晒”，《炮炙大法》作“出曝”。

102 萆薢

《雷公炮炙论序》云：囊皱旋多，夜煎竹木[1]。注云：多小便者，夜煎萆薢一

件服之，永不夜起也。(《大观》卷1页30，《政和》页41，《纲目》页1031)

【校注】

[1] **竹木** 《纲目》卷18云，萆薢一名竹木。李时珍曰："《雷敩炮炙论序》云：囊皱漩多，夜煎竹木。竹木，萆薢也。漩多白浊，皆是湿气下流，萆薢能除阳明之湿，而固下焦，故能去浊分清。"

103 通草

巧疗耳聋。(敦煌本《五藏论》)

104 瞿麦

凡使，只用蕊壳，不用茎、叶。若一时[1]使，即空心，令人气咽[2]，小便不禁。凡欲用，先须以堇竹沥浸一伏时，漉出，晒干用[3]。(《大观》卷8页25，《政和》页202，《纲目》页914)

【校注】

[1] **时** 此下，《纲目》《指南》有"同"字。

[2] **咽** 《纲目》《指南》作"噎"。

[3] **漉出，晒干用** 《纲目》《指南》作"漉晒"。

105 败酱

凡使，收得后便粗杵，入甘草叶相拌对，蒸，从巳至未，出，焙干，去甘草叶，取用[1]。(《大观》卷8页54，《政和》页210，《纲目》页910)

【校注】

[1] **焙干，去甘草叶，取用** 《纲目》作"去甘草叶，焙干用"。

106 白芷[1]

凡采得后，勿用四条作一[2]处生者，此名丧[3]公藤。兼勿用马蔺[4]，并不入药中。采得后，刮削上[5]皮，细剉，用黄精亦细剉，以竹刀切二味等分[6]，两度[7]蒸一伏时后出，于日中晒干[8]，去黄精用之。(《大观》卷8页38，《政和》页206，《纲目》页800)

【校注】

[1] 本条，《炮炙大法》作“白芷，白色不蛀者，良”。又，《指南》引李时珍曰：“今人采根洗刮寸截，以石灰拌匀，晒收，为其易蛀，并欲色白也，入药微炒。”又引《十便良方》云：“大便风秘，炒白芷。”又引《普济方》云：“小便气淋，醋炒焙干用。”又，《五藏论》云：“当归有止痛之能，相使还须白芷。”

[2] **作一** 《药性解》作“低”。

[3] **袁** 《药性解》作“张”。

[4] **马蔺** 《纲目》作“马兰”。

[5] **上** 《纲目》《指南》作“土”。《药性解》作“去”。

[6] **用黄精亦细剉，以竹刀切二味等分** 《纲目》《指南》作“以黄精片等分”。

[7] **两度** 《纲目》《指南》作“同”。

[8] **出，于日中曒干** 《纲目》《指南》作“晒干”。

107 紫草

凡使[1]，须用蜡水蒸之，待水干，取去头并两畔髭，细剉用。每修事紫草一斤，用蜡三[2]两，于铛中溶，溶尽，便投蜡水作汤用[3]。（《大观》卷8页50，《政和》页209，《纲目》页756）

【校注】

[1] **凡使** 《炮炙大法》作“真者方佳”。

[2] **三** 《药性解》作“二”。

[3] **于铛中溶，溶尽，便投蜡水作汤用** 《药性解》作“熔化用”。

108 紫菀[1]

凡使，先去髭。有白如练色者，号曰[2]羊须草，自然不同。采得后，去头土了，用东流水淘洗令净[3]，用蜜浸一宿，至明于[4]火上焙干用。凡修[5]一两，用蜜二分。（《大观》卷8页48，《政和》页209，《纲目》页898）

【校注】

[1] 本条，《五藏论》云：“紫菀、款冬，气嗽要须当用。”

[2] **曰** 《纲目》作“白”。

[3] **淘洗令净** 《纲目》《指南》作“洗净”。

[4] **于** 《纲目》作“拴”。

[5] **凡修** 《纲目》《指南》无此2字。

109　白薇[1]

凡采得后，用糯米泔汁浸一宿，至明，取出去髭了，于槐砧上细剉，蒸，从巳至申[2]，出用。(《大观》卷8页66，《政和》页213，《纲目》页789)

【校注】

[1] 本条末，《炮炙大法》有“夏月浸二时许”。《指南》引李时珍曰：“后人惟以酒洗用。”

[2] **从巳至申**　《纲目》《指南》作“从申至巳”。

110　枲耳实[1]

凡采得，去心。取黄精，用竹刀细切，拌之，同蒸，从巳至亥，去黄精，取出，阴干用。(《大观》卷8页5，《政和》页195，《纲目》页876)

【校注】

[1] 本条，《纲目》引“大明（即《日华子本草》）”曰：“入药炒熟，捣去刺用，或酒拌蒸过用。”《药性解》注云：“炒令香，杵去刺用。”《炮炙大法》作“蒸用或炒熟，捣去刺用”。

111　女萎

凡采得，阴干，去头并白蕊，于槐砧上剉，拌豆淋酒，蒸，从巳至未，出，曒令干用[1]。(《大观》卷8页69，《政和》页214，《纲目》页1034)

【校注】

[1] **曒令干用**　《纲目》作“晒干”。

112　淫羊藿[1]

凡使[2]，时呼仙灵脾，须用夹刀夹去叶四畔花杴[3]尽后，细剉，用羊脂相对拌炒过，待羊脂尽为度。每修事一斤[4]，用羊脂四两为度也。(《大观》卷8页28，《政和》页206，《纲目》页750)

【校注】

[1] 本条，《五藏论》云：“仙灵脾草能去腰疼，然则忘杖归家。”

[2] **凡使** 《大观》无此2字。

[3] **柀** 《纲目》《指南》作“枝”。

[4] **斤** 《指南》作“觔”。

113 款冬花[1]

凡采得，须去向里裹花蕊壳，并向里实如粟[2]零壳者，并枝叶。用以甘草水浸一宿，却取款冬花、叶相伴裛一夜，临用时，即干瞧，去两件拌者叶了用。(《大观》卷9页24,《政和》页226,《纲目》页910)

【校注】

[1] 本条,《炮炙大法》作“款冬花，花未舒者良。去梗蒂，甘草水浸一时，晒干用”。又,《五藏论》云:“紫菀、款冬，气嗽要须当用。”

[2] **粟** 《纲目》作“栗”。

114 牡丹[1]

凡使，采得后，日干，用铜刀劈破去骨了，细剉，如大豆许，用清[2]酒拌蒸，从巳至未，出[3]，日干用。(《大观》卷9页26,《政和》页227,《纲目》页804)

【校注】

[1] 本条末,《炮炙大法》有“润而厚者良”。又,《五藏论》云:“牡丹捶去其骨。”

[2] **清** 《纲目》《指南》无“清”字。

[3] **出** 《纲目》《指南》无“出”字。

115 防己[1]

凡使，勿使木条，以其木条已[2]黄、腥、皮皱上有丁足子，不堪用。夫使防已，要心[3]花文黄色者。然细剉，又剉车前草根相对同蒸，半日后出晒，去车前草根，细剉用之。(《大观》卷9页14,《政和》页223,《纲目》页1042)

【校注】

[1] 本条末,《指南》引李时珍曰:“今人多去皮剉，酒洗晒干用。”

[2] **已** 《纲目》《指南》《药性解》作“色”。

[3] **心** 《纲目》《指南》作“心有”。

116 泽兰

凡使，须要别识雄雌，其形不同。大泽兰形叶皆圆，根青黄，能生血调气，与荣合、小泽兰迥别，采得后，看[1]叶上斑，根须尖[2]，此药能破血，通久积。凡修事大小泽兰，须细剉之，用绢袋盛，悬于屋南畔角上，令干用。（《大观》卷9页12，《政和》页222，《纲目》页832）

【校注】

[1] **看** 《大观》作"香"。

[2] **根须尖** 《纲目》《药性解》作"根头尖"。又，"尖"字后，《炮炙大法》有"茎方"2字。

117 白前

凡使，先用生甘草水浸一伏时后，漉出，去头须了，焙干，任入药中用[1]。（《大观》卷9页43，《政和》页233，《纲目》页790）

【校注】

[1] **任入药中用** 《纲目》《指南》作"收用"。

118 百部

凡使，采得后，用竹刀劈破，去心、皮、花，作数十条，于檐下悬，令风吹，待土干后[1]，却用酒浸一宿，漉出，焙干，细剉用。忽[2]一窠自有八十三条者，号曰地仙苗。若修事饵之，可千岁也[3]。（《大观》卷9页20，《政和》页225，《纲目》页1027）

【校注】

[1] **于檐下悬，令风吹，待土干后** 《纲目》《指南》作"悬檐下风干"。

[2] **忽** 《纲目》作"或"。

[3] **可千岁也** 《药性解》作"寿长"。

119 恶实

凡使，采之净拣，勿令有杂子[1]，然后用酒拌蒸，待上有薄白霜重出，却用布

拭上[2]，然后焙干，别捣如粉用[3]。(《大观》卷9页3，《政和》页218，《纲目》页874)

【校注】

[1] **凡使，采之净拣，勿令有杂子** 《炮炙大法》作“恶实，一名鼠粘子，一名牛蒡子，一名大力子”。

[2] **上** 《纲目》《指南》作“去”。

[3] **然后焙干，别捣如粉用** 《药性解》作“焙干捣用”。《纲目》《指南》作“焙干捣粉用”。

120 莎草[1]

凡采得后，阴干，于石臼中捣。勿令犯铁，用之切忌尔[2]。(《大观》卷9页48，《政和》页235，《纲目》页822)

【校注】

[1] 本条，《炮炙大法》作“香附，细者佳，去毛，以水洗净，拣去砂石，于石臼内捣去皮，用童便浸透，晒，捣用。或以酒、醋、酥、盐水、姜汁浸，俱瓦上焙干”。又，《药性解》注云：“香附性燥，故便制以润之；性散，故醋制以敛之。”本条末，《指南》引李时珍曰：“凡采得连苗暴干，以火燎去苗及毛，用时以水洗净，石上磨去皮，用童子小便浸透，晒，捣用。或生或炒，或以酒、醋、盐水浸。诸法各从本方。又稻草煮之，味不苦。”

[2] **勿令犯铁，用之切忌尔** 《纲目》《指南》作“切忌铁器”。

121 水萍

火烧宜贴水萍。(敦煌本《五藏论》)

122 海藻[1]

凡使，先须用生乌豆，并紫贝天葵和海藻三件，同蒸一伏时后[2]，日干用之。(《大观》卷9页10，《政和》页222，《纲目》页1072)

【校注】

[1] 本条末，《炮炙大法》有“近人但洗净咸味，焙干用”。按，此句原出于《纲目》“时珍曰”。

[2] **后** 《政和》作“候”。

123　昆布[1]

凡使，先弊甑箅[2]同煮，去咸味，焙，细剉用。每修事一斤，用甑箅大小十个，同昆布细剉，二味各一处，下东流水，从巳煮至亥，水旋添，勿令少。(《大观》卷9页13，《政和》页223，《纲目》页1073)

【校注】

[1] 本条，《五藏论》云："瘿气，昆布妙除。"

[2] **箅**　《炮炙大法》作"箄"。按，箅是蒸饭甑底的席垫子，蒸饭甑底有孔，用箅垫之，则米不漏。

124　蒟酱

凡使，采得后，以刀刮上[1]粗皮，便捣。用生姜自然汁拌之，蒸一日了，出，日干。每修事五两[2]，用生姜汁五两，蒸干为度。(《大观》卷9页32，《政和》页229，《纲目》页815)

【校注】

[1] **上**　《纲目》作"去"。

[2] **两**　《纲目》作"钱"。

125　阿魏[1]

凡使，多有讹伪。其有三验：第一验，将半铢安于熟铜器中一宿，至明沾阿魏处白如银，永[2]无赤色；第二验，将一铢置于五斗[3]草自然汁中一夜，至明如鲜血色；第三验，将一铢安于柚树上，树立干，便是真[4]。凡使，先于静[5]钵中研如粉了，于热酒器中裛过，任入药用。(《大观》卷9页17，《政和》页224，《纲目》页1379)

【校注】

[1] 本条，《指南》引李时珍曰："凡使阿魏，须用真阿魏、好丹砂各一两，研匀和丸皂子大。每空心人参汤化服一丸，即愈。"又云："能治癞疝疼痛，用阿魏二两，醋合荞麦面作饼裹之煨熟，用大槟榔二枚钻孔，溶乳香填满，亦以荞麦面裹之煨熟，入硇砂末一钱，赤芍药末一两，合丸如梧子大。每食前，酒下三十丸。"按，此文系出《危氏得效方》。

[2] **永** 《炮炙大法》作“汞”。

[3] **斗** 《政和》作“斗”。

[4] **真** 此下,《炮炙大法》有“色黑者力微,黄溏者力上”。

[5] **静** 《纲目》作“乳”,《炮炙大法》作“净”。

草 下

126 大黄[1]

凡使,细切,内文如水旋斑,紧重,剉,蒸,从巳至未,暰[2]干,又洒腊水蒸,从未至亥,如此蒸七度[3],暰干,却洒薄[4]蜜水,再蒸一伏时,其大黄擘[5]如乌膏样,于日中暰干用之,为妙。(《大观》卷10页15,《政和》页247,《纲目》页941)

【校注】

[1] 本条末,《纲目》《指南》引藏器曰:“凡用有蒸、有生、有熟,不得一概用之。”又引陈承曰:“大黄采时,皆以火石煿干货卖,更无生者,用之亦不须更多炮炙蒸煮。”又引刘元素曰:“用之须酒浸煨熟者,寒因热用。酒浸入太阳经,酒洗入阳明经,余经不用酒。”又引李杲曰:“大黄苦峻下走,用之于下必生用。若邪气在上,非酒不至,必用酒浸引上至高之分,驱热而下。如物在高巅,必射以取之也。若用生者,则遗至高之邪热,是以愈后或目赤,或喉痹,或头肿,或膈上热疾生也。”又,《五藏论》云:“大黄宣引众公,乃得将军之号。”

[2] **暰** 《纲目》《药性解》《指南》作“晒”。

[3] **度** 《纲目》《药性解》《指南》作“次”。

[4] **薄** 《纲目》《药性解》《指南》作“淡”。

[5] **擘** 《纲目》《药性解》《指南》作“必”,《炮炙大法》作“譬”。

127 桔梗[1]

凡使,勿用木梗,真似桔梗,咬之只是腥涩不堪。凡使,去头上尖硬二三分已来,并两畔附枝子,于槐砧上细剉,用百合水浸一伏时,漉[2]出,缓火熬令干用。每修事四两,用生百合五分[3],捣作膏,投于水中浸。(《大观》卷10页20,《政和》页249,《纲目》页730)

【校注】

[1] 本条末,《炮炙大法》有“一法:用米泔浸一宿,微焙用”。《指南》有“时珍曰:今但刮

去浮皮，米泔水浸一夜，切片，微炒用”。又，“梗”，此下，《炮炙大法》有“味苦而有心者良”。

[2] **漉** 《纲目》作“滤”。

[3] **五分** 《纲目》作“二两五钱”。

128 甘遂[1]

凡采得后，去茎，于槐砧上细剉，用生甘草汤、小荠苨自然汁二味，搅浸三日，其水如墨[2]汁，更漉出，用东流水淘六七次，令水清为度。漉出于土器中，熬令脆用之。(《大观》卷10页33，《政和》页254，《纲目》页951)

【校注】

[1] 本条末，《炮炙大法》有“一法：面包煨热去面”。又，《五藏论》云：“肠结通，唯须甘遂。”

[2] **墨** 《纲目》作“黑”。

129 葶苈[1]

凡使，勿用赤须子，真相似葶苈子，只是味微甘、苦。葶苈子入顶苦[2]。凡使，以糯米相合，于焙[3]上微微焙，待米熟，去米，单捣用。(《大观》卷10页18，《政和》页248，《纲目》页917)

【校注】

[1] 本条，《五藏论》云：“葶苈、大枣除水。”

[2] **苦** 《药性解》无“苦”字。

[3] **焙** 《纲目》《指南》作“灶”，《药性解》作“火”。

130 大戟[1]

凡使，勿用附生者。若服冷[2]，泄气不禁，即煎荠苨子汤解[3]。夫采得后，于槐砧上细剉，与细剉海芋叶拌蒸，从巳至申，去芋叶，㬠干用之。(《大观》卷10页39，《政和》页256，《纲目》页949)

【校注】

[1] 本条，《五藏论》云：“水肿唯须大戟。”

[2] **若服冷** 《纲目》作“误服令”，《药性解》作“若服令”。

[3] **汤解** 《药性解》作“灌解之”。

131 旋复花

凡采得后，去裹花蕊壳皮及蒂子[1]，取花蕊蒸，从巳至午，曒[2]干用。(《大观》卷10页25，《政和》页251，《纲目》页862)

【校注】

[1] **去裹花蕊壳皮及蒂子** 《纲目》作“去蕊并壳皮及蒂子”，《药性解》作“去里壳蕊皮并蒂子”，《炮炙大法》作“去裹花蕊壳皮并蒂”。又，“及”，《政和》作“并”。

[2] **曒** 《纲目》《药性解》《炮炙大法》作“晒”。

132 钩吻

凡使，勿用地精[1]，苗茎与钩吻同，其钩吻治人身上恶毒疮效，其地精煞人。采得后，细剉，捣了，研绞取自然汁，入膏中用。勿误食[2]之。(《大观》卷10页27，《政和》页252，《纲目》页998)

【校注】

[1] **地精** 疑地精即黄精。因“黄精”条有雷公云：“凡使勿用钩吻，真似黄精，只是叶有毛钩子二个，是别。”

[2] **食** 《政和》作“饵”。

133 藜芦[1]

凡采得，去头，用糯米泔汁煮，从巳至未，出，曒[2]干用之。(《大观》卷10页26，《政和》页251，《纲目》页960)

【校注】

[1] 本条，《五藏论》云：“藜芦除烂鼻中宿肉。”

[2] **曒** 《纲目》作“晒”。

134 附子[1]

凡使，先须细认，勿误用有乌头、乌喙、天雄、侧子、木鳖子。乌头少有茎苗，长身乌黑，少有傍尖。乌喙皮上苍，有大豆许者，孕八九个，周围底陷，黑如乌铁。宜于文武火中炮令皱坼，即劈破用。天雄身全矮，无尖，周匝四面有附，孕十一个，皮苍色，即是天雄。宜炮皱坼后，去皮尖底用，不然阴制用并得。侧子只是附子傍，有小颗附子，如枣核者是，宜生用，治风疹神妙。木鳖子只是诸喙、附、雄、乌、侧中毗槵者，号曰木鳖子，不入药用，若服之，令人丧目。若附子底平有九角如铁色，一个[2]重一两，即是气全，堪用。夫修事十两，于文武火中炮令皱坼者去之，用刀刮上孕子，并去底尖，微细劈破，于屋下午地上，掘一坑，可深一尺，安于中一宿，至明取出，焙干用。夫[3]欲炮者，灰火勿用杂木火，只用柳木最妙；若阴制使，即生去尖皮底了，薄切，用东流水并黑豆，浸五日夜，然后[4]漉出，于日中曒令干[5]用。凡使，须阴制去皮尖了，每十两，用生乌豆[6]五两，东流水六升。（《大观》卷10页1，《政和》页242，《纲目》页962）

【校注】

[1] 本条末，《炮炙大法》有“一云：此物性太烈，古方用火炮，不若用童便煮透尤良”。又，《纲目》《指南》引朱震亨曰：“凡用乌、附、天雄，须用童子小便浸透煮过，以杀其毒，并助下行之力，入盐少许尤好。或以小便浸二七日，拣去坏者，以竹刀每个切作四片，井水淘净，逐日换水，再浸七日，晒干用。”又引李时珍曰：“附子生用则发散，熟用则峻补。生用者，须如阴制之法，去皮脐入药。熟用者，以水浸，炮令发拆，去皮脐，乘热切片再炒，令内外俱黄，去火毒入药。又法：每一个，用甘草二钱，盐水、姜汁、童便各半盏，同煮熟，出火毒一夜用之，则毒去也。”

[2] **个** 《政和》作“个个”。

[3] **夫** 《炮炙大法》作“麸炒”。

[4] **后** 《大观》无“后”字。

[5] **令干** 《纲目》无此2字。

[6] **豆** 《大观》作“头”。

〔附1〕 天雄

《雷公炮炙论序》云：咳逆数数，酒服熟雄[1]。注云：天雄炮过，以酒调一钱匕服，立定也。（《大观》卷1页30，《政和》页41）

【校注】

[1] **雄** 《纲目》卷17“天雄”条，李时珍曰：“《雷敩炮炙论序》云：咳逆数数，酒服熟雄。谓以天雄炮研，酒服一钱也。”又引雷敩曰：“（天雄）宜炮皴去皮尖底用，或阴制如附子法亦得。”

〔附2〕 侧子

只是附子傍，有小颗附子，如枣核者是，宜生用[1]，治风疹神妙也。木鳖子只是诸喙、附、雄、乌侧中毗槵者，号曰木鳖子，不入药用，若服之，令人丧目。(《大观》卷10页9，《政和》页245，《纲目》页972)

《雷公炮炙论序》云：遍体疹风，冷调生侧。[2]

【校注】

[1] **宜生用** 《药性解》作“主用”。

[2]《雷公炮炙论序》注云：“附子傍生者，曰侧子，作末，冷酒服，立差也。”

135 茵芋

痹转应痛，须访茵芋。(敦煌本《五藏论》)

136 射干

凡使[1]，先以米泔水浸一宿，漉出，然后用堇竹叶煮，从午至亥，漉出，日干用之。(《大观》卷10页28，《政和》页253，《纲目》页986)

【校注】

[1] **凡使** 《纲目》作“凡采根”。

137 半夏[1]

凡使[2]，勿误用白傍𦽔子，真似半夏，只是咬着微酸，不入药用。若修事半夏四两，用捣了白芥子末二[3]两、头醋六两[4]，二味搅令浊[5]，将半夏投于中，洗三遍用之。半夏上有隟涎[6]，若洗不净，令人气逆，肝气怒满。(《大观》卷10页11，《政和》页245，《纲目》页980)

《雷公炮炙论序》云：发眉堕落，涂半夏而立生。[7]

【校注】

[1] 本条首，《指南》引陶弘景曰：“凡使半夏，须用汤洗十余遍，令滑尽，不尔有毒，戟人咽喉。方中有半夏，必须用生姜者，以制其毒故也。”又引李时珍曰：“今治半夏，惟洗去皮垢，以汤泡

浸七日，逐日换汤，晒，晾干，切片，姜汁拌焙入药。或研为末，以姜汁入汤浸澄三日，沥去涎水，晒干用，谓之半夏粉。或研末，以姜汁和作饼子，日干用，谓之半夏饼。或研末，以姜汁、白矾汤和作饼，楮叶包置篮中，待生黄衣，日干，谓之半夏曲。”本条末，《炮炙大法》有“若入治痰饮药，用白矾汤入姜汁浸透洗净用，无白星为度。造麴法，用半夏不拘多少，将滚汤泡过宿，捣烂，每一斗，入生姜一斤，同捣之，作饼子，用干稻秆，或粟麦秆盦之，如盦麴法干久用”。又，《五藏论》云：“半夏有消痰之力，制毒要藉生姜。”

[2] **凡使** 《炮炙大法》作“陈久者良”。

[3] **二** 《大观》作“一”。

[4] **头醋六两** 《纲目》《指南》作“酽醋二两”。

[5] **二味搅令浊** 《纲目》《指南》作“搅浊”。

[6] **隟涎** 《药性解》作“陈涎”，《炮炙大法》作“巢涎”。

[7]《雷公炮炙论序》注云：“眉发堕落者，以生半夏茎炼之，取涎，涂发落处，立生。”

138 莨菪子

凡使，勿令使[1]苍蓂子，其形相似，只是服无效，时人多用杂之。其苍蓂子色微赤。若修事十两，以头醋一镒，煮尽醋[2]为度。却用黄牛乳汁浸一宿，至明看牛乳汁黑，即是。莨菪子大毒，晒干，别捣，重筛用。勿误服，冲人心，大烦闷，眼生暹火。（《大观》卷10页22，《政和》页250，《纲目》页953）

《雷公炮炙论序》云：脚生肉枕，裩系菪根。[3]

【校注】

[1] **令使** 《纲目》作“用”。

[2] **尽醋** 《纲目》作“干”。

[3]《雷公炮炙论序》注云：“脚有肉枕者，取莨菪根于裩带上系之，感应永不痛。”

139 蜀漆

凡采得后，和根苗，临用时，即去根，取茎并叶，同拌甘草四两，细剉用，拌水令湿，同蒸。临时去甘草，取蜀漆五两，细剉，又拌甘草水匀，又蒸了，任用[1]。勿食木笋[2]。（《大观》卷10页32，《政和》页254，《纲目》页958）

【校注】

[1] **任用** 《纲目》作“日干用”。

[2] **勿食木笋** 《纲目》作“其常山，凡用以酒浸一宿，漉出日干，熬捣用”。

140 常山[1]

凡使，春采[2]根、叶，夏秋冬[3]时用，以[4]酒浸一宿，至明漉出，日干，熬捣少用。勿令老人久病服之，切忌也。(《大观》卷10页30，《政和》页253，《纲目》页958)

【校注】

[1] 本条，《纲目》作“蜀漆，春夏用茎、叶，秋冬用根。老人久病，切忌服之”。

[2] **采** 《政和》作“使”。

[3] **冬** 此下，《政和》有“一”字。

[4] **以** 《政和》作“使”。

141 青葙子

凡用，勿使思蓂子并鼠紬[1]子，其二件真似青葙子，只是味不同。其思蓂子味跙[2]，煎之有涎。凡用，先烧铁臼杵，单[3]捣用之。(《大观》卷10页35，《政和》页255，《纲目》页863)

【校注】

[1] **紬** 《大观》作“细”，《药性解》作“黏”。

[2] **跙** 《纲目》无此字，《药性解》作“粗”。

[3] **单** 《纲目》《指南》作“乃”。

142 蛇含[1]

凡使，勿用有蘖尖叶者，号竟命草，其味别空，只酸涩，不入用。若误服之，吐血不止，速服知时子解之。采得后，去根、茎，只取叶细切，曒干。勿令犯火。(《大观》卷10页30，《政和》页253，《纲目》页921)

【校注】

[1] 本条，《纲目》化裁为“敩曰：蛇衔只用叶晒干，勿犯火。根、茎不用。勿误用有蘖尖叶者，号竟命草。其味酸涩，误服令人吐血不止，速服知时子解”。

143 草蒿[1]

凡使，唯中为妙，到膝即仰，到腰即俯。使子勿使叶，使根勿使茎，四件若同使，翻然成痼疾。采得叶，不计多少，用七岁儿童七个溺，浸七日七夜后，漉出，㬠干用之。(《大观》卷10页23，《政和》页250，《纲目》页852)

【校注】

[1] 蒿 此下，《炮炙大法》有“即青蒿叶，细而香，自采佳，阴干”。

144 连翘

却瘰疬疮痈。(敦煌本《五藏论》)

145 蔺茹

漆头为用。(敦煌本《五藏论》)

146 虎杖

凡使，勿用[1]天蓝并斑柚[2]根，其二味根形味相[3]似，用之有误[4]。采得后，细剉，却用上虎杖叶，裛[5]一夜，出，㬠干用。(《大观》卷13页46，《政和》页333，《纲目》页933)

【校注】

[1] 用 《纲目》作“误用”。

[2] 柚 《纲目》作“袖”。

[3] 相 《纲目》作“皆相”。

[4] 用之有误 《纲目》无此文。

[5] 裛 《纲目》作“包”。

147 蒴藋[1]

凡使之，春用隔年花蕊，夏用根，秋冬并总用。作煎，只取根，用铜刀细切，于柳木臼中，捣取自然汁，缓缓于锅子中煎如稀饧，任用也。(《大观》卷11页10，《政和》页266，《纲目》925)

【校注】

[1] 本条，《纲目》未见引。又，《五藏论》云：“臊痒皮肤，汤煎蒴藋。”

148　赤地利

凡采得后，细剉，用蓝叶并根并[1]剉，唯[2]赤地利细剉了[3]，用生绢袋盛，同蒸一伏时，去蓝，暴干用[4]。(《大观》卷 11 页 43，《政和》页 278，《纲目》页 1047)

【校注】

[1] **并**　《大观》作“细”。

[2] **唯**　《大观》作“雄”。

[3] **并剉，唯赤地利细剉了**　《纲目》无此文。

[4] **暴干用**　《纲目》作“晒用”。

149　赤车使者

元名小锦枝。凡使[1]，并粗捣，用七岁童子小便拌了蒸，令干，更𣋠[2]。每修事五两，用小儿溺一溢为度。[3] (《大观》卷 11 页 57，《政和》页 284，《纲目》页 836)

【校注】

[1] **使**　《纲目》作“用”。

[2] **令干，更𣋠**　《纲目》作“晒干入药”。

[3] **每修事五两，用小儿溺一溢为度**　《纲目》无此文。

150　刘寄奴

采得后，去茎、叶，只用实[1]。凡使[2]，先以布拭上薄壳皮令净，拌酒蒸，从巳至申，出，暴[3]干用之。(《大观》卷 11 页 31，《政和》页 274，《纲目》页 860)

【校注】

[1] **去茎、叶，只用实**　《炮炙大法》作“茎、叶、花、子皆可用”。

[2] **使**　此下，《炮炙大法》有“去梗”2 字。

[3] **暴**　《药性解》作“晒”。

151　牵牛子[1]

草金零，牵牛子是也。凡使，其药秋末即有实，冬收之。凡用𣋠[2]干，却入水中淘，浮者去之。取沉者暾干，拌[3]酒蒸，从巳至未，暾干，临用舂去黑皮用。（《大观》卷11页7，《政和》页264，《纲目》页1012）

【校注】

[1] 本条末，《炮炙大法》有“黑者力速，磨取头末入药”。又，《五藏论》云：“牵牛泻水排脓。”

[2] **暾** 《纲目》《药性解》作“晒”。

[3] **拌** 《药性解》作“用”。

152　蓖麻子[1]

凡使，勿用黑天赤利子，缘在地蒌上生[2]，是颗两头尖，有毒，药中不用[3]。其蓖麻子形似巴豆[4]，节节有黄黑斑点。凡使，先须和皮用[5]盐汤煮半日，去皮取子，研过用。（《大观》卷11页9，《政和》页265，《纲目》页956）

【校注】

[1] 本条末，《指南》引李时珍曰：“取蓖麻油法：用蓖麻仁五升捣烂，以水一斗煮之，有沫撇起，待沫尽乃止。去水，以沫煎至点灯不炸、滴水不散方美。”

[2] **生** 《纲目》《指南》无“生”字。

[3] **药中不用** 《纲目》《指南》无此文。

[4] **形似巴豆** 《纲目》《指南》无此文。

[5] **先须和皮用** 《纲目》《指南》作“以”。

153　狼毒

唯重为佳。（敦煌本《五藏论》）

154　芦根

凡使，须要逆水芦，其根逆水生，并黄泡肥厚者，味甘。采得后，去节须并上赤黄了[1]，细剉用[2]。（《大观》卷11页23，《政和》页271，《纲目》页882）

《雷公炮炙论序》云：益食加觞，须煎芦朴。[3]

【校注】

[1] **了** 《纲目》《炮炙大法》作“皮”。

[2] **细剉用** 《纲目》无"细剉"2字。又,"用"字后,《炮炙大法》有"其汁消痰开胃下气,除热,解一切食物鱼虾河豚毒"。

[3]《雷公炮炙论序》注云:"不食者,并饮酒少者,煎逆水芦根并厚朴二味,汤服。"

155 商陆

凡使,勿用赤葛[1],缘相似。其赤葛[2]花茎,有消筋肾之毒,故勿饵。章陆花白,年多后,仙人采之,用作脯,可下酒也。每修事,先以铜刀刮去上[3]皮了,薄切,以东流水浸两宿,然后漉出,架甑蒸,以豆叶一重了,与章陆一重,如斯蒸,从午至亥,出,仍去豆叶,暴干了,细剉用。若无豆叶,只用豆代之。(《大观》卷11页3,《政和》页263,《纲目》页944)

【校注】

[1][2] **葛** 《大观》《药性解》作"葛",《政和》作"菖"。

[3] **上** 《药性解》作"粗"。

156 角蒿

凡使,勿用红蒿并邪蒿,二味真似角蒿,只是上香角短[1]。采得,并于槐砧上细剉用之。(《大观》卷11页25,《政和》页272,《纲目》页855)

【校注】

[1] **只是上香角短** 《纲目》作"只是此香而角短尔"。

157 天麻[1]

凡使,勿用御风草,缘与天麻相似[2],只是叶、茎不同,其御风草根、茎斑叶皆[3]白,有青点。使御风草根,勿使天麻,二件若同用,即令人有肠结之患。修事天麻十两,用蒺藜子一镒,缓火熬[4]焦熟后,便先安置天麻十两于瓶中,上用火熬过蒺藜子盖,内外便用三重纸盖并系,从巳至未时,又出蒺藜子,再入熬炒,准前安天麻于[5]瓶内,用炒了蒺藜子于中,依前盖,又隔二[6]伏时后出。如此七遍,瓶盛出后,用布拭上气汗,用刀劈,焙之,细剉,单捣。然用御风草,修事法亦同天麻。(《大观》卷9页15,《政和》页223,《纲目》页739)

【校注】

[1] 天麻为《开宝本草》新增药，但唐代《药性论》和陈藏器《本草拾遗》已有著录。

[2] **缘与天麻相似**　《纲目》作“二物相似”。

[3] **叶皆**　《纲目》作“叶背”。

[4] **熬**　《大观》作“焰”。

[5] **于**　《政和》无“于”字。

[6] **二**　《政和》作“一”。

158　荜拨[1]

凡使，先去挺，用头醋浸一宿，焙干，以刀刮去皮粟子，令净，方[2]用，免伤人肺，令人上气。（《大观》卷 9 页 31，《政和》页 229，《纲目》页 814）

【校注】

[1] 荜拨为《开宝本草》新增药，但唐·陈藏器《本草拾遗》已有著录。又，《五藏论》云：“蜂螫荜拨妙除。”

[2] **方**　《纲目》《指南》作“乃”。

159　卢会[1]

凡使，勿用杂胆。其象胆干了[2]，上有青竹文斑并光腻。微微甘[3]，勿使和众药捣，此药先捣成粉，待众药末出，然后入药中。此物是胡人杀得白象，取胆干入汉中是也。（《大观》卷 9 页 30，《政和》页 230，《纲目》页 1380）

【校注】

[1] 卢会为《开宝本草》新增药，但唐代《南海药谱》已有著录。

[2] **了**　《大观》作“子”。

[3] **微微甘**　《炮炙大法》作“味极苦”。

160　延胡[1]

《雷公炮炙论序》云：心痛欲死，速觅延胡。注云：以延胡索作散，酒服之，立愈也。（《大观》卷 1 页 31，《政和》页 41，又页 230，《纲目》页 779）

【校注】

[1] **延胡**　《政和》引“拾遗序”云：“延胡索止心痛，酒服。”《纲目》卷13“延胡索”条曰：“荆穆王妃胡氏，因食荞麦面著怒，遂病胃脘，当心痛不可忍……因思《雷公炮炙论》云‘心痛欲死，速觅延胡’。乃以延胡索末三钱，温酒调下，即纳入，少顷大便行，而痛遂止。”

161　补骨脂[1]

凡使[2]，性本大[3]燥毒，用酒浸一宿后，漉出，却用东流水浸三日夜，却蒸，从巳至申，出，日干用。（《大观》卷9页37，《政和》页231，《纲目》页817）

【校注】

[1] 本条末，《纲目》《指南》有“一法：以盐同炒过，曝干用”。按，补骨脂为《开宝本草》新增药，但唐代《药性论》《海药本草》均有著录。

[2] **凡使**　《炮炙大法》作“即破故纸，形圆实，色黑者，良”。

[3] **性本大**　《纲目》《指南》作“此性”，《炮炙大法》作“性本太”。

162　肉豆蔻[1]

凡使[2]，须以糯米作粉，使热汤搜裹豆蔻，于煻灰中炮[3]，待米团子焦黄熟，然后出，去米，其中有子取用。勿令犯铜[4]。（《大观》卷9页36，《政和》页231，《纲目》页816）

【校注】

[1] 肉豆蔻为《开宝本草》新增药，但唐代《药性论》《本草拾遗》《海药本草》均有著录。

[2] **凡使**　《炮炙大法》作“不油不蛀不皱皮者，佳”。

[3] **炮**　《药性解》作“煨”，《纲目》《指南》作“煨熟”。

[4] **铜**　《纲目》《药性解》作“铁”，《指南》作“铁器”，《炮炙大法》作“铜铁”。又，本条末，《指南》有“脾泄气痢，醋调面煨”。

163　蓬莪茂[1]

凡使，于砂盆中用醋磨令尽，然后于火畔吸[2]令干，重筛过用。（《大观》卷9页41，《政和》页232，《纲目》页820）

【校注】

[1] 本条末,《炮炙大法》有“一法:火炮,醋浸煨切”。《指南》曰:“颂曰:此物极坚硬难捣,治时,热灰火中煨令透,乘热捣之,即碎如粉。时珍曰:今人多以醋炒,或煮入药,取其引入血分也。”按,蓬莪茂为《开宝本草》新增药,但唐代《药性论》《本草拾遗》均有著录。

[2] **吸** 《纲目》作“焙”,《指南》作“协”。

164 毕澄茄[1]

凡使,采得后,去柄及皱皮了,用酒浸,蒸,从巳至酉,出,细杵,任用也[2]。(《大观》卷9页49,《政和》页235,《纲目》页1321)

【校注】

[1] 毕澄茄为《开宝本草》新增药,但唐代《海药本草》已有著录。

[2] **任用也** 《纲目》作“晒干,入药用”。

165 马兜铃[1]

凡使,采得后,去叶并蔓了,用生绢袋盛,于东屋角畔悬令干了,擘作片,取向里子,去隔[2]膜,并令净,用子并皮[3]。勿令去革膜不尽用之。炒入药[4]。(《大观》卷11页26,《政和》页272,《纲目》页1010)

【校注】

[1] 本条,《纲目》《指南》作“凡采得实,去叶及蔓,以生绢袋盛于东屋角畔,待干擘开,去革膜,取净子焙用”。按,马兜铃是《开宝本草》新增药,但唐代《药性论》已有著录。

[2] **隔** 《大观》作“革”,《政和》作“隔”。

[3] **并皮** 《政和》无“并皮”2字。

[4] **炒入药** 《大观》有此文,《政和》无“炒入药”3字。

166 仙茅[1]

凡采得后,用清水洗令净,刮上[2]皮,于槐砧上用铜刀切豆许大,却用生稀布袋盛,于乌豆水中浸一宿,取出,用酒湿拌了,蒸,从巳至亥,取出,暴干。勿犯铁[3],斑人须鬓。(《大观》卷11页28,《政和》页273,《纲目》页751)

【校注】

[1] 本条末，《纲目》《指南》引“大明”曰：“彭祖单服法：以竹刀刮切，糯米泔浸去赤汁出毒后，无妨损。”按，仙茅为《开宝本草》新增药，但唐代《海药本草》已有著录。

[2] **上** 《纲目》《指南》《药性解》作“去”。

[3] **铁** 此下，《纲目》《指南》有“器及牛乳”。

167 骨碎补[1]

凡使，采得后，先用铜刀刮去上黄赤毛尽，便细切，用酒[2]拌，令润，架柳甑蒸一日后，出，暴干用。又《乾宁记》云[3]：去毛，细切后，用生蜜拌蒸，从巳至亥准[4]前，暴干，捣末。用炮猪肾，空心吃，治耳鸣，亦能止诸杂痛。(《大观》卷11页33，《政和》页274，《纲目》页1076)

【校注】

[1] 本条首，《炮炙大法》有“生江南，根着树、石上”。本条末，《指南》有“急用只焙干不蒸亦得也”。按，骨碎补为《开宝本草》新增药，但唐代《药性论》《本草拾遗》已有著录。

[2] **酒** 《政和》作“蜜”，《大观》作“酒”。

[3] **《乾宁记》云** 《炮炙大法》无此文。

[4] **准** 《药性解》作“照”。

168 橪毛

《雷公炮炙论序》云：只如橪毛[1]，沾溺立销班肿之毒。(《大观》卷1页30，《政和》页41)

【校注】

[1] **橪毛** 《雷公炮炙论序》注云：“今盐草也。”

169 紫背[1]

《雷公炮炙论序》云：如要形坚，岂忘紫背。注云：有紫背天葵，如常食葵菜，只是背紫面青，能坚铅形。(《大观》卷11页30，《政和》页41，《纲目》页905)

【校注】

[1] **紫背** 《纲目》卷16曰：“按郑樵《通志》云：莬葵，天葵也。状如葵菜，叶大如钱而厚，

面青背微紫，生于崖石。凡丹石之类，得此而后能神。所以《雷公炮炙论》云：如要形坚，岂忘紫背。谓其能坚铅也，此说得于天台一僧。又按南宫从《岣嵝神书》云：紫背天葵出蜀中，灵草也，生于水际，取自然汁煮汞则坚，亦能煮八石拒火也。”

170　宗心[1]

《雷公炮炙论序》云：留砒住鼎，全赖宗心。注云：别有宗心草，今呼石竹，不是食者棕，恐误。其草出欻州，生处多虫兽。（《大观》卷1页30，《政和》页41）

【校注】

[1] **宗心**　《纲目》卷15谓龙常草别名为粽心草，曰：“俚俗五月采，系角黍之心，呼为粽心草是也。”

171　芹花

《雷公炮炙论序》云：雌得芹花，立便成庚。注云：其草名为立起，其形如芍药花，色青，可长三尺已来，叶上黄斑色，味苦涩，堪用，煮雌黄，立住火。（《大观》卷1页30，《政和》页41）

172　赤须

《雷公炮炙论序》云：硇遇赤须，水留金鼎。注云：其草名赤须，今呼为虎须草[1]，是用煮硇砂，即生火验。（《大观》卷1页30，《政和》页41）

【校注】

[1] **虎须草**　《纲目》卷15谓灯心草一名虎须草，曰：“此即龙须之类，但龙须紧小而瓤实，此草稍粗而瓤虚白。吴人栽莳之，取瓤为灯炷，以草织席及蓑。他处野生者不多，外丹家以之伏硫砂。”

木　上

173　茯苓[1]

凡采得后[2]，去皮、心神了[3]，捣令细，于水盆中搅令浊，浮者去之[4]。是茯苓筋[5]，若误服之，令人眼中童子并黑睛点小，兼盲目，甚记之[6]。（《大观》卷12页17，《政和》页296，《纲目》页1468）

【校注】

[1] 本条末，《指南》《纲目》有“弘景曰：作丸散者，先煮二三沸，乃切，暴干用。”《指南》又云：“后人有用乳蒸者。”又，《五藏论》云：“太山茯苓，发阴阳而延年益寿。”

[2] **凡采得后** 《纲目》作“凡用”，《指南》作“凡使茯苓”，《炮炙大法》作“坚白者良”。

[3] **去皮、心神了** 《纲目》《指南》作“用皮去心”。

[4] **去之** 《纲目》《指南》作“滤去之”。

[5] **筋** 《纲目》《指南》作“赤筋”。

[6] **甚记之** 《炮炙大法》作“切记，如飞，澄净，晒干，人乳拌蒸。用赤茯苓，则不必飞也”。

174 琥珀[1]

凡用，须分红松脂、石珀、水珀、花珀、物象珀、瑿珀、琥珀。红松脂如琥珀，只是浊，太[2]脆，文横。水珀多无红，色如浅黄，多粗皮皱。石珀如石重，色黄，不堪用。花珀文似新马尾松心文，一路赤，一路黄。物象珀，其内自有物命动，此使有神妙[3]。瑿珀，其珀是众珀之长，故号曰瑿珀。琥珀如血色，热于布上拭[4]，吸得芥子者真也。夫入药中，用水调侧柏子末，安于瓷锅子中，安琥珀于末中了，下火煮，从巳至申，别[5]有异光，别捣如粉，重筛用[6]。（《大观》卷12页19，《政和》页297，《纲目》页1471）

【校注】

[1] 本条末，《炮炙大法》有“一法：用细布包，内（纳）豆腐锅中煮之，然后灰火略煨过。入目制用，安心神生用”。《指南》有“今人有用乳制者”。

[2] **太** 《药性解》作“大”。

[3] **命动，此使有神妙** 《药性解》作“极为神妙”。又，“命”，《大观》作“念”。

[4] **热于布上拭** 《纲目》作“以布拭热”，《药性解》作“安于布上拭”。《炮炙大法》无“热”字。

[5] **别** 《纲目》《指南》作“当”。

[6] **别捣如粉，重筛用** 《纲目》《指南》作“捣粉筛用”。又，“别”，《药性解》作“便”。

175 柏实[1]

凡使，先以酒浸一宿，至明漉出，晾干，却用黄精自然汁，于日中煎，手不住搅，若天久阴[2]，即于铛中著水[3]，用瓶器盛柏子人，著火缓缓煮成煎[4]为度。每煎三两柏子人，用酒五两，浸干为度[5]。（《大观》卷12页14，《政和》页295，《纲目》页1349）

【校注】

[1] 本条，《炮炙大法》作“柏实，去油者，酒拌蒸，另捣如泥。或蒸熟曝烈，舂簸取仁，炒研入药”。又，本条末，《指南》引李时珍曰：“此法是服食家用者，寻常用，只蒸熟曝烈，舂簸取仁，炒研入药。”

[2] **若天久阴** 《药性解》作“若夫天阴”。

[3] **于铛中著水** 《药性解》作“于当中著火”。

[4] **煎** 《药性解》作“膏”。

[5] **浸干为度** 《纲目》《指南》作“浸”，无“干为度”3字。

〔附〕 柏叶[1]

凡使，勿用花柏叶并从柏叶，有子圆叶。其有子圆叶成片，如大片云母，叶叶皆侧，叶上有微赤毛。若花[2]柏叶，其树浓叶成朵，无子。从柏叶，其树绿色，不入药中用。若修事一斤，先拣去两畔并心枝了，用糯泔浸七日后，漉出，用酒拌蒸一伏时，却用黄精自然汁浸了，焙干，又浸又焙，待黄精汁干尽，然后用之。如修事一斤，用黄精自然汁十二两。(《大观》卷12页14，《政和》页295，《纲目》页1349)

【校注】

[1] 本条，《炮炙大法》作“柏叶，向月令采之。春东，夏南，秋西，冬北”。本条末，《指南》引李时珍曰：“此服食治法也。常用或生或炒，各从本方。”

[2] **花** 线装本《政和》作“苑”，《大观》《政和》作“花”。

176 桂[1]

凡使，勿[2]薄者，要紫色厚者，去上粗皮，取心中味辛者使[3]。每斤大厚紫桂，只取得五两。取有味厚处生用。如末用[4]，即用重密熟绢并纸裹，勿令犯[5]风。其州土只有桂草，元无桂心。用桂草煮丹阳木皮，遂成[6]桂心。凡使，即单捣用之。(《大观》卷12页3，《政和》页290，《纲目》页1355)

【校注】

[1] 本条，《指南》作“肉桂”，并引李时珍曰：“凡使肉桂，厚而辛烈，去粗皮用。其去内外皮者，即为桂心也。”又，《五藏论》云：“桂心取其有味。”

[2] **勿** 《药性解》作“去”。

[3] **使** 《纲目》《药性解》作“用”。

[4] **如末用** 《炮炙大法》作“加未用”，《药性解》作“如未用”。

[5] **皃**　《大观》作“见”。

[6] **递成**　《纲目》《药性解》作“伪充”。

177　杜仲[1]

凡使[2]，先须削去粗皮，用酥蜜和作一处[3]，炙之尽为度，炙干了，细剉用。凡修事一斤，酥二两，蜜三两，二味相和令一处用也。(《大观》卷12页36，《政和》页305，《纲目》页1388)

【校注】

[1] 本条末，《炮炙大法》有“一法：用酒炒断丝，以渐取屑方不焦”。《纲目》《指南》有“细剉用，有用盐水炒者”。又，《五藏论》云：“杜仲削去粗皮。”

[2] **凡使**　《炮炙大法》作“极厚者良”。

[3] **处**　《政和》作“两”。

178　干漆

作蜂窠之形。拟去白虫，漆和鸡子。(敦煌本《五藏论》)

179　蔓荆实[1]

凡使，去蒂子下白膜一重，用酒浸一伏时后，蒸，从巳至未，出，噉[2]干用。(《大观》卷12页32，《政和》页303，《纲目》页1458)

【校注】

[1] 本条末，《炮炙大法》有“一法：炒捶碎用”。

[2] **噉**　《纲目》《指南》作“熬”。

180　桑上寄生

凡使，在树上自然生，独枝树是也。采得后，用铜刀和根、枝、茎[1]细剉，阴干了，任用，勿令见火。(《大观》卷12页35，《政和》页304，《纲目》页1474)

【校注】

[1] **茎**　此下，《纲目》《指南》有“叶”字。

181 蕤核[1]

凡使，先汤[2]浸去皮、尖，擘作两片。用芒消、木通草二味[3]，和蕤人同水煮一伏时后，沥出[4]，去诸般药，取蕤人研成膏，任加减入药中使。每修事四两，用芒消一两，木通草[5]七两。(《大观》卷12页41,《政和》页307,《纲目》页1442)

《雷公炮炙论序》云：蕤子熟生，足睡不眠立据[6]。

【校注】

[1] 本条末，《炮炙大法》有“一法：去衣绵，纸包，研去油用”。又，《五藏论》云：“患眼宜取蕤仁。”

[2] **先汤** 《药性解》作“先用热水”。

[3] **木通草二味** 《药性解》作“木通、甘草三味”。

[4] **沥出** 《药性解》《炮炙大法》作“漉出”。

[5] **草** 《药性解》作“甘草”。

[6] **蕤子熟生，足睡不眠立据** 《政和》卷12引陈藏器曰：“蕤子生熟，足睡不眠。”

182 五加皮[1]

今五加皮，其树本是白楸树，其上有叶如蒲叶者，其叶三花是雄，五叶花是雌。剥皮[2]阴干，阳人使阴，阴人使阳。(《大观》卷12页29,《政和》页302,《纲目》页1450)

《雷公炮炙论序》云：目辟眼䁾，有五花而自正。[3]

【校注】

[1] 本条，《炮炙大法》作“五加皮，五叶者是，剥皮去骨，阴干”。又，《纲目》引雷敩云：“作末浸酒饮，治目僻眼䁾。”

[2] **剥皮** 《五藏论》云：“五加割取其皮。”

[3]《雷公炮炙论序》注云：“五加皮是也，其叶有雄、雌，三叶为雄，五叶为雌。须使五叶者，作末，酒浸饮之，其目䁾者正。”

183 沉香[1]

凡使，须要不枯者[2]，如觜角硬重，沉于水下为上也，半沉者次也。夫入丸散中用，须候众药出，即入拌和用之。(《大观》卷12页43,《政和》页308,《纲目》页1361)

【校注】

[1] 本条末，《指南》引李时珍曰："欲入丸散，以纸裹置怀中，待燥研之，或入乳钵以水磨粉，晒干亦可。若入煎剂，惟磨汁临时入之。"

[2] **者** 《炮炙大法》作"黑润者良"。

184 檗木[1]

凡使，用刀削上粗皮了，用生蜜水浸半日，漉出，曒干[2]，用蜜涂，文武火炙，令蜜尽为度。凡修事五两，用蜜三两。（《大观》卷12页24，《政和》页300，《纲目》页1383）

《雷公炮炙论序》云：口疮舌坼，立愈黄苏。[3]

【校注】

[1] **檗木** 《炮炙大法》作"黄檗木"，《指南》作"黄檗"，《药性解》作"黄柏"。本条末，《指南》引张元素曰："二制治上焦，单制治中焦，不制治下焦。"又引李时珍曰："黄柏性寒而沉，生用则降实火，熟用则不伤胃，酒制则治上，盐制则治下，蜜制则治中。"

[2] **曒干** 《纲目》《指南》《药性解》作"晒干"。

[3]《雷公炮炙论序》注云："口疮舌坼，以根黄涂苏炙作末含之，立差。"《纲目》卷35"檗木"条引张元素曰："黄檗蜜炒研末，治口疮如神。故《雷公炮炙论》云：口疮舌坼立愈黄酥，谓以酥炙根黄含之也。"又，《五藏论》云："口疮宜含黄檗。"

185 辛夷[1]

凡用之，去粗皮，拭上赤肉毛了[2]，即以芭蕉水[3]浸一宿，漉出，用浆水煮，从巳至未，出，焙干用。若治眼目中患，即一时去皮，用[4]向里实者。（《大观》卷12页23，《政和》页304，《纲目》页1361）

【校注】

[1] 本条末，《指南》引"大明"曰："入药微炒。"《五藏论》云："恼心闷偏加木笔。"陈藏器本草云："辛夷花，北地寒，二月开，初发如笔，北人呼为木笔。"

[2] **赤肉毛了** 《炮炙大法》作"白赤毛了去心"。

[3] **水** 《炮炙大法》作"木"。

[4] **用** 《大观》作"用用"。

186 木兰

能去死皮。（敦煌本《五藏论》）

187　酸枣人[1]

凡使，采得后，曒干，取叶重拌酸枣人[2]，蒸半日了，去尖皮了，任研用。（《大观》卷12页22，《政和》页299，《纲目》页1440）

【校注】

[1] 本条，《炮炙大法》作“酸枣，粒粒粗匀碎皮者良，炒爆研细入药。如砂仁法，勿隔宿”。本条末，《指南》有“后人有炒用者”。

[2] **取叶重拌酸枣人**　《纲目》《指南》作“以叶拌”。

188　槐实[1]

凡采得后，去单子并五子者，只取两子、三子[2]者。凡使，用铜锤捶[3]之，令破，用乌牛乳浸一宿，蒸过用良[4]。（《大观》卷12页9，《政和》页292，《纲目》页1398）

【校注】

[1] 本条，《炮炙大法》附“槐花”云：“未开时采收，陈久者良，入药拣净，酒浸，微炒。若止血炒黑。”又，《指南》曰：“凡使槐花，须未开时采收，陈久者良，入药炒用。染家以水煮一沸出之。其稠滓为饼，染色更鲜也。”

[2] **三子**　《指南》无此2字。

[3] **捶**　《大观》脱“捶”字。

[4] **良**　《政和》脱“良”字。

189　楮实

凡使，采得后，用水浸三[1]日，将物搅旋，投水，浮者去之。然后曒干，却用酒浸一伏时了，便蒸，从巳至亥，出，焙令干用。（《大观》卷12页26，《政和》页300，《纲目》页1433）

【校注】

[1] **三**　《大观》作“五”，《政和》作“三”。

190　枸杞[1]

凡使根，掘得后，使东流水浸，以物刷上土了，然后待干，破[2]去心，用熟甘草汤浸一宿，然后焙干。用其根，若似物命形状者上[3]。春食叶，夏食子，秋冬食根并子也。(《大观》卷12页11,《政和》页294,《纲目》页1453)

【校注】

[1] 本条后，《炮炙大法》有“枸杞子，去蒂及枯者，酒润一夜，捣烂入药”。又，“枸杞”，《纲目》作“地骨皮”。

[2] **破** 《纲目》《指南》作“捶”。

[3] **似物命形状者上** 《药性解》作“似物形状者佳”。

191 橘柚[1]

凡使，勿用柚[2]皮、皱子皮，其二件用不得。凡修事，须去白膜一重，细剉，用鲤鱼皮裹一宿，至明出用。其橘皮年深者最妙。(《大观》卷23页5,《政和》页462,《纲目》页1281)

【校注】

[1] 本条，《炮炙大法》作橘皮、青皮、橘核3条：“橘皮，真广陈皮、猪鬃纹，香气异常，去白时，不可浸于水中，止以滚汤，手蘸三次，轻轻刮去白，要极净。青皮，以汤浸去瓤，切片，醋拌，瓦炒过用(此文与《纲目》“青橘皮”条修治同)。橘核，以新瓦焙香去壳，取仁，研碎入药(此文与《纲目》“橘核”条修治同)。”《指南》作橘皮、青皮2条。其“制橘皮”条引李时珍曰：“凡使橘皮中，入和理胃药则留白，入下气消痰药则去白。其说出于《圣济经》。去白者，以白汤入盐洗润透，刮去筋膜，晒干用，亦有煮焙，各随本方。”其“制青皮”条引李时珍曰：“凡使青皮入药，以汤浸去瓤，切片，醋拌，瓦炒过用。”又，“橘柚”，《纲目》作“黄橘皮”。

[2] **柚** 《纲目》作“橘”。

〔附1〕 柑

《雷公炮炙论序》云：产后肌浮，甘皮[1]酒服。注云：产后肌浮，酒服甘皮立愈。(《大观》卷1页30,《政和》页41,《纲目》页1284)

【校注】

[1] **甘皮** 《纲目》卷30“柑”条引雷敩曰：“治产后肌浮，为末酒服。”按李时珍所引，甘皮即柑皮。

〔附2〕 橘花

《雷公炮炙论序》云：栨见橘花似髓。(《大观》卷1页30,《政和》页41)

木 中

192 厚朴

凡使，要用紫色味辛为好。或丸散便去粗皮，用酥[1]炙过，每修[2]一斤，用酥四两，炙了细剉用。若汤饮中使，用自然姜汁八两，炙一升[3]为度。(《大观》卷13页24,《政和》页324,《纲目》页1386)

《雷公炮炙论序》云：益食加觞，须煎芦朴。[4]。

【校注】

[1] **酥** 《药性解》作“醋”。

[2] **修** 《药性解》作“条”。

[3] **升** 《大观》作“斤”,《药性解》作“日”。

[4]《雷公炮炙论序》注云:“不食者，并饮酒少者，煎逆水芦根并厚朴二味，汤服。”

193 猪苓[1]

凡采得，用铜刀削上[2]粗皮一重[3]，薄切，下[4]东流水浸一夜，至明漉出，细切，以升麻叶对蒸一日，出，去升麻叶，令净，晒干用。(《大观》卷13页33,《政和》页328,《纲目》页1472)

【校注】

[1] 本条末,《炮炙大法》有“一云：猪苓取其行湿，生用更佳”。又,《指南》引李时珍的文字同此。

[2] **削上** 《纲目》《炮炙大法》作“削去”,《药性解》作“刮上”,《指南》作“刮去”。

[3] **一重** 《纲目》《指南》无此2字。

[4] **下** 《纲目》《指南》作“以”。

194 竹沥[1]

《雷公炮炙论序》云：久渴心烦，宜投竹沥。(《大观》卷1页31,《政和》页41,

《纲目》页 1476)

【校注】

[1]《政和》卷 13“竹叶”条引“陈藏器序”云:“久渴心烦,服竹沥。”《纲目》卷 37“竹”条引雷敩曰:“久渴心烦,宜投竹沥。”又,《五藏论》云:“壮热不除,宜加竹叶。”

195 山茱萸[1]

凡使,勿用雀儿苏,真[2]似山茱萸,只是核八棱,不入药用[3]。使山茱萸,须去内核。每修事,去核了[4]一斤,取肉皮用,只秤成四两已来,缓火熬之,方用[5]。能壮元气,秘精,核能滑精。(《大观》卷 13 页 29,《政和》页 327,《纲目》页 1443)

【校注】

[1] 本条,《五藏论》云:“泽泻、茱萸,能使耳目聪明。”

[2] **真** 《药性解》作“臭”。

[3] **用** 《药性解》无“用”字。此下,《炮炙大法》有“圆而红润肉厚者佳,酒拌,砂锅上蒸,去核了”。

[4] **了** 《大观》作“子”,《政和》作“了”。

[5] **缓火熬之,方用** 《炮炙大法》作“凡蒸药,用柳木甑去水八九寸,水不泛上,余悉准此”。

196 吴茱萸

凡使,先去叶、核并杂物了[1],用大盆一[2]口,使盐水洗一百转,自然无涎,日干,任入丸散中用。修事十两,用盐二两,研作末,投东流水四斗[3]中,分作一百度洗,别[4]有大效。若用醋煮,即先沸醋三十余沸,后入茱萸[5],待醋尽,晒干[6]。每用十两,使醋一镒[7]为度。(《大观》卷 13 页 8,《政和》页 318,《纲目》页 1322)

【校注】

[1] **核并杂物了** 《纲目》作“梗”,《药性解》作“梗并杂收子”。

[2] **一** 《药性解》作“二”。

[3] **斗** 《药性解》作“杓”。

[4] **别** 《药性解》作“则”。

[5] **后入茱萸** 《药性解》作“后共茱萸沸”。

[6] **晒干** 《纲目》作“熬干”。

[7] **镒** 《政和》作“溢”。

197 栀子[1]

凡使，勿用颗大者，号曰伏尸栀子，无力。须要如雀[2]脑，并须长有九路赤色者[3]上。凡使，先去皮须了，取人[4]，以甘草水浸一宿，漉出，焙干，捣筛如赤金末用[5]。(《大观》卷13页14，《政和》页320，《纲目》页1439)

【校注】

[1] 本条末，《炮炙大法》有“大率治上焦、中焦连壳用。治下焦去壳，洗去黄浆，炒用。治血病炒黑用”。按，此文原出于朱震亨。

[2] **雀** 《纲目》《药性解》作“雀”。

[3] **者** 此下，《纲目》有“为”字。

[4] **取人** 《炮炙大法》作“取九棱者仁”，《政和》作“取人”。按《说文解字注·人部》，段玉裁注云：“果实之心，亦谓之人，能复生草木而成果实。果人之字，自宋元以前，本草方书，诗歌记载，无不作‘人’字，自明成化重刊本草乃尽改为‘仁’字，于理不通。”

[5] **捣筛如赤金末用** 《炮炙大法》作“捣晒，如赤金末用”，《药性解》作“捣筛如金末用”，《纲目》作“捣筛为末用”。

198 槟榔[1]

凡使，取好[2]存坐稳心坚，文如流水，碎破，内文如锦文者妙。半白半黑并心虚者，不入药用。凡使，须别槟与榔，头圆身形矮毗[3]者是榔，身形尖紫文粗者是槟。槟力小，榔力大。欲使，先以刀刮[4]去底，细切。勿经火，恐无力效。若熟使，不如不用。(《大观》卷13页11，《政和》页319，《纲目》页1305)

【校注】

[1] 本条末，《指南》引李时珍曰：“近时方药，亦有以火煨焙用者。然初生白槟榔，须本境可得。若他处者，必经煮熏，安得生者耶？又槟榔生食，必以扶留藤、古贲灰为使，相合嚼之，吐出红水一口，乃滑美不涩，下气消食。此三物相去甚远，为物各异，而相成相合如此，亦为异矣。俗谓‘槟榔为命赖扶留’以此。古贲灰即蛎蚌灰也。‘贲’乃‘蚌’字之讹。瓦屋子灰亦可用。”又，《五藏论》云：“槟榔，有散气消食之效。”

[2] **取好** 《纲目》《指南》作“用白槟及”。又，“好”，《大观》作“外”。

[3] **毗** 《药性解》作“扁”。

[4] **刮** 《大观》作“削”，《政和》作“刮”。

199　卫矛

凡使，勿用石茆根头，真似鬼箭，只是上叶不同，味各别。采得后，只使箭头用，拭上赤毛，用酥缓炒过用之[1]。每修事一两，用酥一分，炒酥尽为度[2]。（《大观》卷13页41，《政和》页331，《纲目》页1448）

【校注】

[1] **用酥缓炒过用之**　《纲目》作“以酥拌缓炒”。

[2] **用酥一分，炒酥尽为度**　《纲目》作“用酥二钱半”。又，《五藏论》云：“鬼箭破血，仍有射鬼之灵；神屋除温，非带报神之验。”

200　紫威

安胎必藉紫威。（敦煌本《五藏论》）

201　桑根白皮[1]

凡使，十年已上向东畔嫩根，采得后，铜刀刮上青黄薄皮一重，只取第二重，白嫩青涎者，于槐砧上，用铜刀剉了，焙令干，勿使皮上涎落，涎是药力[2]。此药恶铁并铅也。（《大观》卷13页1，《政和》页315，《纲目》页1429）

【校注】

[1] 本条，各书所引“雷公云”，其文互异。《纲目》《指南》引雷公云：“凡使，采十年以上向东畔嫩根，铜刀刮去青黄薄皮一重，取里白切，焙干用。其皮中涎勿去之，药力俱在其上也。忌铁及铅。”《药性解》引雷公云：“凡使，在树上自然生独枝树是也。采得后，用铜刀和枝、根、茎细剉，阴干任用，勿令见火，切忌切忌。”《炮炙大法》作“桑根白皮，自采入土东行者，或竹刀或铜刀刮去黄粗皮，手析成丝，拌蜜，瓦上炙。根浮土上者，杀人”。又，本条末，《纲目》有“或云：木之白皮亦可用。煮汁染褐色，久不落”。

[2] **力**　《大观》作“切”，《政和》作“力”。

木　下

202　巴豆[1]

凡使巴之与豆及刚子，须在仔[2]细认，勿误用杀人。巴颗小紧实，色黄。豆即颗、有三棱，色黑。若刚子，颗小似枣核，两头尖。巴与豆即用，刚子勿使。凡修事巴豆，敲碎，以麻油并酒等，可煮巴豆了[3]，研膏后用[4]。每修事一两，以酒、麻油各七合，尽为度。(《大观》卷14页1，《政和》页339，《纲目》页1423)

【校注】

[1] 本条末，《炮炙大法》有“为疮疡傅药，须炒黑存性，能去瘀肉，生新肉，有神”。

[2] **仔** 《政和》原作“子”，据《药性解》《炮炙大法》改。

[3] **以麻油并酒等，可煮巴豆了** 《炮炙大法》作“去油净，用白绢袋包，甘草水煮，焙干”。《药性解》作“以麻油并酒等煮”。又，“了”，《大观》作“子”，《政和》作“了”。

[4] **研膏后用** 《炮炙大法》作“或研膏用”。

203 石南

采叶，复去诸风。(敦煌本《五藏论》)

204 蜀椒[1]

一名南椒。凡使，须去目及闭[2]口者，不用其椒子，先须酒拌令湿蒸，从巳至午，放冷[3]，密[4]盖，除向下火，四畔无气后取出，便入瓷器中盛，勿令伤风，用也。(《大观》卷14页4，《政和》页340，《纲目》页1316)

【校注】

[1] 本条末，《纲目》《指南》引宗奭曰：“凡使秦椒、蜀椒，并微炒使出汗，乘热入竹筒中，以梗捣去里面黄壳，取红用，未尽再捣。或只炒热，隔纸铺地上，以碗覆，待冷，碾取红用。”

[2] **闭** 《纲目》《指南》《药性解》作“闭”，《炮炙大法》作“闵”。

[3] **冷** 此下，《药性解》有“又制法：微炒出汗，投器中舂之，取红皮，去黄壳，密收器中，任用也”。

[4] **密** 《大观》作“蜜”，《政和》作“密”。

205 莽草[1]

凡使，采得后，便取叶细剉，又生甘草、水蓼二味，并细剉之[2]，用生稀绢袋盛毒木叶，于甑中，上甘草、水蓼，同蒸一日，去诸药二件，取出噘干用之。勿用尖有孪生者。(《大观》卷14页18，《政和》页346，《纲目》页994)

【校注】

[1] 本条，《纲目》作“凡使取叶细剉，以生甘草、水蓼二味同盛入生稀绢袋中，甑中蒸一日，去二件，晒干用”。又，《五藏论》云：“莔（疑作茵）草杀齿内之虫。”按，莔（疑作茵）草即莽草异名。

[2] 之 《大观》无“之”字。

206 郁李人

凡采得，先汤浸，然削上尖，去皮令净[1]，用生蜜浸一宿，漉出，阴干，研如膏用。（《大观》卷14页16，《政和》页345，《纲目》页1445）

【校注】

[1] **然削上尖，去皮令净** 《纲目》作“去皮、尖”。

207 雷丸[1]

凡使[2]，用甘草水浸一宿了，铜刀刮上[3]黑皮，破作四五片。又用甘草汤[4]浸一宿后蒸，从巳至未，出，日干。却以酒拌，如前从巳至未蒸，日干用。（《大观》卷14页21，《政和》页347，《纲目》页1473）

【校注】

[1] 本条末，《纲目》《指南》引“大明”曰：“入药炮用。”《炮炙大法》有“一法：用苍术汤泡去皮，切”。

[2] **凡使** 《炮炙大法》作“赤色者杀人，取肉白者”。

[3] **上** 《纲目》《指南》作“去”。

[4] **汤** 《纲目》《指南》作“水”。

208 榉树皮

凡使，勿用三四年者无力，用二十年已来者心空，其树只有半边，向西生者是[1]。斧剥下去上粗皮，细剉，蒸，从巳至未，出，焙[2]干用。榉牛，凡采得，用铜刀取作两片，去两翅，用纸袋盛，于舍东挂，待干用。[3]（《大观》卷14页25，《政和》页348，《纲目》页1411）

【校注】

[1] **是** 《纲目》作“良”。

[2] **焙**　《大观》作“令”。

[3] **椑牛……待干用**　《纲目》无。

209　白杨

凡使，以铜刀刮粗皮，蒸，从巳至未，出，用布袋盛，于屋东挂干用[1]。(《大观》卷14页23,《政和》页348,《纲目》页1415)

【校注】

[1] **于屋东挂干用**　《纲目》作“挂屋东角，待干用”。

210　皂荚[1]

凡使，须要赤腻肥并不蚛[2]者，然用新汲水浸一宿了，用铜刀削上粗皮，用酥反覆炙，酥尽为度，然出[3]，捶之去子，捣筛。皂荚一两，酥二分[4]。子收得，拣取圆满坚硬不蛀者，用瓶盛，下水，于火畔煮，待泡[5]熟，剥去硬皮一重了，取向里白嫩肉两片，去黄，其黄[6]消人肾气。将白两片，用铜刀细切，于日中干用。(《大观》卷14页6,《政和》页341,《纲目》页1404)

【校注】

[1] 本条,《药性解》作“牙皂，拌蜂蜜名为导煎，水浸一宿，去皮弦，酥炙，复去核及黄用”。本条末,《炮炙大法》有“一法：面裹煨去核”。《指南》有“好古曰：凡用有蜜炙、酥炙、绞汁或烧灰之用不一，各依方法”。

[2] **蚛**　《纲目》《炮炙大法》《指南》作“蛀”。按，蚛同蛀。

[3] **然出**　《炮炙大法》作“取出”。

[4] **酥二分**　《纲目》《指南》作“酥五钱”。

[5] **泡**　《炮炙大法》作“炮”。

[6] **其黄**　《大观》脱此2字。

211　楝实[1]

凡采得后，㬠[2]干，酒拌浸令湿[3]，蒸，待上皮软，剥去皮，取肉，去核，勿单用。其核碎捶，用浆水煮一伏时了用。如使肉，即不使核，使核即不使肉。又花落子谓之石茱萸。(《大观》卷14页13,《政和》页344,《纲目》页1396)

【校注】

[1] 本条末，《纲目》《指南》引嘉谟曰："石茱萸，亦入外科。"

[2] 瞧 《纲目》《指南》作"熬"。

[3] 令湿 《纲目》《指南》作"令透"。

212 苏方木

凡[1]使，去上粗皮并节了。若有中心文横如紫角者，号曰木中尊色，其效[2]倍常百等。须细剉[3]了，重捣，拌细条梅枝蒸，从[4]巳至申，出，阴干用。（《大观》卷14页24，《政和》页348，《纲目》页1419）

【校注】

[1] 凡 此上，《炮炙大法》有"红润者良"。

[2] 其效 《纲目》《药性解》作"其力"，《炮炙大法》作"甚致"。

[3] 剉 《大观》作"切"，《政和》作"剉"。

[4] 从 《大观》作"自"，《政和》作"从"。

213 诃梨勒[1]

凡使，勿用毗梨勒、庵梨勒、榔精勒、杂路勒[2]。若诃梨勒，文只有六路，或多或少，并是杂路勒。毗路勒个个毗[3]，杂路勒皆圆露，文[4]或八露至十三路，号曰榔精勒，多涩，不入用。凡修事，先于酒内浸，然后蒸一伏时，其诃梨勒，以刀削路，细剉，焙干用之[5]。（《大观》卷14页8，《政和》页342，《纲目》页1409）

【校注】

[1] 诃梨勒 《炮炙大法》《指南》作"诃子"。又，《炮炙大法》云："诃子，本名诃梨勒。"

[2] 庵梨勒、榔精勒、杂路勒 《纲目》《指南》无此文。

[3] 毗 此下，《纲目》有"头"字。

[4] 文 《药性解》作"又"。

[5] 之 此下，《纲目》《指南》有"用肉则去核"。

214 卖子木[1]

凡采得后，粗捣，用酥炒，令酥尽为度，然入用。每一两用酥二分为度。（《大

观》卷 14 页 46，《政和》页 358，《纲目》页 1464）

【校注】

[1] 本条，《纲目》作"凡采得，粗捣，每一两用酥五钱，同炒干入药"。

215 椿木根[1]

凡使根，不近西头者上[2]。及不用茎、叶，只用根。采出拌生葱，蒸半日，出生葱，细剉，用袋盛挂屋南畔，阴干用。偏利溺涩也。（《大观》卷 14 页 15，《政和》页 344，《纲目》页 1388）

【校注】

[1] 本条末，《炮炙大法》有"一法：用根皮，漂净，酒拌炒"。又，《指南》引李时珍曰："椿樗木皮根，并刮去粗皮，阴干，临用时，切，焙，入用更佳。"又，"椿木根"，《药性解》作"樗白皮、椿皮"。

[2] **上** 《纲目》《指南》作"为上"。

216 胡椒

凡使，只用内无皱壳者，用力[1]大。汉椒使壳，胡椒使子。每修事，即[2]于石槽中碾碎成粉用。（《大观》卷 14 页 27，《政和》页 349，《纲目》页 1320）

【校注】

[1] **力** 《炮炙大法》作"方"。

[2] **事，即** 《政和》作"拣了"，《大观》作"事，即"。

217 橡实[1]

凡使，去粗皮一重，取橡实蒸，从巳至未，出，剉作五片用之。（《大观》卷 14 页 30，《政和》页 351，《纲目》页 1294）

【校注】

[1] 本条，《纲目》作"霜后收采，去壳蒸之，从巳至未，剉作五片，日干用"。

218　无食子

一名墨石子。凡用，勿令犯铜铁，并被火惊者。颗小、文细、上无栿[1]米者妙。用浆水于砂盆中或硬青石上，研令尽，却焙干研了用，勿捣，能为乌犀色。(《大观》卷14页19，《政和》页346，《纲目》页1409)

【校注】

[1] 栿　《大观》作“狄”，《纲目》作“杕”。

219　枳椇

《雷公炮炙论序》云：如酒沾交[1]。注云：今蜜枳、缴枝，又云交加枝。(《大观》卷1页30，《政和》页41，《纲目》页1313)

【校注】

[1] **交**　即交加枝。《纲目》云：“枳椇，一名交加枝。”《唐本草》云：“以木为屋，屋中酒则味薄。”《食疗》云：“昔有南人修舍用此，误有一片落在酒瓮中，其酒化为水味。”

220　金樱子[1]

林檎向里子名金樱子，与此同名而已。医方中亦用林檎子者。(《大观》卷12页50，《政和》页310，《纲目》页1444)

【校注】

[1] 本条，由《嘉祐本草》作者掌禹锡所引。《炮炙大法》作“金樱子，熬膏服，或和药。霜降后，采金樱子不拘多少，以粗器微捣，去毛刺净，复捣破去子，约有一斗，用水二斗，煮之一饭时，漉起清汁，又入白水煮之，又漉起，又入白水煮，三次之后，其渣淡而无味，去之；止将净汁复以细密绢滤过，净锅熬之如饴，乃止，收贮磁礶中，坐凉水内一宿用。服之大能固精。良方二仙丹即此膏加入芡实粉”。又，《指南》作“凡金樱膏，霜后用竹夹子摘取，入木臼中杵去刺，擘去核，以水淘洗过，捣烂，入大锅水煎，不得绝火，煎减半漉过，仍煎，似稀饧。用时以暖酒调服”。按，此文出自《孙真人食忌》。金樱子为《开宝本草》新增药，但唐代《孙真人食忌》已有记载。

221　丁香[1]

凡使，有雌雄。雄颗小，雌颗大，似樱[2]枣核。方中多使雌，力大。膏煎中

用雄。若欲使雄，须去丁[3]，盖乳子发人背痈也。(《大观》卷12页42，《政和》页307，《纲目》页1363)

【校注】

[1] 本条末，《炮炙大法》有"入煎药，为末调入，或将好投入，一二沸即倾"。按，丁香为《开宝本草》新增药，但唐代《药性论》《本草拾遗》已有著录。

[2] **椳**　《大观》作"穰"，《药性解》无"椳"字。

[3] **丁**　《炮炙大法》作"下"。

222　密蒙花[1]

凡使，先拣令净，用酒浸一宿，漉出，候干却，拌蜜令润，蒸，从卯至酉，出，日干，如此拌蒸三度，又却日干用[2]。每修事一两，用酒八两浸，待色变，用蜜半两蒸为度。此元[3]名小锦花。(《大观》卷13页48，《政和》页334，《纲目》页1463)

【校注】

[1] 密蒙花是《开宝本草》新增药，《开宝本草》将此药列在草部。《本草衍义》云："此木也，今居草部恐未尽。"

[2] **又却日干用**　《大观》作"丸却用"。

[3] **元**　《药性解》作"花"。

223　枳壳[1]

凡使，勿使枳实，缘性效不同。若使枳壳，取辛苦腥并有隟[2]油。能消一切瘰[3]。要尘[4]久年深者为上。用时，先去瓤，以麸炒过，待麸焦黑遂出，用布拭上焦黑，然后单[5]捣如粉用。(《大观》卷13页20，《政和》页323，《纲目》页1435)

【校注】

[1] 本条末，《炮炙大法》有"产江右者良"。又云："枳实色黑陈久者良，去穰，麸炒黄色。"按，枳壳为《开宝本草》新增药，晋·葛洪《肘后方》已用枳壳树皮治中风身直不得屈伸。唐代《药性论》记载枳壳治遍身风疹恶痒。

[2] **隟**　《纲目》作"隙"。按，隟同隙。

[3] **瘰**　《药性解》作"癖块"，《炮炙大法》作"瘰"。按，瘰音顽，即手足麻痹。

[4] **尘** 《炮炙大法》作“陈”。《尔雅·释诂》云：“尘，久也。”“尘”亦借用为“陈”。

[5] **单** 《药性解》作“再”。

224 五倍子

《雷公炮炙论序》云：肠虚泻痢，须假草零。注云：捣五倍子[1]作末，以熟水下之，立止也。(《大观》卷1页30，《政和》页41，又页333，《纲目》页1511)

【校注】

[1] **五倍子** 《政和》卷13“五倍子”条引“陈藏器序”云：“五倍子治肠虚泄痢，熟汤服。”

卷下　兽禽虫鱼果菜米

兽　上

225　龙骨[1]

剡州生者、仓州、太原者上。其骨细文广者是雌，骨粗文狭者是雄。骨五色者上，白色者中，黑色者次，黄色者稍得[2]。经落不净之处不用，妇人采得者不用。大使，先以香草煎汤浴过两度，捣研如粉，用绢袋子盛粉末了。以燕子一只，擘破腹去肠，安骨末袋于燕腹内，悬于井面上一宿，至明，去燕子并袋子，取骨粉重研万下，其效神妙。但是丈夫服空心，益肾药中安置，图龙骨气入肾脏中也。（《大观》卷16页1，《政和》页368，《纲目》页1574）

【校注】

[1] 本条末，《炮炙大法》有“雷公所云生用法也。一法：用酒浸一宿，焙干，研粉，水飞三度用。如急用，以酒煮，焙干。或云：凡入药须水飞晒干，每斤用黑豆一斗，蒸一伏时，晒干用。否则着人肠胃，晚年作热也”。按，此文原出于《纲目》“时珍曰”。又《指南》引李时珍曰：“近世方法，但煅赤为粉。亦有生用者。《事林广记》云：用酒浸一宿，焙干研粉，水飞三度用。如急用，以酒煮焙干。或云：凡入药，须水飞过晒干。每斤用黑豆一斗，蒸一伏时，晒干用。否则着人肠胃，晚年作热也。”又，《五藏论》云：“晋地龙骨，绝甘（疳）利（痢）而去头疼。”又云：“忽尔惊邪，急求龙齿。”

[2] **稍得**　《纲目》作“下”。

226　牛黄[1]

凡使，有四件：第一是生神黄，赚得者；次有角黄，是取之者；又有心黄，是病死后识者剥之，擘破，取心，其黄在心中，如浓黄酱[2]汁，采得便投于水中，黄沾水复[3]硬[4]，如碎蒺藜子，许如豆者，硬如帝珠子[5]；次有肝黄，其牛身上光，眼如血色，多玩弄好照水，自有夜光，恐惧人；或有人别采之，可有神妙之事[6]。凡用，须先单捣，细研如尘，却绢裹。又用[7]黄嫩牛皮裹，安于井面上，去水三四尺已来一宿，至[8]明方取用之。（《大观》卷16页6，《政和》页370，《纲目》页1754）

【校注】

[1] 本条，《五藏论》云："牛黄怀沉香之功，是以安魂定魄。"

[2] **酱** 《纲目》《药性解》作"浆"。

[3] **复** 《药性解》作"后"，《大观》作"便"，《纲目》作"乃"。

[4] **硬** 《炮炙大法》作"便"。

[5] **黄沾水复硬……硬如帝珠子** 《纲目》作"沾水乃硬，如碎蒺藜及豆与帝珠子者是也"。又，"珠"，《大观》作"味"。

[6] **其牛身上光……可有神妙之事** 《药性解》作"有黄之牛，身上夜有光，眼如血色，时复鸣吼恐惧人，又好照水。或有人以盆水承之，伺其吐出，可谓神妙之事"。又，"或有人"，《大观》作"或用人"。

[7] **又用** 《大观》作"又有"。

[8] **至** 《药性解》作"天"。

227 射香[1]

凡使，多有伪者，不如不用。其香有三等。一者名遗香，是麝子脐闭满，其麝于石上用蹄尖弹脐[2]，落处，一里草木不生，并焦黄，人若收[3]得此香，价与明珠[4]同也。二名脥香[5]，采得甚堪用。三名心结香，被大兽惊心破了，因兹狂走，杂诸群中，遂乱投水，被人收得，擘破，见心流在脾上，结作一大干血块，可隔山涧早闻之香，是香中之次也。凡使射香，并用子日开之，不用苦细研筛用之也。[6]（《大观》卷16页4，《政和》页369，《纲目》页1784）

【校注】

[1] 本条，《纲目》作"凡使射香，用当门子尤妙。以子日开之，微研用，不必苦细研也"。又，《五藏论》云："中台射香，差除妖魅。"本条末，《炮炙大法》有"当门子良，凡用另研"。

[2] **弹脐** 《药性解》作"剔出"，《炮炙大法》作"挥脐"。

[3] **收** 《药性解》作"取"。

[4] **明珠** 《药性解》作"珍珠"。

[5] **脥香** 《药性解》作"脐香，乃捕得杀取者"。

[6] **三名心结香……用之也** 《药性解》作"三名心结香，被大兽捕逐，惊畏坠死，被人收得

擘破，见心血在脾上，结作一干血块，不堪入药。凡使射香，勿近火日，磁钵中细研任用”。

228 发髲

凡使之，是男子年可二十已来，无疾患，颜貌红白，于顶心剪下者发是[1]。凡于丸散膏中，先用苦参水浸一宿，漉出，入瓶子，以火煅[2]之，令通赤，放冷研用。(《大观》卷15页1，《政和》页363，《纲目》页1812)

【校注】

[1] **发是**　《药性解》作“佳”。

[2] **煅**　《药性解》作“烧”。

229 溺

《雷公炮炙论序》云：只如枚毛，沾溺立销班肿之毒。(《大观》卷1页30，《政和》页41)

230 人粪

蛇咬宜封人粪。黄龙汤出其厕内，时气病者能除。(敦煌本《五藏论》)

231 酥

《雷公炮炙论序》云：口疮舌坼，立愈黄苏[1]。注云：口疮舌坼，以根黄涂苏炙作末含之，立差。(《大观》卷1页30，《政和》页41，《纲目》页1750)

【校注】

[1] **苏**　《纲目》卷35“檗木”条引张元素曰：“(黄檗) 蜜炒研末，治口疮如神。故《雷公炮炙论》云：口疮舌坼，立愈黄酥。谓以酥炙根黄含之也。”《名医别录》云：“酥，微寒，补五脏，利大肠，主口疮。”

232 熊脂[1]

凡采[2]得后，炼过，就器中安生椒。每一斤熊脂，入生椒十四个炼了，去脂革并椒，入瓶中收任用。(《大观》卷16页7，《政和》页371，《纲目》页1771)

【校注】

[1] 本条，《纲目》作“熊脂，凡取得，每一斤入生椒十四个，同炼过，器盛收之”。又，“脂”，《药性解》误作“胆”。

[2] 采 《政和》作“收”，《大观》作“采”，《纲目》作“取”。

233 阿胶[1][2]

凡使，先于猪脂内浸一宿，至明出，于柳木火上炙，待泡了，细碾用。（《大观》卷16页11，《政和》页372，《纲目》页1751）

【校注】

[1] 本条，《纲目》作“凡用，先以猪脂浸一夜，取出，柳木火上炙燥，研用”。又，本条末，《炮炙大法》有“只以蛤粉炒成珠用为便”。

[2] 胶 此下，《炮炙大法》有“油绿色光明可鉴者真”。

234 醍醐

是酪之浆。凡用，以绵重滤过，于铜器中沸[1]三两沸了用。（《大观》卷16页13，《政和》页373，《纲目》页1751）

【校注】

[1] 沸 《纲目》作“煎”。

兽 中

235 犀角[1]

凡使，勿用奴犀、牸犀、病水犀、挛子犀、下角犀、浅水犀、无润犀。要使乌黑肌粗皱、坼裂、光润者上。凡修治之时，错其屑，入臼中捣令细，再入钵中[2]研万匝，方入药中用之。妇人有妊勿服，能消胎气。凡修治一切角，大忌盐也。（《大观》卷17页17，《政和》页383，《纲目》页1767）

【校注】

[1] 本条，《纲目》《指南》引苏颂曰：“凡使犀角，捕得杀死为上，蜕角者次之。”又引宗奭曰：“鹿取茸，犀取尖，其精锐之力尽在是也。以西番生犀磨服为佳，入汤散屑之。”又引李珣曰：“凡犀

角锯成，当以薄纸裹于怀中蒸燥，乘热捣之，应手如粉。”又引《归田录》云：“翡翠屑金，人气粉犀。”又，《五藏论》云：“犀角有抵触之义，故能趁疰驱邪。”《炮炙大法》作“犀角，凡使，以黑如漆，黄如栗，上下相透，云头、雨脚分明者为上。次用乌黑肌粗皱坼裂光润者良。近人多巧伪药染汤煮，无所不至，须辨之。凡修治，错其屑入臼中，捣令细，再入钵中研万匝，方入药中用之。一说入人怀内一宿易碎，或磨汁入药用”。

[2] **中** 《大观》无“中”字。

236 羚羊角[1]

凡所用，亦有神羊角，其神羊角长有二十四节，内有天生木胎。此角有神力，可抵千牛之力也。凡修事之时，勿令单用，不复有验，须要不拆元对，以绳缚之，将铁错子错之，旋旋取用，勿令犯风。错未尽处，须三重纸裹，恐力散也，错得了，即单捣，捣尽[2]，背风头，重筛过，然入药中用之。若更研万匝了，用之更妙。免刮人肠也。(《大观》卷17页15，《政和》页382，《纲目》页1773)

【校注】

[1] 本条末，《炮炙大法》有“一说：密裹藏怀中，取出捣易碎”。又，《五藏论》云：“羚羊角通噎驱邪，青羊肝疗痫明目。”

[2] **单捣，捣尽** 《药性解》无此文。

237 白马茎[1]

要马无病，嫩身如银，春收者最妙。临用，以铜刀劈破作七片，将生羊血拌，蒸半日出，晒干，以粗布拭上[2]皮并干羊[3]血了，细剉用也[4]。又，马自死，肉不可食，五月勿食，伤神。(《大观》卷17页1，《政和》页375，《纲目》页1743)

【校注】

[1] 本条，《炮炙大法》作“白马茎，凡收当取银色，无病白马，春月游牝时，力势正强者，生取阴干百日用”。按，此文原出于《纲目》转引陈藏器之文。又，“白马茎”，《纲目》作“白马阴茎”。

[2] **拭上** 《纲目》作“去”。

[3] **羊** 《纲目》无“羊”字。

[4] **细剉用也** 《纲目》作“剉碎用”。

238 狗胆

《雷公炮炙论序》云：鲑鱼插树，立便干枯；用狗涂之，却当荣盛。注云：以

犬胆灌之，插鱼处，立如故也。（《大观》卷1页30，《政和》页41）

239　鹿茸[1]

凡使，先以天灵盖作末，然后锯解鹿茸，作片子，以好羊脂拌天灵盖末，涂之于鹿茸上，慢火炙之，令内外黄脆了，用鹿皮一片，裹之，安室上一宿，其药魂归也，至明，则以慢火焙之，令脆，方捣作末用之。每五两鹿茸，用羊脂三两，炙尽为度。又制法，用黄精[2]自然汁浸两日夜了，漉出，焙令干，细捣用，免渴人也。（《大观》卷17页4，《政和》页377，《纲目》页1775）

【校注】

[1] 本条末，《炮炙大法》有“茸中有小白虫，视之不见，入人鼻，必为颡蛊，药不及也，切不可以鼻嗅”。又，“茸”，此下，《炮炙大法》有“须茄茸如琥珀红润者良”。

[2] **黄精**　《药性解》作“黄柏”。

〔附〕　鹿角[1]

使之[2]，胜如麋角。其角要黄色，紧重尖好者。缘此鹿食灵草，所以异其众鹿。其麋角顶根[3]上，有黄色毛若金线，兼傍生小尖也，色苍白者上。注《乾宁记》云：其鹿与游龙相戏，乃生此异角[4]。（《大观》卷17页4，《政和》页377，《纲目》页1776）

【校注】

[1] 本条，《纲目》引雷敩曰：“鹿角要黄色紧重尖好者。此鹿食灵草，所以异众鹿也。”《纲目》又引孟诜曰：“凡用鹿角、麋角，并截段错屑，以蜜浸过，微火焙，令小变色，曝干，捣筛为末。或烧飞为丹，服之至妙。以角寸截，泥裹，于器中大火烧一日，如玉粉也。”又李时珍曰：“按崔行功《纂要方》鹿角粉法：以鹿角寸截，炭火烧过，捣末，水和成团，以绢袋三五重盛之，再煅再和，如此五度，以牛乳和，再烧过研用。”

[2] **使之**　《大观》作“坚好”。

[3] **根**　《大观》作“吡”。

[4] **角**　《政和》作“尔”。

240　鹿角胶[1]

采得角了，须全戴者[2]，并长三寸，锯解之，以物盛。于急流[3]水中浸之[4]，一百日满出，用刀削去粗[5]皮一重了，以物拭水垢，令净，然后用醶[6]醋煮七日，旋旋添醋，勿令火歇。戌时[7]不用著火，只从子时至戌时也，日足，其角白色软如粉，即细捣作粉。却以无灰酒煮其胶，阴干，削了，重研筛过用。每修事十两[8]，以无灰酒一镒，煎干为度也。(《大观》卷17页4，《政和》页377，《纲目》页1778)

【校注】

[1] 本条，《指南》全引《纲目》鹿角胶修治的文字。此处从略。

[2] **须全戴者** 《药性解》作“须全戴者”，《纲目》作“采全角锯开。”

[3] **流** 《政和》无“流”字。

[4] **浸之** 《大观》作“至”。

[5] **粗** 《纲目》作“黄”。

[6] **酴** 《药性解》作“醾”。

[7] **戌时** 《纲目》《药性解》《指南》作“成时”。

[8] **十两** 《纲目》《指南》作“一两”。

241 虎睛

凡使，须知采人，问其源[1]，有雌有雄，有老有嫩，有杀得者，唯有中毒自死者勿使，却有伤人之患。夫用虎睛，先于生羊血中浸一宿，漉出，微微火上焙之，干，捣成粉，候众药出，取合用之。(《大观》卷17页19，《政和》页384，《纲目》页1761)

【校注】

[1] **须知采人，问其源** 《纲目》作“须问猎人”，《药性解》作“须问猎人，其眼”。

兽　下

242 象胆

《雷公炮炙论序》云：象胆[1]挥黏，乃知药有情异。(《大观》卷1页30，《政和》页41，又页381，《纲目》页1766)

【校注】

[1] **象胆** 陈藏器云：“胆主目疾，和乳滴目中。《序》云象胆挥粘。”又，《纲目》引雷敩曰：“凡使勿用杂胆。其象胆干了，上有青竹文斑光腻，其味微带甘。入药勿使和众药，须先捣成粉，乃和众药。”但《大观》《政和》俱无此文。

243　腽肭脐[1]

凡使，先须细认，其伪者多。其[2]海中有兽号曰水鸟[3]龙，海人采得煞之取肾[4]，将入诸处在药中。修合恐有误。其物自殊[5]，有一对[6]，其有两重薄皮裹丸气肉核，皮上自有肉黄毛，三茎共一穴。年年阴湿，常如新。兼将于睡著犬，蹑足置于犬头，其犬蓦惊[7]如狂，即是真也。若用，须酒浸一日后，以纸裹，微微火上炙，令香，细剉，单捣用也[8]。（《大观》卷18页12，《政和》页394，《纲目》页1798）

【校注】

[1] 腽肭脐为《开宝本草》新增药，但唐代《药性论》《本草拾遗》《海药本草》均有著录。

[2] **其**　《大观》无"其"字，《政和》有"其"字。

[3] **鸟**　《纲目》《炮炙大法》作"乌"。

[4] **取肾**　《纲目》《药性解》作"取其肾，以充腽肭脐"。

[5] **殊**　《纲目》作"别"。

[6] **有一对**　《纲目》作"真者，有一对"。

[7] **惊**　此下，《纲目》《药性解》有"跳"字。

[8] **细剉，单捣用也**　《纲目》作"剉捣。或于银器中，以酒煎熟合药"。

244　猾髓

《雷公炮炙论序》云：水中生火，非猾[1]髓而莫能。注云：海中有兽，名曰猾，以髓入在油中，其油沾水，水中火生，不可救之，用酒喷之即娗，勿于屋下收。（《大观》卷1页30，《政和》页41）

【校注】

[1] **猾**　商务本《政和》作"猾"。《纲目》卷51"猾"条引雷敩曰："海中有兽名曰猾，其髓入油中，油即沾水，水中生火，不可救止，以酒喷之即灭，不可于屋下收，故曰水中生火，非猾髓而莫能。"李时珍曰："此兽之髓，水中生火，与樟脑相同，其功亦当与樟脑相似也，第今无识之者。"

禽　上

245　鸡子[1]

凡急切要用，勿使[2]敲损，恐得二十一日满，在内成形空，打损后无用。若要用，先于温汤中试之，若动是成形也，若不动，即敲损，取清者用，黄即去之。内有自溃者，亦不用也。（《大观》卷19页1，《政和》页398，《纲目》页1667）

【校注】

[1] 本条，《五藏论》云："赤痢宜涂鸡子。拟去白虫，漆和鸡子。"

[2] **使** 《政和》作"便"，《大观》作"使"。

禽　中

246　雀苏[1]

凡使，勿用雀儿粪。其雀儿口黄，未经淫者粪。是苏若底坐尖在上即曰雌[2]，两头圆者是雄[3]。阴人使雄，阳人使雌。凡采之，先去两畔，有附子生者勿用，然后于钵中研如粉，煎甘草汤浸一宿，倾上清甘草水尽，焙干，任用。（《大观》卷19页9，《政和》页401，《纲目》页1684）

【校注】

[1] **雀苏** 《纲目》作"雄雀屎"。

[2] **是苏若底坐尖在上即曰雌** 《纲目》《药性解》作"其雀苏底坐尖在上是雄"。

[3] **两头圆者是雄** 《纲目》《药性解》作"两头圆者是雌"。

禽　下

247　鸬鹚

《雷公炮炙论序》云：体寒腹大，全赖鸬鹚[1]。注云：若患腹大如鼓，米饮调鸬鹚末服，立枯如故也。（《大观》卷1页30，《政和》页41）

【校注】

[1] **鸬鹚** 《纲目》卷47曰："《雷氏炮炙论序》云：体寒腹大，全赖鸬鹚。注云：治腹大如鼓体寒者，以鸬鹚烧存性为末，米饮服之立愈。窃谓诸腹鼓大，皆属于热，卫气并循于血脉则体寒，此乃水鸟，其气寒冷，而利水，寒能胜热，利水能去湿故也。"

248　鸾血

《雷公炮炙论序》云：断弦折剑，遇鸾[1]血而如初。注云：以鸾血炼作胶，粘

折处，铁物永不断。(《大观》卷1页30，《政和》页41)

【校注】

[1] **鸾** 《说文》云："鸾，赤神灵之精也，赤色五采，鸡形，鸣中五音，颂声作则至。"《汉武外传》云："西海献鸾胶，武帝弦断，以胶续之，弦两头遂相著，终日射不断，帝大悦，名续弦胶。"

249 鹤粪

《雷公炮炙论序》云：石经鹤粪，化作尘飞[1]。(《大观》卷1页30，《政和》页41)

【校注】

[1] **石经鹤粪，化作尘飞** 《医方类聚》卷之四《五藏论·医人》云："雷公妙典，略述炮炙之宜；弘景奇方，备说根茎之用……石得鸩粪，乃烂如泥。"比较其文，词异义同。唯"鹤"作"鸩"。从文义上看，"鸩"字比较合理，盖"鸩"是毒鸟，其粪当毒，故能化石。

虫　上

250 石蜜[1]

凡炼蜜一斤，只得十二两半，或一分[2]是数。若火少，火[3]过，并用不得。(《大观》卷20页1，《政和》页411，《纲目》页1502)

【校注】

[1] 本条末，《炮炙大法》有"凡炼蜜，每斤入水四两银石器内，以桑柴火慢炼，掠去浮沫，至滴水成珠不散乃用，谓之水火炼法。又法：以器盛，置重汤中煮一日，候滴水不散取用，更不伤火"。

[2] **或一分** 《纲目》无此文。

[3] **火** 《纲目》作"太"。

251 牡蛎[1]

有石牡蛎、石鱼蛎、真海牡蛎。石牡蛎者，头边背大，小甲[2]沙石，真似牡蛎，只是圆如龟壳。海牡蛎使得[3]，只是丈夫不得服[4]，令人无髭。真牡蛎火煅白炮，并用瑿试之，随手走起可认真是。万年珀，号曰瑿，用之妙[5]。凡修事，先用二十个，东流水、盐一两，煮一伏时后，入火中烧令通赤，然后入钵中，研如粉用也。(《大观》卷20页6，《政和》页412，《纲目》页1638)

【校注】

[1] 本条，《炮炙大法》作“左顾者良。东流水入盐一两，煮一伏时后，入火中烧令通赤，然后入钵中，研如粉用也。一法：火煅，醋淬七次，研极细如飞面”。《指南》引宗奭曰：“凡用牡蛎，须泥固烧为粉，亦有生用者。”又引李时珍曰：“按温隐居云，牡蛎将童尿浸四十九日，五日一换，取出，以硫黄末和米醋涂上，黄泥固济，煅过用。”

[2] **背大，小甲**　《纲目》《药性解》作“皆大，小甲”。

[3] **使得**　《纲目》作“可用”。

[4] **只是丈夫不得服**　《纲目》作“只丈夫服之”。

[5] **万年珀，号曰瑿，用之妙**　《纲目》作“瑿乃千年琥珀”，《药性解》作“瑿是千年琥珀，用之妙”。

252　桑螵蛸[1]

凡使，勿用诸杂树上生者螺螺，不入药中用。凡采觅须桑树东畔枝上者，采得，去核子，用沸浆水浸淘七遍[2]，令[3]水遍沸，于瓷锅中熬令干用。勿乱别修事，却无效也。(《大观》卷20页11，《政和》页415，《纲目》页1514)

【校注】

[1] 本条，《指南》引《别录》曰：“凡使桑螵蛸，即桑枝上螳螂子也。二月、三月采来，蒸过火炙用。不尔令人泄。”又引韩保昇曰：“三四月采得，以热浆水浸一伏时，焙干，于柳木灰中炮黄用。”

[2] **遍**　《纲目》作“次”。

[3] **令**　《大观》作“冷”，《政和》作“令”。

253　海蛤[1]

凡使，勿用游波蕈[2]骨。其虫骨真似海蛤，只是无面上光。其虫骨误饵之，令人狂走，拟投水时，人为之犯鬼心狂，并不是缘曾误饵。此虫骨若服着，只以醋解之立差。凡修事一两，于浆水中煮一伏时后，却以地骨皮、柏叶二味，又煮一伏时后出，于东流水中淘三遍，拭干，细捣研如粉，然后用。凡一两用地骨皮一[3]两，并细剉，以东流水淘取用之。(《大观》卷20页13，《政和》页416，《纲目》页1643)

【校注】

[1] 本条开头，《炮炙大法》有“海蛤，此即鲜蛤子，雁食后，粪中出有文彩者为文蛤，无文彩

者为海蛤，乡人多将海岸边烂蛤壳被风涛打磨莹滑者伪作之”。（按，此文原出日华子。）本条末，《指南》引保昇曰：“取得，以半天河煮五十刻，以枸杞汁拌匀，入篚竹筒内蒸一伏时，捣用。”（按，此文是《指南》抄录《纲目》，《纲目》是从《证类》所引蜀本《图经》文摘录的。）

［2］**游波草** 蜀本《图经》、《纲目》作“游波虫”。

［3］**一** 《政和》作“二”，《大观》作“一”。

254 石决明[1]

凡使，即是真珠母也[2]，先去上粗皮，用盐并东流水，于大瓷器中煮一伏时了，漉出，拭干，捣为末，研如粉，却入锅子中，再用五花皮、地榆、阿胶三件，更用东流水于瓷器中，如此淘之三度，待干，再研一万匝，方入药中用。凡修事五两，以盐半分[3]，取则第二度煮，用地榆、五花皮、阿胶各十两。服之十两，永不得食山桃[4]，令人丧目也。（《大观》卷20页12，《政和》页416，《纲目》页1642）

【校注】

［1］本条开头，《指南》引李珣曰：“凡使石决明，须用面裹煨熟，磨去粗皮，烂捣，研细如面，方堪入药。”又，本条末，《指南》引李时珍曰：“今方家只以盐同东流水煮一伏时，研末水飞用。”

［2］**也** 此下，《炮炙大法》有“七九孔者良”。

［3］**半分** 《纲目》作“半两”。

［4］**山桃** 《纲目》作“山龟”。

255 鱓鱼

《雷公炮炙论序》云：强筋健骨，须是苁鱓。注云：苁蓉并鱓鱼二味作末，以黄精汁丸服之，可力倍常十也。出《乾宁记》宰。（《大观》卷1页30，《政和》页41）

虫 中

256 伏翼[1]

凡使，要重一斤者，方采之。每修事，先拭去肉上毛，去爪、肠，即留翅并肉、脚及咀。然后用酒浸一宿，漉出，取黄精自然汁涂之，炙令干方用。每修事重一斤一个，用黄精自然汁五两为度。（《大观》卷19页11，《政和》页402，《纲目》页1687）

【校注】

[1] 本条末，《炮炙大法》有“一法：止煅存性。近世用者，多煅存性耳”。（按，此文原出于《纲目》时珍曰。）又，《五藏论》云：“天鼠煎膏巧疗耳聋，得草麻而妙加。”

257 露蜂房[1]

凡使，其窠[2]有四件：一名革蜂窠，二名石蜂窠，三名独蜂窠，四名草蜂窠是也。大者一丈二丈围，在大树膊[3]者，内窠小膈六百二十[4]个，围大者有一千二百四十个蜂。其窠[5]粘木蒂，是七姑木汁，盖是牛粪沫，隔是叶蕊。石蜂窠，只在人家屋上，大小如拳，色苍黑，内有青色蜂二十一个，不然[6]只有十四个，其盖是石垢，粘处是七姑木汁，隔是竹蚛[7]。次有独蜂窠，大小只如鹅卵大，皮厚苍黄色，是小蜂肉[8]，并蜂翅，盛向里只有一个蜂，大如小石燕子许，人马若遭[9]螫着立亡。凡使革蜂窠，先须以鸦豆枕等同拌蒸，从巳至未，出，去鸦豆枕了，暾干用之。（《大观》卷21页2，《政和》页424，《纲目》页1506）

【校注】

[1] 本条，《五藏论》云：“人压石寄假蜂房。”

[2] **其窠** 《纲目》作“蜂房”。

[3] **膊** 《大观》作“脚”，《政和》作“膊”。

[4] **十** 此下，《纲目》有“六”字。

[5] **窠** 《纲目》作“裹”。

[6] **不然** 《纲目》作“或”。

[7] **蚛** 《纲目》作“蛀”。

[8] **肉** 《纲目》脱“肉”字。

[9] **若遭** 《炮炙大法》作“露蜂房，治痈肿，醋水调涂。治疮煎洗。入药炙用”。

258 白僵蚕[1]

凡使[2]，先须以糯米泔浸一日，待蚕桑涎出如蜗牛[3]涎浮于水面上，然后漉出，微火焙干，以布净拭蚕上黄肉[4]毛并黑口[5]甲了，单捣筛为末，入药用之。云白僵蚕，人家养蚕处皆有之。凡用白僵蚕死者，白色而条直者为佳。四月取，勿令中湿，湿则有毒，不可入药用[6]。（《大观》卷21页14，《政和》页430，《纲目》页1516）

【校注】

［1］本条，《纲目》《指南》引《别录》曰："凡使白僵蚕，须生颍川平泽。四月取自死者。勿令中湿，有毒不可用。"又引"弘景曰"："人家养蚕时，有合箔皆僵者，即暴燥都不坏。今见小白似有盐度者。"又引"恭曰"："蚕自僵死，其色自白，云似盐度误矣。"又引"颂曰"："所在养蚕处有之。不拘早晚，但用白色而条直，食桑叶者佳，用时去丝绵及子，炒过。"又引"宗奭曰"："蚕有三两番，惟头番僵蚕最佳，大而无蛆。"又，"云白僵……入药用"，《政和》无此文。

［2］**使**　此下，《炮炙大法》有"除丝绵并子"。

［3］**牛**　《纲目》脱"牛"字。

［4］**肉**　《药性解》作"白"。

［5］**口**　《药性解》作"和"。

［6］**捣筛为末……不可入药用**　《政和》作"捣筛如粉用也"，《炮炙大法》作"捣筛如粉用也，白而直，折开如沥青色者佳"。

259　虻虫

即有破血之功。（敦煌本《五藏论》）

260　蛴螬

凡使，是[1]桑树、柏树中者妙。凡收得后，阴干，干后[2]与糯米同炒，待米焦黑为度，然后去米，取之，去口畔并身上肉毛[3]并黑尘了，作三四截，碾成粉用之。（《大观》卷21页10，《政和》页428，《纲目》页1540）

【校注】

［1］**凡使，是**　《政和》无"是"字，《纲目》作"须使"。

［2］**干后**　《纲目》无此2字。

［3］**然后去米，取之，去口畔并身上肉毛**　《纲目》作"去米及身上、口畔肉毛"。

261　水蛭

有破血之功。（敦煌本《五藏论》）

262　鳖甲[1]

凡使，要绿色、九肋、多裙、重七两者为上[2]。治气[3]破块、消癥、定心，药中用之。每个鳖甲，以六一泥固济瓶子底了，干，于大火以物支于中[4]，与头醋下火煮之[5]，尽三升醋为度，仍去裙并肋骨了，方炙干，然入药中用。又治劳去热药中用，依前法[6]，用童子小便煮昼夜，尽小便一斗二升为度，后去裙留骨，于石上捶，石臼中捣成粉了，以鸡䏶皮裹之，取东流水三四[7]斗，盆盛，阁于盆上一宿，至明任用，力有万倍也。(《大观》卷21页4，《政和》页425，《纲目》页1630)

【校注】

[1] 本条，《炮炙大法》作“鳖甲，七九肋者良，醋炙透焦，研细，再拌醋，瓦上焙干，再研如飞面”。又，《五藏论》云：“鳖甲，大有差痁之功”“脱肛宜取鳖头”。

[2] **上**　《药性解》作“佳”。

[3] **气**　《药性解》作“痞”。

[4] **干，于大火以物支于中**　《纲目》《指南》作“待干，安甲于中，以物支起。若治癥块定心药”。《药性解》作“待干，安于中，以物支起”。

[5] **煮之**　《政和》作“煎之”。

[6] **依前法**　《药性解》作“法似前，不用醋”，《纲目》作“不用醋”。

[7] **四**　《政和》作“两”。

263　乌贼鱼骨[1]

凡使，勿用沙鱼骨，缘真相似，只是上文横，不入药中用[2]。凡使，要上文顺，浑用[3]血卤作水浸，并煮一伏时了，漉出，于屋下掘一地坑[4]，可盛得前件[5]乌贼鱼骨多少，先烧坑子，去炭灰了，盛药一宿，至明取出用之，其效倍多。(《大观》卷21页11，《政和》页429，《纲目》页1615)

【校注】

[1] 本条开头，《指南》引陶弘景曰：“凡使乌贼骨，须炙黄用。”

[2] **缘真相似，只是上文横，不入药中用**　《纲目》作“其形真似，但以上文顺者是真，横者是假”。

[3] **浑用**　《药性解》作“以”。

[4] **坑**　《药性解》作“穴”。

[5] **件**　《药性解》作“拌”。

264　蟹黄

嗜去漆疮。(敦煌本《五藏论》)

虫　下

265　虾蟆[1][2]

有多般，勿误用。有黑虎，有蚼黄，有黄蚝[3]，有蝼蝈，有蟾，其形各别。其虾蟆，皮上腹下有斑点，脚短，即不鸣叫。黑虎身小，黑嘴脚小斑。蚼黄，斑色，前脚大，后腿小，有尾子一条。黄蚝，遍身黄色，腹下有脐带，长五七分已来，所住立处，带下有自然汁出。蝼蝈即夜鸣，腰细，口大，皮苍黧[4]色。蟾即黄斑，头有肉角。凡使虾蟆，先去皮并肠及爪子[5]，阴干，然后涂酥炙，令干。每修事一个，用牛酥一分，炙尽为度。若使黑虎，即和头尾皮爪并阴干，酒浸三日，漉出，焙干用。（《大观》卷22页1，《政和》页440，《纲目》页1559）

【校注】

[1] 本条，《指南》作"蟾蜍"。并注云："即虾蟆。"引蜀本《图经》曰："凡使蟾蜍，须五月五日取得，日干，或焙干用。一法：去皮、爪子，浸一宿，又用黄精自然汁浸一宿，涂酥炙干用。"又引李时珍曰："今人皆于端午日捕取风干，黄泥固济，煅存性用之。《永类钤方》云：蟾目赤，腹无八字者不可用。崔实《四民月令》云：五月五日取蟾蜍，可治恶疮，即此也。亦有酒浸取肉者。钱仲阳治小儿冷热疳泻，如圣丸，用干者，酒煮成膏丸药，一法也。"按，虾蟆既是蛤蟆的别名，又是蟾蜍的别名。陈藏器曰："蛤蟆在陂泽中，背有黑点，身小能跳接百虫，解作呷呷声，举动极急。蟾蜍在人家湿处，身大，背黑无点，多痱磊，不能跳，不作解声，行动迟缓。"《炮炙大法》作"蟾酥，端午日取虾蟆眉脂。其法：取大虾蟆，用蛤蜊壳未离带者，合虾蟆眉上，用力一捻，则酥出于壳内，收在油明纸上，干，收贮用。虾蟆放去，而酥复生，仍活"。按，《炮炙大法》取蟾酥所用的虾蟆，实乃蟾蜍（癞蛤蟆）。《本草图经》云："蟾蜍多在人家下湿处。形大，背上多痱磊，行极迟缓，不能跳跃，亦不解鸣。蛤蟆多在陂泽间，形小，皮上多黑斑点，能跳接百虫，举动极急"。《本草纲目》是用蟾蜍取蟾酥。其法："或以手捏眉棱，取白汁于油纸上及桑叶上，插背阴处，一宿即自干白，安置竹筒内盛之，真者轻浮，入口味甜也，或以蒜及胡椒等辣物纳口中，则蟾身白汁出，以竹篦刮下，面和成块，干之。其汁不可入人目，令人目赤、肿、盲，或以紫草汁洗点，即消。"

[2] **虾蟆**　《纲目》作"蛤蟆"，《指南》作"蟾蜍"。

[3] **蚝**　《药性解》作"蛤"。

[4] **黧**　《政和》作"黑"。

[5] **子**　《政和》作"了"。

266　雄鼠骨

《雷公炮炙论序》云：长齿生牙，赖雄鼠之骨末。注云：其齿若折，年多不生

者，取雄鼠脊骨[1]作末，揩折处，齿立生如故。(《大观》卷1页30，《政和》页41，又页440，《纲目》页1799)

【校注】

[1] **雄鼠脊骨** 陈藏器云："雄鼠脊骨末长齿，多年不生者效。"《纲目》卷51"鼠脊骨"条云："齿折多年不生者，研末日日揩之，甚效。"

267 蜘蛛[1]

凡使，勿用五色者，兼大身上有刺毛生者，并薄小者，已上并不堪用[2]。凡欲用，要在屋西面有网，身小尻大，腹内有苍黄脓者，真也[3]。凡用，去头、足了，研如膏，投入药中用。(《大观》卷22页12，《政和》页444，《纲目》页1530)

【校注】

[1] 本条末，刘禹锡《传信方》云："大蓝汁入射香、雄黄，取一蜘蛛投入，随化为水，点蜘蛛咬疮，效。"

[2] **堪用** 《纲目》作"入药"。

[3] **真也** 《纲目》作"为真"。

268 芫青、斑猫、亭长、赤头[1]

等四件，其样各不同，所居、所食、所效各不同。其芫青嘴尖，背上有一画黄[2]。斑猫背上一画黄，一画黑，嘴尖处一小点赤，在豆叶上居，食豆叶汁。亭长形黑黄，在蔓[3]叶上居，食蔓胶[4]汁。赤头额上有大红一点，身黑。用各有处。凡修事芫青、斑猫、亭长、赤头，并用糯米、小麻子相拌同炒，待米黄黑出，去麻子等，去两翅、足并头，用血余裹悬于东墙角上一夜，至明取用。(《大观》卷22页29，《政和》页454，《纲目》页1529)

【校注】

[1] 本条，《炮炙大法》作"斑猫入药，除翼足，以糯米拌炒，米黄黑色，去米，取用。生用吐泻人。一法：用麸炒过，醋煮用"。《药性解》云："斑猫入腹……腹痛不可忍。余见里中一壮年患瘩疾，服斑猫数剂，初则大泻不止，烦闷欲绝，继则二便来红，三日而死。"又，《五藏论》云："斑猫能除鼠漏""地胆破癥瘕息肉"。

[2] **黄** 此下，《纲目》有"在芫花上食汁"。

[3] **蔓** 《纲目》作"葛"。

［4］**蔓胺**　《纲目》作“葛叶”。

269　蛇蜕[1]

凡使，勿用青、黄、苍色者，要用白如银色者。凡欲使，先于屋下以地掘一[2]坑，可深一尺二寸，安蛇皮于中一宿，至卯时出[3]，用醋浸一时，于火上炙干用之[4]。(《大观》卷22页9,《政和》页444,《纲目》页1582)

【校注】

［1］本条末，《纲目》曰：“今人用蛇蜕，先以皂荚水洗净缠竹上，或酒或醋或蜜浸，炙黄用。或烧存性，或盐泥固煅，各随方法。”又，《五藏论》云：“蛇蜕，善除癫痫之用。”

［2］**一**　《大观》无“一”字。

［3］**安蛇皮于中一宿，至卯时出**　《纲目》作“安蜕于中，一宿取出”。

［4］**用醋浸一时，于火上炙干用之**　《纲目》作“醋浸炙干用”。《大观》无“之”字。

270　蜈蚣[1]

凡使，勿用千足虫，真似[2]，只是头上有白肉，面并嘴尖。若误用，并把著[3]腥臭气入顶致死。夫使蜈蚣，先以蜈蚣、木末，不然用柳蚛末，于土器中炒，令木末焦黑后，去木末了，用竹刀刮去足、甲了用。(《大观》卷22页16,《政和》页447,《纲目》页1562)

【校注】

［1］本条末，《炮炙大法》有“蜈蚣木，不知是何木也，今人惟以火炙，去头足用，或去尾足，以薄荷叶火煨用之”。按，此文原出于《纲目》李时珍所云。

［2］**真似**　《纲目》作“真相似”。

［3］**把著**　《炮炙大法》作“闻着”。

271　马陆[1]

凡使，收得后，糠头炒，令糠头焦黑，取马陆出，用竹刮足去头了，研成末用之。(《大观》卷22页28,《政和》页453,《纲目》页1563)

【校注】

［1］本条，《纲目》作“凡收得马陆，以糠头炒，至糠焦黑，取出去糠，竹刀刮去头、足，研末用”。

272 蚯蚓

凡使，收得后，用糯米水浸一宿[1]，至明漉出，却[2]以无灰酒浸一日，至夜漉出，焙令干后，细切，取蜀椒并糯米及切了蚯蚓三件，同熬之，待糯米熟，去米、椒了，拣净用之。凡修事二两，使米一分、椒一分为准[3]。(《大观》卷22页10，《政和》页445，《纲目》页1564)

【校注】

[1] **水浸一宿** 《纲目》作"泔浸一夜"。

[2] **却** 《政和》无"却"字。

[3] **使米一分、椒一分为准** 《纲目》作"以蜀椒、糯米各二钱半"。

273 贝子[1]

凡使，勿用花虫壳，其二味相似，只是用之无效。凡使，先用苦酒与蜜相对秤二味相和了，将贝齿于酒、蜜中蒸，取出，却于清酒中淘令净，研用。(《大观》卷22页20，《政和》页449，《纲目》页1647)

【校注】

[1] 本条，《纲目》作"凡使，勿用花虫壳，真相似，只是无效。贝子以蜜、醋相对浸之，蒸过取出，以清酒淘，研"。

274 甲香[1]

凡使，须用生茅香、皂角二味，煮半日，却漉出，于石臼中捣，用马尾筛，筛过用之。(《大观》卷22页33，《政和》页456，《纲目》页1650)

【校注】

[1] 本条，《纲目》化裁为"凡使，用生茅香、皂角同煮半日，石臼捣筛用之"。

275 珂

要冬采得[1]色白腻者，并有白旋水文。勿令见火，立无用处[2]。夫用，以铜刀刮作末子，细研，用重绢[3]罗筛过后，研千余下。用此物，不入妇人药中用。

（《大观》卷 22 页 30，《政和》页 454，《纲目》页 1649）

【校注】

［1］**得** 《纲目》脱“得”字。

［2］**立无用处** 《纲目》作“即无用也”。

［3］**绢** 《纲目》脱“绢”字。

276 蛤蚧[1]

凡使，须认雄雌。若雄为蛤，皮粗口大，身小尾粗；雌为蚧，口尖[2]，身大尾小。男服雌，女服雄。凡修事，服之，去甲上、尾上并腹上肉毛，毒在眼。如斯修事了，用酒浸才干，用纸两重，于火上缓隔纸焙炙，待两重纸干焦透后，去纸，取蛤蚧，于瓷器中盛，于东舍角畔悬一宿，取用，力可十倍，勿伤尾，效在尾也。（《大观》卷 22 页 15，《政和》页 447，《纲目》页 1582）

【校注】

［1］本条末，《炮炙大法》有“一云：只含少许，急奔百步，不喘者真”。（按，此文原出于《海药本草》。）按，蛤蚧为《开宝本草》新增药，但唐代《岭表录异》《海药本草》已有著录。

［2］**口尖** 《纲目》作“皮细口尖”。

277 真珠[1]

须取新净者[2]，以绢袋盛之。然后用地榆、五花皮、五方草三味各四两，细剉了，又以牡蛎约重四五斤已来[3]，先置于平底铛中，以物四向搘[4]令稳，然后著真珠于上了，方下剉了三件药笼之，以浆水煮三日夜，勿令火歇，日满出之，用甘草汤淘之令净后，于臼中捣令细，以绢罗重重筛过，却更研二万下了用。凡使，要不伤破及钻透者，方可用也。（《大观》卷 20 页 9，《政和》页 414，《纲目》页 1641）

【校注】

［1］本条末，《炮炙大法》有“一法：入豆腐内蒸易碎。入目生用，不用蒸，依上法为是”。按，真珠为《开宝本草》新增药，但晋·葛洪《肘后方》《抱朴子》均有著录，唐代《药性论》《海药本草》亦有著录。

［2］**须取新净者** 《纲目》作“凡用以新者”。

［3］**四五斤已来** 《纲目》作“四两”。

［4］**搘** 《纲目》作“支”，《药性解》作“安”。

278 白花蛇[1]

凡使，即云治风。元何治风[2]，缘蛇性窜，即令引药至于有风疾处，因定号之为使。凡一切蛇，须认取雄雌及州土。有蕲州乌蛇，只重三分至一两者妙也。头尾全，眼不合。如活者，头上有逆毛二寸一路，可长半分已来，头尾相对，使之入药。彼处若得此样蛇，多留供进，重二两三[3]分者，不居别处也。《乾宁记》云：此蛇不食生命，只吸芦花气并南风，并居芦枝上，最难采，又不伤害人也。又有重十两至一镒者，其蛇身乌光，头圆，尾尖，逻眼，目赤光，用之中也。蛇腹下有白肠带子一条，可长一寸已来，即是雄也。采得，去之头兼皮鳞带子了，二寸许剉之[4]，以苦酒浸之一宿，至明漉出，向柳木炭火焙[5]之，令干，却以酥炙之，酥尽为度。炙干后，于屋下巳地上掘一坑，可深一尺已来[6]，安蛇于中一宿[7]，至明再炙令干，任用。凡修事一切蛇，并去胆并上皮了，干湿须酒煮过用之。（《大观》卷22页22，《政和》页450，《纲目》页1585）

【校注】

[1] 本条，《炮炙大法》作“白花蛇，一云去头尾各一尺，有大毒，不可用，只用中段。一云黔蛇长大，故头尾可去一尺。蕲蛇止可头尾各去三寸。亦有单用头尾者。大蛇一条，只得净肉四两而已。久留易蛀，惟以汤浸，去皮骨取肉，炙过，蜜封藏之，十年亦不坏也。其骨刺须远弃之，伤人，毒与生者同也。凡酒浸，春、秋三宿，夏一宿，冬五宿，取出，炭火焙干，如此三次，以砂瓶盛，埋地中一宿出”。《指南》引颂曰：“凡使白花蛇，如头尾各一尺者，有大毒，不可用，只用中段干者，以酒浸去皮骨，炙过，收之则不蛀。其骨刺须远弃之，伤人，毒与生者同也。”又引宗奭曰：“凡用，去头尾，换酒浸三日，火炙，去尽皮骨，此物甚毒，不可不防。”又引李时珍曰：“黔蛇长大，故头尾可去一尺，蕲蛇止可头尾各去三寸。亦可单用头。用头尾者，大蛇一条只得净肉四两而已。久留易蛀，惟取肉密封藏之，十年亦不坏也。”又引《圣济总录》云：“凡用花蛇，春、秋酒浸三宿，夏一宿，冬五宿，取出炭火焙干。如此三次，以砂瓶盛，封口，埋入地中一宿，出火气，去皮骨，取肉用。”又，“白花蛇”，《纲目》作“乌蛇”。按，白花蛇为《开宝本草》新增药，但唐代《药性论》及孙真人等均已记载。

[2] **即云治风。元何治风** 《药性解》作“治风速于诸蛇”。

[3] **三** 《大观》作“二”，《政和》作“三”。

[4] **二寸许剉之** 《纲目》作“剉断”。

[5] **焙** 《纲目》作“炙”。

[6] **一尺已来** 《纲目》无此文。

[7] **安蛇于中一宿** 《纲目》作“埋一夜”。

279 鲑

《雷公炮炙论序》云：鲑鱼[1]插树，立便干枯；用狗涂之，却当荣盛。(《大观》卷1页30,《政和》页41,《纲目》页1315)

【校注】

[1] **鲑鱼** 《纲目》“河豚”条云：“鲵鱼，一作鲑。”又云：“案《雷公炮炙论序》云：鲑鱼插树，立便干枯，狗胆涂之，复当荣盛。”《广雅疏证》曰：“河豚善怒，故谓之鲑，鲑之言恚。”

280 蝉花

凡使，要白花全者。收得后，于屋下东角悬干，去甲土后，用浆水煮一日至夜，焙干，碾细用之。(《大观》卷21页9,《政和》页428,《纲目》页1545)

果 上

281 豆蔻[1]

凡使，须去[2]蒂，并向里子后取[3]皮，用茱萸同于鏊[4]上缓炒，待茱萸微黄黑，即去茱萸，取草豆蔻皮及子，杵用之[5]。(《大观》卷23页1,《政和》页460,《纲目》页811)

【校注】

[1] 本条末，《指南》引李时珍曰：“今人惟以面裹，煻火煨熟，去皮用之。”又，“豆蔻”，《指南》作“草豆蔻”。

[2] **去** 《纲目》《指南》作“用”。

[3] **取** 《大观》作“散”。

[4] **鏊** 《药性解》作“锅”。

[5] **之** 《大观》无“之”字。

282 覆盆子[1]

凡使，用东流水淘去黄叶[2]，并皮蒂尽了[3]，用酒蒸[4]一宿，以东流水淘两遍，又晒干方用为妙也。(《大观》卷23页13,《政和》页465,《纲目》页1006)

【校注】

[1] 本条开头，《指南》引孟诜曰："凡用覆盆子，五月采之，烈日曝干，不尔易烂。"又，本条末，《指南》引李时珍曰："采得捣作薄饼，晒干密贮，临时以酒拌蒸尤妙。"

[2] **黄叶** 《药性解》作"子叶"。

[3] **尽了** 《炮炙大法》作"尽子"。

[4] **用酒蒸** 《纲目》作"取子以酒拌蒸"。

果 中

283 枇杷叶

凡使，采得后秤，湿者一叶重一两，干者三叶重一两者，是气足，堪用。使粗布拭上毛令尽[1]，用甘草汤洗一遍，却用绵再拭令干。每一两以酥一分炙之，酥尽为度[2]。(《大观》卷23页21，《政和》页470，《纲目》页1287)

【校注】

[1] **拭上毛令尽** 《纲目》《指南》作"拭去毛"。

[2] **以酥一分炙之，酥尽为度** 《纲目》《指南》作"以酥二钱半涂上，炙过用"。又，本条末，《炮炙大法》有"如治肺病，以蜜水涂炙。治胃病，以姜汁涂炙。此物治咳嗽，如去毛不尽，反令人嗽也"。又，本条，《指南》引恭曰："凡使枇杷叶，须火炙，以布拭去毛，不尔射人肺，令咳不已，或以粟秆作刷刷之，尤易洁净。"

284 木瓜[1]

凡使，勿误用和圆子、蔓子、土伏子。其色样外形真似木瓜，只气味效[2]并向里子各不同。若木瓜皮薄，微赤黄，香甘酸不涩，调荣卫、助谷气。向里子头尖，一面方，是真木瓜。若和圆子，色[3]微黄，蒂核[4]粗，子小圆，味涩微咸[5]，伤人气。蔓子，颗小，亦似木瓜，味绝涩，不堪用。土伏子，似木瓜，味绝涩，子如大样油麻，又苦涩，不堪用，若饵之，令人目涩，目赤，多赤筋痛。凡使木瓜，勿令犯铁，用铜刀削去硬皮并子，薄切，于日中曒，却用黄牛乳汁拌蒸，从巳至未，其木瓜如膏煎，却于日中薄摊，曒干用也。(《大观》卷23页17，《政和》页468，《纲目》页1271)

【校注】

[1] 本条开头，《炮炙大法》有"产宣州者真，即彼处多以小梨充之"。本条末，《炮炙大法》有

"今止去穰，捶碎用"。又，《纲目》《指南》有"时珍曰：今人但切片晒干入药尔。按《大明会典》：宣州岁贡乌烂虫蛀木瓜入御药局。亦取其陈久无木气，如栗子去木气之义尔"。又，《五藏论》云："筋转酒煮木瓜。"

[2] **敫** 《药性解》作"别"。

[3] **色** 《大观》无"色"字。

[4] **核** 《纲目》《药性解》无"核"字。

[5] **咸** 《纲目》《药性解》作"酸"。

果 下

285 杏核人[1]

凡使，须用[2]沸汤浸少时，去皮膜，去尖[3]，擘作两片，用白火石并乌豆、杏人三件，于锅子内[4]，下东流水煮，从巳至午，其杏人色褐黄，则去尖然用。每修一斤，用白火石一斤，乌豆[5]三合，水旋添，勿令阙，免反血为妙也[6]。（《大观》卷23页30，《政和》页474，《纲目》页1250）

【校注】

[1] 本条，《炮炙大法》作"杏仁，五月采之，以汤浸去皮尖及双仁者，麸炒研用。治风寒肺病药中，亦有连皮尖用者，取其发散也"。按，此文原出于《纲目》。

[2] **用** 《政和》作"以"，《大观》作"用"。

[3] **去皮膜，去尖** 《纲目》作"去皮尖"。

[4] **内** 《政和》作"中"，《大观》作"内"。

[5] **豆** 人卫影印线装本《政和》作"头"，《大观》作"豆"。

[6] **勿令阙，免反血为妙也** 《药性解》作"勿令间断为妙也"。

286 桃核人[1]

凡使，须择，去皮，浑用白术、乌豆二味，和桃人，同于坩埚[2]子中煮一[3]伏时后，漉出，用手擘作两片[4]，其心黄如金色，任用之。（《大观》卷23页25，《政和》页472，《纲目》页1256）

【校注】

[1] 本条开头，《炮炙大法》有"桃仁，七月采之，去皮尖及双仁者，麸炒研如泥，或烧存性用，此破血行瘀血之要药也"。又，本条末，《炮炙大法》有"行血宜连皮尖生用"。《指南》有"时

珍曰：桃仁行血，宜连皮、尖生用。润燥活血，宜汤浸去皮尖炒黄用。或麦麸同炒，或烧存性。各随本方。双仁者有毒，不可食”。又，《五藏论》云：“桃仁绝其鬼气。”

［2］**坩埚**　《纲目》《指南》作“坩锅”，《药性解》作“瓦锅”。

［3］**一**　《纲目》《指南》作“二”。

［4］**用手擘作两片**　《纲目》《指南》作“劈开”。

〔附1〕 桃花[1]

勿使千叶者，能使人鼻衄不止、目黄。凡用，拣令净，以绢袋盛，于檐下悬，令干，去尘了用。（《大观》卷23页25，《政和》页472，《纲目》页1256）

【校注】

［1］本条开头，《炮炙大法》有“三月三日采，阴干之”。又，本条，《纲目》化裁为“桃花勿用千叶者，令人鼻衄不止、目黄。收花拣净，以绢袋盛，悬檐下令干用”。又，《五藏论》云：“桃花润泽肤体。”

〔附2〕 鬼髑髅[1]

勿使干桃子。其鬼髑髅，只是千叶桃花结子，在树上不落者，干然。于十一月内采得，可为神妙。凡修事，以酒拌蒸，从巳至未，焙干，以铜刀切，焙取肉用。（《大观》卷23页25，《政和》页472，《纲目》页1256）

【校注】

［1］本条末，《炮炙大法》有“一法：捣碎，炒。若止血，炒黑存性”。《纲目》将本条化裁为“鬼髑髅，十一月采得，以酒拌蒸之，从巳至未，焙干，以铜刀切，焙取肉用”。又，《五藏论》云：“白癞须附越桃。”又，“鬼髑髅”，《炮炙大法》作“桃枭”。按，《纲目》曰：“桃子干悬如枭首磔木之状，故名……千叶桃花结子在树不落者，名鬼髑髅。《雷敩炮炙论》有修治之法，而方书未见用者。”据此，则桃枭与鬼髑髅非同一物也。

287　安石榴

凡使皮、叶、根，勿令犯铁。若使石榴壳[1]，不计干湿，先用浆水浸一宿[2]，至明漉出，其水如墨汁。若用枝、根、叶，并用浆水浸一宿，方可用。（《大观》卷23页33，《政和》页475，《纲目》页1279）

【校注】

[1] **若使石榴壳** 《纲目》《指南》无此文。

[2] **先用浆水浸一宿** 《纲目》作“皆以浆水浸一夜”，《炮炙大法》作“先用浆浸一宿”，《指南》作“以浆水浸一夜，待干用”。

菜 上

288 瓜蒂[1]

凡使，勿用白瓜蒂，要采取青绿色瓜，待瓜气足，其瓜蒂自然落在蔓茎上。采得未用时，使榔榔[2]叶裹，于东墙有风处挂，令吹干用。(《大观》卷27页6,《政和》页503,《纲目》页1332)

【校注】

[1] **瓜蒂** 即甜瓜蒂。陶弘景云：“瓜蒂，多用早青蒂，此云七月七日采，便是甜瓜蒂也。”

[2] **榔榔** 《炮炙大法》作“栟栟”。

〔附〕 瓜子[1]

凡使，勿用瓜子实，恐误。采得后[2]，便于日中曝，令内外干，便杵，用马尾筛，筛过成粉末了用。其药不出油，其效力短，若要出油，生杵作膏，用三重纸裹，用重物覆压之，取无油用。(《大观》卷27页6,《政和》页503,《纲目》页1332)

《雷公炮炙论序》云：血泛经过，饮调瓜子。[3]

【校注】

[1] 本条，即甜瓜子。《纲目》卷33“甜瓜”条，有瓜子仁修治引雷敩曰：“凡收得曝干杵细，马尾筛筛过成粉，以纸三重裹压去油用。不去油，其力短也。西瓜子仁同。”

[2] **后** 《大观》无“后”字。

[3]《雷公炮炙论序》注云：“甜瓜子内仁，捣作末，去油，饮调服之，立绝。”《政和》引“陈藏器序”云：“甘瓜子止月经太过，为末去油，水调服。”

菜 中

289 白蘘荷

凡使，勿用革牛草，真相似，其革牛草腥涩。凡使白蘘荷，以铜刀刮上[1]粗皮一重了，细切，入砂盆中研如膏，只收取自然汁炼作煎，却于新盆器中摊令冷，如干胶煎[2]，刮取研用[3]。(《大观》卷28页10，《政和》页514，《纲目》页885)

【校注】

[1] **上** 《纲目》作“去”。

[2] **煎** 《纲目》作“状”。

[3] **研用** 《纲目》作“用之”。

290 紫苏[1]

凡使，勿用薄荷根、茎，真似紫苏茎，但叶不同。薄荷茎性燥，紫苏茎和。凡使，刀刮上[2]青薄皮，剉用也。(《大观》卷28页12，《政和》页514，《纲目》页840)

【校注】

[1] 本条，《炮炙大法》作“紫苏两面俱紫，自种者真”。

[2] **凡使，刀刮上** 《纲目》作“入药须以刀刮去”。

291 香薷

凡采得，去根，留叶，细剉，曝干，勿令犯火。服至十两，一生不得食白山桃也。(《大观》卷28页14，《政和》页515，《纲目》页834)

菜 下

292 马齿苋[1]

凡使，勿用叶大者，不是马齿草[2]，其内[3]亦无水银。(《大观》卷29页2，《政和》页519，《纲目》页1212)

【校注】

[1] 本条末，《炮炙大法》有“忌与鳖同食，食之俱变成鳖，啮人腹，至不可治”。按，马齿苋在本草书中，当以《雷公炮炙论》记载为最早，至唐·孟诜《食疗本草》亦有记载，到宋代《开宝本草》才正式作为正品药被收入书中。但在方书中，晋·葛洪《肘后方》已有记载。《肘后方》云：“疗豌豆疮，马齿草烧灰傅疮上，根须臾逐药出，若不出，更傅良。”

[2] **草** 《纲目》作“苋”。

[3] **其内** 《纲目》无此2字。

293 胡葱[1]

凡使，采得，依文碎擘[2]，用绿梅子相对拌，蒸一伏时，去绿梅子，于砂盆中研如膏，新瓦器中摊，日干用[3]。(《大观》卷29页6,《政和》页518,《纲目》页1178)

【校注】

[1] **胡葱** 《指南》作“葱”。按,“胡葱”与“葱”是二物,《指南》误作同一物。胡葱在唐代孙真人和《食疗本草》中均有著录,到宋代《开宝本草》才作为正品药被收入书中。

[2] **碎擘** 《纲目》《指南》作“擘碎”。

[3] **新瓦器中摊,日干用** 《纲目》《指南》作“瓦器晒干用”。

294 醍醐菜[1]

凡使，勿用诸件草，形似牛皮蔓，掐之有乳汁出，香甜入顶。采得，用苦竹刀细切，入砂盆中，研如膏，用生稀[2]绢裹，挼取汁出，暖饮。(《大观》卷28页16,《政和》页516,《纲目》页1221)

【校注】

[1] 醍醐菜是宋·唐慎微收入《证类本草》中的,但唐·孙思邈《千金方》已有2个方子用醍醐菜治伤中崩绝和月水不利等证。

[2] **稀** 《纲目》无“稀”字。

米 上

295 胡麻[1]

凡使，有四件八棱者，两头尖，色紫黑者，又呼胡麻，并是误也。其巨胜有七棱，色赤，味涩酸，是真。又呼乌油麻作巨胜，亦误。若修事一斤，先以水淘，浮者去之，沉者漉出，令干，以酒拌蒸，从巳至亥，出摊曒干。于臼中舂，令粗皮一重尽，拌小豆相对[2]炒，待[3]小豆熟即出，去[4]小豆用之。上有薄皮不去留用，力在皮壳也。[5] (《大观》卷24页1,《政和》页481,《纲目》页1101)

【校注】

[1] 本条开头，《纲目》《指南》引陶弘景曰："服食胡麻，取乌色者，当九蒸九暴，熬捣饵之。断谷，长生，充饥。虽易得，而学者未能常服，况余药耶？蒸不熟，令人发落，其性与茯苓相宜，俗方用之甚少，时以合汤丸尔。"

[2] **对** 此下，《政和》有"同"字。

[3] **待** 《政和》无"待"字。

[4] **去** 《大观》作"大"。

[5] **上有薄皮不去留用，力在皮壳也** 《药性解》作"上有薄皮留用，力在壳也"。《炮炙大法》作"蒸不熟令人发落"。

296 麻勃[1]

欲令见鬼，久服麻花。(敦煌本《五藏论》)

【校注】

[1] **麻勃** 一名麻花。《别录》云："此麻花上勃勃者。"《本经》云："麻勃，多食令见鬼狂走。"

297 金锁天[1]

时呼为灰藋，是金锁天叶，扑蔓翠上，往往有金星，堪用也。若白青色，是忌女茎，不入用也。若使金锁天叶，茎高位[2]二尺五寸妙[3]。若长若短，不中使。凡用，勿令犯水，先去根，日干，用布拭上[4]肉毛令尽，细剉，焙干用之。(《大观》卷24页8,《政和》页485,《纲目》页1220)

【校注】

[1] 金锁天在宋代《嘉祐本草》被收作正品药，称为"灰藋"。《嘉祐本草》并注云："新补见陈藏器。"说明灰藋在唐·陈藏器《本草拾遗》中已有著录。又，"金锁天"，《纲目》作"金锁夭"。

[2] **位** 《纲目》无"位"字。

[3] **妙** 《政和》作"妙也"，《纲目》作"为妙"。

[4] **上** 《纲目》作"去"。

米 中

298 麴[1]

凡使[2]，捣作末后，掘地坑深二尺，用物裹，内坑中，至一宿明出[3]，焙干

用。(《大观》卷25页14,《政和》页492,《纲目》页1155)

【校注】

[1] **麴** 《药性解》作“神曲”。按,麴是宋代《嘉祐本草》被当作正品药收入书中,但唐·孟诜《食疗本草》和陈藏器《本草拾遗》均有著录。在方书中,晋·葛洪《肘后方》用麴治赤白痢,唐·孙思邈《千金方》用麴治产后晕厥。

[2] **使** 此下,《炮炙大法》有“须陈久者”。

[3] **至一宿明出** 《药性解》作“经宿取出”。

米 下

299 甑中箅

《雷公炮炙论序》云:弊箅[1]淡卤。注云:常使者甑中箅,能淡盐味。(《大观》卷1页30,《政和》页41)

【校注】

[1] **箅** 《说文》云:“箅,蔽也,所以蔽甑底。”段注云:“甑者,蒸饭之器,底有七穿,必以竹席蔽之,米乃不漏。”

300 阴胶

《雷公炮炙论序》云:知疮所在,口点阴胶[1]。注云:阴胶,即是甑中气垢,少许于口中,即知脏腑所起,直彻至住处知痛,足可医也。(《大观》卷1页30,《政和》页41,《纲目》页1498)

【校注】

[1] **阴胶** 《纲目》卷38“甑”条有“甑垢一名阴胶”,又云:“《雷氏炮炙论序》云:知疮所在,口点阴胶。注云:取甑中气垢,少许于口中,即知脏腑所起,直彻至患处,知痛所在,可医也。”

《雷公炮炙论》有关文献研究

一、《雷公炮炙论》成书年代的讨论

提要　《雷公炮炙论》成书年代有四说，即赵宋时书，五代时书，隋时书，刘宋时书。本文从文献角度，列举大量资料，证明《雷公炮炙论》既非赵宋时书，亦非五代时书。若根据赵希弁说是刘宋时书亦可疑。笔者认为本书非成于一时一人之手。关于本书的作者，笔者同意宋·苏颂《本草图经》“滑石”条中所提的，雷敩是隋代人，其书有后人增修的内容。

“雷公”，同名异人很多。《素问》《灵枢》中均记有黄帝与雷公论医学。汉·张仲景《伤寒卒病论》序云：“上古有神农、黄帝……雷公。”晋·皇甫谧《针灸甲乙经》序云：“上古神农始尝草木而知百药，黄帝咨访岐伯……雷公受业传之于后。”梁·陶弘景《本草经集注》序云：“药性所主，当以识识相因……至于桐雷，乃著在于编简。”《隋书·经籍志》载有雷公集注《神农本草》4卷。这些“雷公”和《雷公炮炙论》所称的雷公都是同名异人。

《雷公炮炙论》所称的雷公，大家普遍认为是雷敩。雷敩生卒年不详，关于他是何时人的争论很大。关于《雷公炮炙论》成书时间有四说：一说成于刘宋，二说成于隋，三说成于五代后梁，四说成于赵宋。

同意一说的，有《中国医学大辞典》、日本·丹波元胤《中国医籍考》、近人赵燏黄。

同意二说的，是宋·苏颂《本草图经》（见《政和》卷3“滑石”条）。

同意三说的，有范行准（见《中华文史论丛》第6辑，页341）、宋大仁、丘晨波（见《浙江中医杂志》1957年8～9月）。

同意四说的，有李涛（见《新中医药杂志》1955 年 7 月），张炳鑫、朱晟《中药炮炙经验介绍》（1956 年人民卫生出版社页 11）。

主张《雷公炮炙论》是赵宋时书的理由如下。

（1）《本草纲目》说《雷公炮炙论》多本于“乾宁晏先生”。“乾宁（894—898）”为唐末昭宗年号，本书当成于唐末。

（2）唐代《千金方》《外台秘要》等名著，皆未引用过本书。

（3）本书的炮制方法详于唐代时期的炮制方法。

（4）本书载有《开宝本草》新增的药物。

笔者对此四点，持有不同的看法。

第一，《本草纲目》说《雷公炮炙论》多本于“乾宁晏先生”，此话原出于赵希弁重刊本《郡斋读书后志》，而《雷公炮炙论序》文注中仅有出《乾宁记》的话。《乾宁记》是否即唐末昭宗乾宁年间的书呢？按《雷公炮炙论序》中所注，其内容和陈藏器《本草拾遗序》文相同。《本草拾遗序》成于开元二十七年（739），则《乾宁记》应早于 739 年。所以说《乾宁记》为唐末书是可疑的。

第二，唐代《千金方》《外台秘要》等医方不引本书，是因本书为论药物炮制的专著，不是直接论治疾病的，所以医方不录。医方不仅未引《雷公炮炙论》，连《本草经集注》《唐本草》等书也未被援引过。

第三，说本书的炮制方法详于唐代时期的炮制方法。盖唐代本草著作多是综合性本草著作，详于主治功用，略于炮制，所以唐代本草著作对药物炮制的记载一般比较简略。例如，《唐本草》对药物炮制的叙述还不及陶弘景《本草经集注》详细。

第四，说本书载有《开宝本草》新增药。按《开宝本草》新增药，多数已见记于前代医方或本草著作中。例如，《开宝本草》新增的“象牙”“墨锴”，早在晋·葛洪《肘后方》中已有著录了。《嘉祐本草》所新增的“麴”，已见录于《千金方》。以上四点都不能证明《雷公炮炙论》是赵宋时书。

关于《雷公炮炙论》不是成于赵宋，还有下列几点理由。

一是《蜀本草》引有本书名（见《政和》卷 10“钩吻”条），《蜀本草》为五代时的书，如果《雷公炮炙论》是赵宋时书，《蜀本草》又如何能引用呢？

二是晁公武《郡斋读书志》卷 15 和赵希弁重刊本《郡斋读书后志》说：“《雷公炮炙论》三卷，古宋雷敩撰。”晁公武和赵希弁都是宋代人，宋代人称宋代为皇朝或本朝，不会称为古宋。晁、赵二人所言“古宋”，当指刘宋而言。

三是沈括《梦溪补笔谈》说："《雷公炮炙论》是古方书。"按，沈括是宋代有名的大学者，学问极其渊博。沈氏说《雷公炮炙论》是古方书，则《雷公炮炙论》绝非赵宋时书。

四是洪迈《容斋随笔》卷3云："《雷公炮炙论》载一药而能治重疾者，今医家罕用之。"洪迈是宋代人，洪迈所言"今医家"的"今"字，就可以提示《雷公炮炙论》是古方书。这种语气和沈括所云相同。

五是敦煌出土的《五藏论》载有"雷公妙典，咸述炮炙之宜"。朝鲜《医方类聚》卷4转引《五藏论》云："雷公妙典，略述炮炙之宜；弘景奇方，备说根茎之用。"

根据以上几点来看，本书不仅不成于赵宋，而且也不成于五代后梁。因为敦煌出土《五藏论》引有"雷公妙典，咸述炮炙之宜"，则《雷公炮炙论》似在唐以前就有了。

宋·赵希弁说："《雷公炮炙论》三卷，古宋雷敩撰，胡洽重定。"按，胡洽是刘宋时人，原名胡道洽，因避齐太祖萧道成讳，省去"道"字，改名"胡洽"。胡洽著有《百病方》2卷（见《隋书·经籍志》）。又《肘后方》（1955年商务印书馆版页97）卷4亦载有胡洽水银丸，治水肿，利小便。同书卷4载露宿丸，治大寒冷积，亦是胡洽方（见《政和》卷5"礜石"条"《图经》曰"引文）。刘敬叔《异苑》亦云："胡道洽者，自云广陵人，好音乐医术之事。"

据赵希弁所云"胡洽重定"，则《雷公炮炙论》当属刘宋时书，可是赵希弁接着又说"其论多本于乾宁晏先生"。范行准说乾宁晏名郭晏封，是唐代人，著《制伏草石论》6卷（见《中华文史论丛》第6辑，页325）。如此看来，赵希弁之言，前后亦有矛盾，既云"胡洽重定"，又写"多本于乾宁晏先生"。刘宋人胡洽重定的书，又如何能本于唐人乾宁晏先生呢？这显然是矛盾的。而且赵希弁最后还说："敩称内究守国安正公，当是官名，未详。"从"未详"2字来看，赵希弁对此问题也未弄得清楚。因为赵希弁的话前后有矛盾，说《雷公炮炙论》是刘宋时书，是可疑的。

宋代苏颂是当时有名的大学者，苏颂说雷敩是隋人，也不可不信。笔者倾向于苏颂的说法，雷敩是隋代人，其书亦当成于隋。

总之，《雷公炮炙论》非成于一时一人之手，最初创于雷敩，后经多人增删修饰。正如苏颂《本草图经》"滑石"条云："又按雷敩《炮炙方》……然雷敩虽名隋人，观其书，乃有言唐以后药名者，或是后人增损之欤。"（见《政和》页89）

二、《雷公炮炙论序》的讨论

《雷公炮炙论》原书已佚，《雷公炮炙论序》尚存于《证类本草》中。这个《雷公炮炙论序》是否就是《雷公炮炙论》原书的序，没有人怀疑过。笔者在辑校《雷公炮炙论》时，发现《雷公炮炙论》和《雷公炮炙论序》中某些资料，似是后人增入的。因此，笔者怀疑《雷公炮炙论序》似有后人修饰。

在讨论这个问题之前，先把《雷公炮炙论》成书时间争论介绍一下。《雷公炮炙论》成书时间有四说，一是成于刘宋[1]，二是成于隋代[2]，三是成于五代[3]，四是成于赵宋[4]。在此四说中，持第一说的最早者是宋代赵希弁，赵希弁重刊本《郡斋读书后志》云："《雷公炮炙论》三卷，古宋雷敩撰，胡洽重定。"按，胡洽是刘宋时人，原名胡道洽，因避齐太祖萧道成讳，省去"道"字，改名"胡洽"。胡洽著有《百病方》2 卷[5]。胡洽既然重订雷公的书，则《雷公炮炙论》当是刘宋时书。但是赵希弁又说："其论多本于乾宁晏先生。"范行准说乾宁晏名郭晏封，是唐代人，著《制伏草石论》6 卷[6]。

赵希弁既说《雷公炮炙论》为刘宋时胡洽重订，又如何能本于唐代乾宁晏呢？这不是前后矛盾吗？赵希弁接着又说："敩称内究守国安正公，当是官名，未详。"从"未详"2 字来看，赵希弁对此问题也不太清楚。由此可见，赵希弁所云"《雷公炮炙论》三卷，古宋雷敩撰，胡洽重定""其论多本于乾宁晏先生"等语，不一定完全可信。

《政和》卷 3"滑石"条引苏颂云："又按雷敩《炮炙方》……雷敩虽名隋人，观其书，乃有言唐以后药名者，或是后人增损之欤。"[7]按，苏颂是宋代大学者，苏颂说雷敩是隋人，也不可不信。笔者认为《雷公炮炙论》非成于一时一人之手，最初创于雷敩，后经多人增删修饰。

苏颂说《雷公炮炙论》有唐以后的药名，那么本书中究竟有多少唐以后的药名呢？

《雷公炮炙论》原书虽佚，但其书部分内容散存于《证类本草》中。经查《政和》所引"雷公云"的药名有 271 种，其中有 59 种是唐以后的药。兹将这 59 种药名见录于唐宋本草的列举如下。(每个药名前标注号码为在《政和》中的页码)

(1) 见录于《唐本草》的药物有 27 种。113 密陀僧，117、41 光明盐（《雷公炮炙论序》文引作"圣石"），321 骐骥竭，41 硇砂，134 梁上尘，191 鬼督邮，191 白花藤，214 女萎，229 蒟酱，224 阿魏，278 赤地利，284 赤车使者，274 刘寄奴，265 莨麻子，272 角蒿，347 白杨，348 苏方木，342 诃梨勒，358 卖子木，344 椿木，349 胡椒，351 橡实，346 无食子，41 枳椇，373 醍醐，456 甲香，454 珂。

（2）见录于《开宝本草》的药物有 28 种。41 无名异，110 生银，124 砒霜，133 自然铜，223 天麻，229 荜拨，230 卢会，230、41 延胡，231 补骨脂，231 肉豆蔻，232 蓬莪茂，235 毕澄茄，272 马兜铃，273 仙茅，274 骨碎补，41 柑皮，310 金樱子，307 丁香，334 密蒙花，323 枳壳，333、41 五倍子，394 腽肭脐，447 蛤蚧，414 真珠，450 白花蛇，41 鲑，519 马齿苋，518 胡葱。

（3）见录于《嘉祐本草》的药物有 2 种。485 灰藋（金锁天），492 麴。

（4）见录于唐慎微《证类本草》的药物有 2 种。428 蝉花，516 醍醐菜。

在 271 种药名中，唐以后的药名竟有 59 种，占总数 21.8%。这就是说，《雷公炮炙论》中的药物有 1/5 以上是唐代新增的药物。

有人说，《雷公炮炙论》佚文中出现个别唐代药名，乃是在流传过程中后人增益的产物，这种情况在传世古籍中是常见的。这话有一定的道理。但是《政和》援引《雷公炮炙论》药物 271 种，竟出现唐以后的药物有 59 种之多，这与出现个别的唐代药名的情况就不相同了。

在这 59 种药物中，有很多药物是唐代中期才有的。例如骨碎补，《政和》卷 11 援引陈藏器《本草拾遗》云："骨碎补，本名猴姜，开元皇帝（713—741）以其主伤折，补骨碎，故作此名耳。"[8] 则《雷公炮炙论》载有此药，当是公元 741 年以后的事情。

仙茅，《政和》卷 11 "仙茅" 条引雷公云："凡采得后……" 按，苏颂《本草图经》云："谨按，《续传信方》叙仙茅云……本西域道人所传，开元元年（713）婆罗门僧进此药，明皇服之有效，当时禁方不传。天宝（742—755）之乱，方书流散，上都不空三藏始得此方，传与李勉司徒。"[9] 据此可知，仙茅在公元 713 年传入中国，当时作为禁方被藏入宫中，到公元 755 年后方流入民间。则《雷公炮炙论》载有此药，当是公元 755 年以后的事情。

夜交藤，《政和》卷 4 "水银" 条引雷公云："先以紫背天葵并夜交藤自然汁。"[10] 夜交藤即何首乌藤，据《政和》卷 11 "何首乌" 条下《本草图经》文所记，何首乌是唐元和七年（812）始发现的药[11]。则《雷公炮炙论》载有夜交藤，当是公元 812 年以后的事情。

补骨脂，《政和》卷9“补骨脂”条引雷公云：“凡使，性本大燥……”[12]按《医方类聚》引《简易方》载有唐岭南节度使郑佃序云：“舶上破故纸，蕃人呼为补骨脂……舟人李蒲诃来，授予此方，服之七日，力强气壮……故录以传。元和十二年二月十日。”[13]据此可知，补骨脂原是外来药，在唐代元和年间（806—820）输入中国的。则《雷公炮炙论》载此药，当是公元820年以后的事情。

《雷公炮炙论》既是刘宋时期的著作，为何出现唐代的药物达59种，占总数的1/5还多？

不仅《雷公炮炙论》正文中出现大量唐代药物，而且《雷公炮炙论序》文中也出现了很多唐代的药。例如，《雷公炮炙论序》中有“象胆挥黏”“心痛欲死，速觅延胡”“除癥去块，全仗硝硇”“无名止楚”“圣石开盲”“肠虚泻痢，须假草零”等句子。这些文句中所含的药名“象胆”“延胡”“硇砂”“无名异”“圣石”“草零”等都是唐以后的药物。这些药物是否为后人增入《雷公炮炙论序》的呢？如果此序是刘宋时雷敩所作，为何用唐以后药名作为序文的资料呢？

按，“无名异”最早见录于《日华子本草》，到《开宝本草》才被收录为正品药[14]。“象胆”最早见录于陈藏器《本草拾遗》，陈藏器云：“胆主目疾，和乳滴目中。”[15]到《开宝本草》时，才把象胆的主治收入“象牙”条下。“延胡”最早见录于陈藏器《本草拾遗序》，序云：“延胡索止心痛，酒服。”[16]后来《日华子本草》对延胡功用有较详细的记载，到《开宝本草》才收录延胡为正品药。“硇砂”，苏颂《本草图经》云：“此药近出唐世。”[17]“圣石”，掌禹锡引《蜀本草》注云：“光明盐亦呼为圣石。”[18]则“圣石”的药名是到五代时《蜀本草》才有的。“草零”即五倍子，此药最早见录于陈藏器《本草拾遗》，陈藏器序云：“五倍子治肠虚泄痢，熟汤服。”[19]据此可知，五倍子到唐代才被当作止痢药使用。

这些药在刘宋时都是没有的，所以刘宋时的《雷公炮炙论》中当然不会有此类药。《证类本草》所引“雷公云”的资料，掺杂有很多唐以后的药名，很难使人相信它是刘宋时《雷公炮炙论》的原貌。笔者怀疑《证类本草》所引“雷公云”的资料，必有后人修饰增益的内容。正如苏颂《本草图经》云：“雷敩虽名隋人，观其书，乃有言唐以后药名者，或是后人增损之欤。”

【校注】

[1]《中国医学大辞典》、日本·丹波元胤《中国医籍考》、近代人赵燏黄皆认为《雷公炮炙论》

成书于刘宋。

[2] 宋·苏颂《本草图经》(见《政和》卷3“滑石”条)认为雷敩是隋人。

[3] 范行准(《中华文史论丛》第6辑，页341，1965)、宋大仁、丘晨波(《浙江中医杂志》，1957年8~9月)均认为《雷公炮炙论》成书于五代。

[4] 李涛(见《新中医药杂志》，1955年7月)、张炳鑫、朱晟(《中药炮炙经验介绍》页11，人民卫生出版社版，1956)均认为《雷公炮炙论》成书于赵宋。

[5] 唐·长孙无忌等撰《隋书·经籍志》卷3，页104，商务印书馆版，1955。

[6] 范行准《两汉三国南北朝隋唐医方简录》，中华文史论丛，第6辑，页325，1965。

[7] 宋·唐慎微《重修政和经史证类备用本草》(简称《政和》)，人民卫生出版社影印版，页88，1957。

[8] 同注[7]，页274。

[9] 同注[7]，页273。

[10] 同注[7]，页107。

[11] 同注[7]，页262。

[12] 同注[7]，页231。

[13] 朝鲜·金礼蒙等纂《医方类聚》第5册，卷95，页339，人民卫生出版社版，1981。

[14] 注同[7]，页95。

[15] 注同[7]，页371。

[16] 注同[7]，页230。

[17] 注同[7]，页125。

[18] 注同[7]，页117。

[19] 注同[7]，页333。

三、《雷公炮炙论序》和陈藏器《本草拾遗序》的讨论

《政和》[1]卷1序例上有《雷公炮炙论序》[2]一篇。这个序文分正文和注文两部分，正文为大字，注文为双行夹注小字，注文是解释正文的。有不少正文和注文的内容和《政和》援引陈藏器《本草拾遗序》[3]文内容相同。兹以《政和》研究如下。

药名	《政和》页次	《雷公炮炙论序》文	《政和》页次	《本草拾遗序》文
竹叶	41	久渴心烦，宜投竹沥	317	久渴心烦服竹沥
象胆	41	象胆挥黏，乃知药有情异	371	象胆挥粘
雄鼠	41	长齿生牙，赖雄鼠之骨末。其齿若折，年多不生者，取雄骨作末，揩折处，齿立生如故	441	雄鼠脊骨末，长齿，多年不生者效
甘瓜子	41	血泛经过，饮调瓜子。甜瓜子内仁，捣作末，去油，饮调服之，立绝	504	甘瓜子，止月经太过，为末，去油，水调服
五加	41	目僻眼䁾，有五花而自正。五加皮是也	302	五加皮花者，治眼䁾人，捣末酒调服自正
五倍子	41	肠虚泄痢，须假草零。捣五倍子作末，以熟水下之，立止也	333	五倍子治肠虚泄痢，熟汤服
苁蓉鳝鱼	41	强筋健骨，须是苁鳝。苁蓉并鳝鱼二味作末，以黄精汁丸服之，可力倍常十也。出《乾宁记》宰	179	强筋健髓，苁蓉、鳝鱼为末，黄精酒丸服之，力可十倍。此说出《乾宁记》
延胡索	41	心痛欲死，速觅延胡。以延胡索作散，酒服之，立愈也	231	延胡索止心痛，酒服
蕤核	41	蕤子熟生，足睡不眠立据	307	蕤子生熟，足睡不眠
神砂（硇砂）	41	铁遇神砂，如泥似粉	125	飞炼有法，亦能变铁
硇砂	41	除癥去块，全仗硝硇	125	硇砂主妇人丈夫羸瘦积病，食饮不消痃癖
消石	41	脑痛欲亡，鼻投硝末。头痛者，以硝石作末，内鼻中，立止	86	头痛欲死，鼻内吹消末愈
甘皮	41	产后肌浮，甘皮调服。产后肌浮，酒服甘皮立愈	470	产后肌浮，柑皮为末酒下

上表内竹叶、象胆等药，都见录于陈藏器《本草拾遗序》文中，其内容与《雷公炮炙论序》中药物主治功用，文句相同。

《雷公炮炙论序》与陈藏器《本草拾遗序》文，不仅所载药物主治功用和文句相同，而且两序所引的文献亦相同。例如，《乾宁记》[4]同为两序所引用。

现在要问，陈藏器《本草拾遗序》和《雷公炮炙论序》究竟谁在先，谁在后？按传统的看法，《雷公炮炙论序》在先，陈藏器《本草拾遗序》在后。

《东医宝鉴》“历代医方”载：“《药性炮炙》，雷敩所著，黄帝臣也。”[5]

明·李时珍《本草纲目·历代诸家本草》记载：“《雷公炮炙论》，刘宋时雷敩所著，非黄帝时雷公也。”[6]

《政和》“滑石”条引苏颂《本经图经》曰：“又按雷敩《炮炙方》……然雷敩虽名隋人，观其书，乃有言唐以后药名者，或是后人增损之欤。”[7]

许浚、李时珍、苏颂3人各说雷敩时代不同，但其共同点是都认为雷敩是唐代以前的人。

至于陈藏器《本草拾遗》，据《南部新书·辛集》云：“开元二十七年(739)，明州人陈藏器撰《本草拾遗》。”[8]据此说，《本草拾遗》成书于739年，那么《雷公炮炙论》比《本草拾遗》要早得多了。但是事实上有很多资料提示《雷公炮炙论序》不是早于陈藏器《本草拾遗序》，而是晚于《本草拾遗序》。兹列举事例如下。

（1）从两书所引的文献，来看两书时间的先后。

两书都在“肉苁蓉”条援引《乾宁记》一书。《雷公炮炙论》所引的《乾宁记》，除序文见引外，在鹿茸[9]、白花蛇[10]、骨碎补[11]等药物中亦见引。在“骨碎补”条有雷公云：“又《乾宁记》云‘去毛，细切后，用生蜜拌蒸……’。”[12]

按，陈藏器《本草拾遗》“骨碎补”条注云：“……开元皇帝以其主伤折，补骨碎，故作此名耳。”[13]开元年号始于713年[14]，那也就是说骨碎补一名是713年以后才有的。而《乾宁记》既然收录了“骨碎补”这个药名，则《乾宁记》当成书于713年以后。又陈藏器《本草拾遗》“肉苁蓉”条在739年已引用《乾宁记》，故《乾宁记》成书最晚不得超过739年。则《乾宁记》成书时间应在713—739年之间。而《雷公炮炙论》多次援引《乾宁记》，那就提示《雷公炮炙论序》著成的时间不会早于713年。

（2）从《雷公炮炙论》所用的药名，来看两序的先后。

《政和》“水银”条，雷公云：“凡使……先以紫背天葵并夜交藤自然汁……”[15]

按，夜交藤是何首乌的苗蔓。何首乌是《开宝本草》新增的药。掌禹锡引《日华子》云：“其药本草无名，因何首乌见藤夜交，即采食有功，因以采人为名耳。”[16]苏颂《本草图经》云：“此药因何首乌服而得名……唐元和七年（812）僧文象遇茅山老人遂传其事。”[17]据此可知，何首乌、夜交藤的名称是在812年以后才有。那么雷敩所云水银的炮制问题应是812年以后的事。这个时间比陈藏器《本草拾遗》成书时间（739）要晚得多。《雷公炮炙论》所述药物制法中，既然有

812年以后的药名，这就证明《雷公炮炙论序》著成的时间晚于陈藏器《本草拾遗序》文。

《政和》“补骨脂”条，有雷公云：“凡使，性本大燥毒，用酒浸一宿后，漉出，却用东流水浸三日夜，却蒸，从巳至申，出，日干用。”[18]

按《医方类聚》引《简易方》载唐岭南节度使郑佃序云：“舶上破故纸，蕃人呼为补骨脂……舟人李蒲诃来，授予此方，服之七日，力强气壮……故录以传。元和十二年二月十日。”[19]据此可知，补骨脂是在元和十二年（817）前后进入中国。而《雷公炮炙论》对此药记有炮制方法，则此炮制法亦当在817年前后才有的。据此亦可知《雷公炮炙论序》当晚于陈藏器《本草拾遗序》。

《政和》“仙茅”条雷公云：“凡采得后……用酒湿拌了，蒸，从巳至亥，取出，暴干。”[20]

据苏颂《本草图经》云：“谨按，《续传信方》叙仙茅云……本西域道人所传，开元元年（713）婆罗门僧进此药，明皇服之有效，当时禁方不传。天宝（742—755）之乱，方书流散，上都不空三藏始得此方，传与李勉司徒、路嗣恭尚书。”[21]据此可知，仙茅在713年被进献给唐代皇帝李隆基，当时作为禁方被藏入宫中，民间不会有的，到755年后方流入民间。《雷公炮炙论》收载此药，当是755年以后的事情。这和陈藏器《本草拾遗》成书于713年相比要晚得多。

《雷公炮炙论序》有“海竭江枯，投游波，而立泛”[22]。“游波”这个名字始见于《蜀本草》。据《政和》“海蛤”条引《蜀本》云：“勿用游波虫骨似海蛤。”[23]

又《雷公炮炙论序》云：“圣石开盲，明目而如云离日。”[24]按《政和》“光明盐”条引《蜀本》注云：“光明盐亦呼圣石。”[25]即圣石为光明盐的别名，按，光明盐是《唐本草》新增的药[26]，《唐本草》注文中无圣石之名，前代本草亦无此别名，只有《蜀本草》才用此名。《蜀本草》是五代时前蜀（934—965）韩保昇编撰的，那么圣石的名称当是五代时前蜀地方用的别名。而《雷公炮炙论序》中亦用圣石，那就提示《雷公炮炙论序》与《蜀本草》是同时代作品。只有同时代的作品，才会用同时代的药物别名。根据这一事实，《雷公炮炙论序》应是晚于陈藏器《本草拾遗序》的。

《雷公炮炙论》有关制药计算时间单位用“一伏时”，这个“一伏时”的时间单位在陶弘景《本草经集注》和苏敬《唐本草》中均未见用过，但《蜀本草》用过。例如，《政和》“海蛤”条，掌禹锡引《蜀本》云：“海蛤……蒸一伏时。”[27]这个“蒸一伏时”，在《雷公炮炙论》中用得最多。例如，《政和》“柏实”条有雷公云："柏实……酒拌蒸一伏时。"[28]又如"诃梨勒"条（《唐本草》药）有雷公云："凡修事，先于酒内浸，然后蒸一伏时。"[29]

《雷公炮炙论》用"一伏时"作为计时单位，而《蜀本草》亦以"一伏时"为计时单位，说明"一伏时"计算时间的方法在五代仍然是应用的，这也可旁证《雷公炮炙论序》是接近五代时著成的。总之，在《政和》中，唐慎微援引"雷公云"的药物有271种，其中属《本经》药167种，《别录》药45种，《唐本草》药27种，《开宝本草》药28种，《嘉祐本草》药2种，《证类本草》药2种。把《本经》药167种和《别录》药45种加起来为212种，是唐以前的药，则唐以后的药有59种。

有人说，《雷公炮炙论》佚文中出现个别唐代药名，乃是在流传过程中后人增益的产物，这种情况在传世古籍中是常见的。但是现存《雷公炮炙论》佚文药物是271种，出现唐以后药有59种，要占总数的1/5还多。这与出现个别的唐以后的药物是不同的。特别是《雷公炮炙论序》文中，出现唐以后的药有象胆、无名异、草零（五倍子）、延胡、圣石、硇砂等，这些药物是否亦是后人增入《雷公炮炙论序》文中的呢？另外，《雷公炮炙论》"延胡"条记有"银州"地名，银州是北周时置的地名。

按，《雷公炮炙论序》文是短而完整的文章，别人要想增加唐代的药物，也并非容易的事。笔者怀疑《雷公炮炙论序》文晚于陈藏器《本草拾遗序》文。联系上述各种事例，《雷公炮炙论序》文中某些资料，有很大可能是参考陈藏器《本草拾遗序》文撰写的。

【校注】

[1] 宋·唐慎微《重修政和经史证类备用本草》（简称《政和》），人民卫生出版社影印版，1957。

[2] 同注[1]，页41。

[3] 唐·陈藏器《本草拾遗》，原书佚，今据《政和》引。

[4]《乾宁记》，原书作者不详。据《本草纲目·历代诸家本草》中《雷公炮炙论》云："乾宁先生名晏封，著《制伏草石论》六卷。"（《本草纲目》卷1序例上，页332，人民卫生出版社影印版，1957）又据范行准《两汉三国南北朝隋唐医方简录》云："乾宁晏先生《制伏草石论》六卷，出《新唐志》《崇目》。乾宁晏名郭晏封，唐代人。"（《中华文史论丛》第6辑，页325，1965）。《乾宁记》是否即郭晏封《制伏草石论》，不详。

[5] 朝鲜·许浚等《东医宝鉴》卷1，页69，人民卫生出版社影印版，1982。

[6] 明·李时珍《本草纲目》卷1序例上，页332，人民卫生出版社影印版，1957。

[7] 同注[1]，页88。

[8] 宋·钱锡《南部新书·辛集》，页79，《丛书集成初编》本，商务印书馆版。

[9] 同注[1]，页376。

[10] 同注[1]，页450。

[11] 同注[1]，页274。

[12] 同注[1]，页274。

[13] 同注[1]，页274。

[14] 荣孟源《中国历史纪年》，页59，生活·读书·新知三联书店版，1957。

[15] 同注[1]，页107。

[16] 同注[1]，页262。

[17] 同注[1]，页262。

[18] 同注[1]，页231。

[19] 朝鲜·金礼蒙等《医方类聚》第5册，卷95，页339，人民卫生出版社版，1981。

[20] 同注[1]，页273。

[21] 同注[1]，页273。

[22] 同注[1]，页41。

[23] 同注[1]，页416。

[24] 同注[1]，页41。

[25] 同注[1]，页117。

[26] 尚志钧辑《唐·新修本草》辑复本，页122，安徽科学技术出版社版，1981。

[27] 同注[1]，页416。

[28] 同注[1]，页295。

[29] 同注[1]，页342。

四、《乾宁记》成书年代的探讨

宋·赵希弁重刊本《郡斋读书后志》云："《雷公炮炙论》三卷，古宋雷敩撰，胡洽重定，其论多本于乾宁晏先生。"

明·李时珍《本草纲目·历代诸家本草》有《雷公炮炙论》条云："乾宁先生名晏封，著《制伏草石论》六卷。"（见《本草纲目》卷1序例上，页332，人民卫生出版社影印版，1957）。

日本·丹波元胤《中国医籍考》云："乾宁晏先生《制伏草石论》六卷，出于《新唐志》，今以其为道家之书，不著录焉。"（见《中国医籍考·本草四》卷12，页165，人民卫生出版社版，1956）

今人范行准《两汉三国南北朝隋唐医方简录》云："乾宁晏先生《制伏草石论》六卷，出《新唐志》《崇目》。乾宁晏名郭晏封，唐代人。"（见《中华文史论

从》第6辑，页325，1965）

《政和》药物条下注文援引“雷公云”的文字中记载《乾宁记》的有如下。（药名前页码是《政和》页码）

页104“雌黄”条引雷公云：“按《乾宁记》云，指开拆得千重，软如烂金者，上。”

页274“骨碎补”条引雷公云：“又《乾宁记》云，去毛，细切后，用生蜜拌蒸，从巳至亥准前，暴干，捣末。”

页376“鹿茸”条引雷公云：“《乾宁记》云，其鹿与游龙相戏，乃生此异尔。”

页450“白花蛇”条引雷公云：“《乾宁记》云，此蛇不食生命，只吸芦花气并南风，并居芦枝上，最难采，又不伤害人，又有重十两至一镒者。”

页41“苁蓉并鳝鱼”在《雷公炮炙论序》注云：“二味作末，以黄精汁丸服之，可力倍常十也。出《乾宁记》宰。”

按，讲《雷公炮炙论》药物引用《乾宁记》，《雷公炮炙论序》亦引用《乾宁记》。宋·赵希弁又说《雷公炮炙论》“其论多本于乾宁晏先生”，则《乾宁记》成书时间应早于《雷公炮炙论》。可是《雷公炮炙论》成书时间争论很大，或云成于刘宋，或云成于隋代，或云成于五代，或云成于赵宋。由于《雷公炮炙论》成书时间不能肯定，所以《乾宁记》成书时间亦难以确定。

按今人范行准说，“乾宁晏名郭晏封，唐代人”，则《乾宁记》成书时间当在唐代。

另外，根据《乾宁记》所载药物来看，书中所录的药物中有唐代药物，这些药物到宋代《开宝本草》才开始被收录为正品药。

在上述药名中，骨碎补和白花蛇都是《开宝本草》的新增药。骨碎补同白花蛇最早记载于《药性论》。骨碎补，据陈藏器《本草拾遗》云：“骨碎补，本名猴姜，开元皇帝（713—741）以其主伤折，补骨碎，故作此名耳。”则骨碎补药名，是在开元皇帝时才有的。开元年号始于713年，也就是说，骨碎补药名到713年前后才有。然《乾宁记》中收载有骨碎补，这就提示《乾宁记》成书时间应在713年之后。另外陈藏器《本草拾遗序》亦援引过《乾宁记》。例如，《政和》页179“肉苁蓉”条引“陈藏器序”云：“强筋健髓，苁蓉、鳝鱼为末，黄精酒丸服之，力可十倍。此说出《乾宁记》。”按宋·钱锡《南部新书·辛集》（《丛书集成初编本》，页79，商务印书馆版）云：“开元二十七年（739），明州人陈藏器撰《本草拾遗》。”则《本草拾遗》成书时间是739年。陈藏器《本草拾遗》既然援引了《乾宁记》，则《乾宁记》成书时间不会晚于739年。据此推测，《乾宁记》成书时间应在713—739年之间。

五、张仲景《五藏论》摘录文

（录自敦煌出土残卷本）

普名之部，出本于医王；黄帝而造针灸经，历有一千余卷；耆婆童子，妙闲药性，况公□等凡夫，何能备矣……（这段文字，不涉及药）

经曰：神农本草，辩土地而显君臣；陶（原作桃）景注经，说酸咸而陈冷热；雷公妙典，咸述炮炙之宜；仲景（原作敬）其方，委说根茎之用；周公药对，虚谈犯触之能；□侠正方，直说五风之妙。扁鹊能回丧车、起死人，昧后并是神方；华佗（原作画地）割骨除根，患者悉得抽愈。刘涓子秘述，学在鬼边（疑为遗）；徐百一之丹方，偏疗小儿之效。淮南葛氏之法，秘要不传；集验之方，人间行用药疗也。疗人百病，肥白俱解；子孙昌盛，众人爱敬，皆由药性。

……

故本草云：零瑞之草，然则长先，钟乳石饵之，令人悦愈。犀角有抵触之义，故能趁疰驱邪。牛黄怀沉香之功（原作公），是以安魂定魄。蓝田玉屑，镇压精神；中台麝香，差除妖魅。河内牛膝，疗膝冷而去腰疼；上蔡防风，愈头风而抽胁痛。晋地龙骨，绝甘（疑作疳）利而去头疼；太山茯苓，发阴阳而延年益寿。甘草有安和之性，故受国老之名；大黄宣引众公，乃得将军之号。半夏有消痰之力，制毒要藉生姜；当归有止痛之能，相使还须白芷。泽泻、茱萸，能使耳目聪明；远志、人参，巧含开心益智。

赤痴宜涂鸡子，白癞须附越桃；火烧宜贴水萍，杖打稍加营实。飞尸走疰，速用雄黄；忽尔惊邪，急求龙齿；头风起（另一本作旋）闷，须访菊花；脚弱行迟，宜求石斛；欲令见鬼，久服麻花；拟去白虫，漆（原作柒）和鸡子。蔷薇却其疥癣，蟹黄嗜（原作耆〉去漆疮。通草巧疗耳聋，石胆唯除眼膜。

秦艽有结罗纹之状，干漆作蜂窠之形。丹砂会取光明，升麻只求青绿。秦艽须汗。矾石须炮。杜仲削去腹皮，桂心取其有味。石英研之似粉，杏仁别捣如膏，菟丝酒渗乃良，朴硝火烧方好。防葵为轻唯上，狼毒为重唯佳。黄芩以腐肠为精，蕳茹漆头为用。石南采叶，甘菊收花。五加割取其皮，牡丹捶去其骨。鬼箭破血，仍有射鬼之灵；神屋除温，非带报神之验。

呕吐汤煎干葛，筋转酒煮木瓜。目赤须点黄连，口疮宜含黄檗。痹转应痛，须访茵芋；腂痒皮肤，汤煎蒴藋。伤寒发汗，要用麻黄；壮热不除，宜加竹叶。恒山、鳖甲，大有差疟之功；蛇蜕、绿丹，善除癫痫之用。雄黄除黑干（一作汗，疑作皯），木兰能去死皮。蔽（疑作茵）草杀齿内之虫，黎芦除烂鼻中宿肉。黄连断痢除痔，栀子悦愈面皮，桃花润泽肤体。芎䓖、枳实，心急即用加之；紫菀、款冬，气嗽要须当用；虻虫、水蛭，即有破血之功；白术、槟榔，有散气消食之效。菖蒲强寄（一作记），鳖（疑作龟）甲通神。

阴阳疮汤煎蛇床，淋涩须加滑石。仙灵脾草能去腰疼，然则忘杖归家。天鼠煎膏巧疗耳聋，得草麻而妙加。蛇咬宜封人粪，蜂螫荜拨妙除。羚羊角通噎驱邪，青羊肝疗痟明目。石脂加颜发色，白及卷面除皮，知母通痢开胸，空青消癥止泪。孔公孽消食肥泽，密陀僧去疥癞，人压石寄假蜂房。水肿唯须大戟，肠结通唯须甘遂。患眼宜取蕤仁，安胎必藉紫葳，伤身要须地髓。恼心闷偏加木笔，血闭急觅蒲黄。连翘却瘰疬疮痈，地胆破癥瘕息肉。斑猫能除鼠漏，松热抽恶刺风疽。牵牛泻水排脓，葶苈大枣除水，桃仁绝其鬼气，石南复去诸风。瘿气昆布妙除，痈肿必须硝石，脱肛宜取鳖头。下贱虽曰地浆，天行病饮者皆愈；黄龙汤出其厕内，时气病者能除。贫者虽号小方，不及君臣，取写有处出处，有灵有验，有贵有贱，有高有下，净秽百草山中药。

五藏论一卷

六、《五藏论·医人》摘录文

（录《医方类聚》校点本第1分册页83～页84）

药名之部，所出医王。黄帝造针经，历有千卷。药性名品，若匪神仙，何能备著？且神农本草，辨土地而显君臣；岐伯经方，说酸咸而陈冷热；雷公妙典，略述炮炙之宜；弘景奇方，备说根茎之用。

只如犀角抵触之义，故能逐疰驱邪。牛黄坏鸠之功，是以安魂。蓝田玉屑，可以镇压精神。中条麝香，堪将辟邪除鬼。河内牛膝，去膝冷而止腰疼。防风除头风而抽胁痛。半夏有消痰之力，制毒要用生姜。当归有止痛之能，须会白芷。晋地龙齿，偏差颠痫。太山茯苓，延年却老。人参、薯蓣，能令耳目聪明；远志、菖蒲，妙能开心益智。甘草安和诸药，乃得国老之名，大黄宣引众功，乃得将军之号。秦艽结罗纹之状，干漆作蜂巢之形。丹砂会取光明，升麻破求青绿。秦椒须汗，朴硝、矾石须熬。杜仲削去粗皮，桂心还求肉味。石英须研似面，杏仁别捣如膏。兔丝得酒乃良，矾石烧之力好。防葵唯轻唯上，狼毒唯重弥佳。黄芩以腐烂为精，茼茹蚰头为上。石南采叶，甘菊收花。五加剥取其皮，牡丹要须去骨，鬼箭破血，乃有射鬼之灵；神屋除温，非无保神之验。呕吐汤煎干葛，转筋酒煮木瓜。目赤宜点黄连，口疮宜含石胆。木兰皮能除点䵟，硫黄妙去死痹。菵草杀齿内之虫，藜芦烂鼻中宿肉。赤油宜涂鸡子，白癞偏服越桃。火烧多占水萍，杖打须加松实。琥珀拾芥，乃辨其真；磁石引针，将知不谬。石得鸩粪，乃烂如泥；漆遇蟹黄，便化为水。三棱破癖，本出行从；刘寄奴疗疮，起于田猎。牡蛎助柏仁之力，地黄益天门冬之功。菝及反乌头之精，栀子解踯躅之毒。苦参、酸枣，以味为名；白术、黄连，将色为号；蜈蚣、蜀漆，陆地标名；狗脊、狼牙，因形为记。只如八味肾气，补六极而差五劳；四色神丹，荡千疴而除万病。槟榔下虫除气，玉壶丸去积冷消坚。李子预有杀鬼之方，刘涓子有遗鬼之录。耆婆童子，妙述千端；喻父医王，神方万品。是以有命者必差，虢太子死而更苏；无命者难理，晋公生而致死。此之养病，加积薪火而薪被焚，病不除而徒丧命。是以神方千卷，药名八百。中黄丸能差千疴，底野迦善除万病。扁鹊论乃揔君臣，冷热不调，酸咸各异。

夫五常之体，因暑湿而结百疾。头风目眩，须好菊花；脚弱行迟，多添石斛。卒中霍乱，宜服茅香之汤；久患脊疴，急内蚺蛇之胆。痹湿挛痛，须用茵芋；皮肤瘙痒，宜加蒴藋。伤寒发汗，要用麻黄；壮热不调，宜加竹叶。恒山、鳖甲，疗疟之功；枳实、芎䓖，善除心家之闷。卒患鬼疰，须用雄黄；忽而惊邪，时须龙齿。当归、芍药，去肚痛之疴；款冬、紫菀，除顽嗽之疾。槟榔、白术，理宿食不消；硇砂、大黄，泻癥瘕之病。黄连、阿胶，善能止痢。通草有发声之能，水蛭、虻虫，善能破血。蕤仁明目，秦皮、决明去翳。牛膝止膝痛风冷，鹅脂善治耳聋。蜂房能消毒肿，蟹黄善去漆疮，芜荑、狼牙杀白虫，桔梗、蘘荷善除蛊毒。乱发灰能止血汗，滑石通淋沥之疾。莔草定其牙疼，海藻能除瘿气。知母、栝楼止渴，麦门冬、石膏除温。署预补骨，泽泻能治膀胱，远志、菖蒲聪明益智。胁中泛痛宜用防风，当归、艾叶、阿胶善治胎动。连翘止疬，矾石疗耳内之脓。小便不利，宜服葶苈。杏人益气，身体轻肥。妇人产后羸弱，宜服黄精、酸枣、紫花、白薇、生葛。人参治五脏虚热，麦门、钟乳补肺安心。紫菀、柴胡疗人上气。雄黄、薤白能止狂风。犀角、升麻、乌梅偏医热肿，独活理人面上游风。茵芋、蕳茹治人髭落。天行温病，宜服芍药、生姜，壮热口干宜下大青、知母。甘草宜补五脏，人参好定精神。丹参养魂安魄，地黄能通血脉，黄精定长肌肤。

七、《雷公炮炙论》中有关炮制方法的概述

摘要 笔者从《政和》所引有"雷公云"的条文中，把《雷公炮炙论》中有关制药方法加以系统归类，使读者了解该书究竟有多少种制法。明代缪希雍所云"雷公十七法"，其中有1/3的制法如爁、炼、煨等，皆不见录于该书。《雷公炮炙论》是中国制药学最早的专著。全书以制药为主，与一般本草以治疗功用为主者不同。又书中所述，多系实验数据和操作程序的记录。所以《雷公炮炙论》是我国早期一部有价值的制药实验记录文献。

《雷公炮炙论序》云："直录炮熬煮炙，列药制方，分为上、中、下三卷，有

三百件。”（见《政和》卷1序列上）据此可知，本书是论炮、熬、煮、炙等制药方法的。全书收药300种，分上、中、下3卷。原书已佚，部分内容散存于《证类本草》中。

《政和》所载有“雷公云”的药物是271种（冈西为人《宋以前医籍考》作252种）。但《雷公炮炙论序》中援引药名有52种。在这52种药名中，有17种药名和《政和》所载的“雷公云”271种药物中的药名相同，另有18种药名和《政和》药名相同，但无“雷公云”等引文。另外有17种药名不见录于《政和》，如“修天”“神锦”“根黄”等。

兹将《政和》引有“雷公云”条文中，有关炮炙资料，综述如下。

（一）有关药料洁净和挑选等操作

1. 净拣　漏芦、密蒙花、蒺藜等，采后净拣。

2. 去其杂质及非药用部分

（1）去杂质。蝉花去甲上土。吴茱萸去叶、核及杂物。当归去尘至尖头处。肉苁蓉去沙土。

（2）去其非药用部分。

1）植物药有去根、须、芦头、茎、节、挺、蒂、叶、皮、膜、子、核、心、瓤等。

去根：如蜀漆、茵陈蒿、营实、白花藤、香薷、蛇含等去根。

去须：白薇、白前、芦根、栀子等去须。

去头：桔梗、藜芦、女萎等去头。

去茎：甘遂、刘寄奴等去茎。

去节：苏方木去节。麻黄去节并沫，若不尽，服之令人闷。

去挺：荜茇去挺。

去蒂：豆蔻、丁香、旋覆花等去蒂。

去叶：马兜铃、淫羊藿等去叶。

去皮：桃仁、郁李仁、蓖麻子等去皮。百部去心皮。辛夷、厚朴、榉树皮、橡实、石决明去粗皮。杏仁、蕤核、酸枣仁去皮及尖。黄芪、荜澄茄去皱皮。

去膜：橘柚去白膜。蔓荆子去蒂下白膜。马兜铃去膈膜。瓜蒌去壳皮革膜。

去子：槐实去单子。

去核：山茱萸去内核。楝实去核。桑螵蛸去核子。

去心：葈耳、枸杞根去心。

去瓤：枳壳去瓤。

2）动物药去其非药用部分。

伏翼、虾蟆去爪、肠。蜘蛛去头足。一切蛇去胆并上皮。

去除方法有揩、拭、刷、刮、削、汤浸等法。

揩：络石，用粗布揩去茎蔓上毛。

拭：白马茎，以布拭去上皮。鹿茸，以物拭去水垢。枳壳，拭去焦黑。

刷：肉苁蓉，用棕刷刷去沙土。

刮：荜茇，以刀刮去皮粟子令净方用，免伤人肺，令人上气。商陆、白杨、白蘘荷用铜刀刮去上粗皮。骨碎补用铜刀刮去上黄毛。雷丸用铜刀刮去上黑皮。

削：杜仲削去粗皮。木瓜削去硬皮。白芷削去上皮。

（二）有关药物破碎及研粉等操作

1. 劈　附子、牛黄、麝香劈破。杏仁、蕤核劈作两片。牡丹、白马茎铜刀劈破。黄芪手劈令细。

2. 剥　牛黄剥之。

3. 刮　滑石用刀刮之。

4. 切　仙茅铜刀切。商陆薄切。续断横切。骨碎补细切。皂荚铜刀细切。

5. 剉　角蒿于槐砧上细剉。黄芪于槐砧上剉用。桑根白皮用铜刀剉。蜀漆，取茎并叶同拌甘草四两细剉。

6. 错　羚羊角用铁错子错之。犀角错其屑入臼中。

7. 捶　槐实用铜锤捶之。磁石、皂荚捶令细。

8. 舂　牵牛子临用舂去黑皮。蒺藜于木臼中舂，令皮上刺尽。

9. 捣

单捣：葶苈子、曲、雄黄单捣。

重捣：苏方木、莎草于石臼中重捣。

捣碎：丹砂碎捣之。

粗捣：赤车使者、卖子木粗捣。

捣令细：犀角、白垩、密陀僧、茯苓、海蛤、琥珀、瓜蒌、真珠于臼中捣令细。

捣如粉：雄黄、枳壳、恶实、虎骨、芦荟捣如粉。

捣作末：鹿茸捣作末。

捣作膏：桔梗捣作膏。

捣筛：栀子、茵蓿、白僵蚕、皂荚、雌黄于臼中捣筛。

10. 碾　胡椒、蛴螬于石槽中碾碎成粉。阿胶、蝉花碾细用之。

11. 杵　豆蔻杵用之。徐长卿粗杵。飞廉、荜澄茄细杵。石钟乳入臼杵如粉。瓜蒂杵筛。

12. 研　芒硝、曾青入乳钵中研如粉用。磁石入乳钵中研细如尘。犀角研万匝，免刮人肠也。石决明研如粉再研一万匝。龙骨重研万下。太一禹余粮研一万杵。石钟乳入钵中，令有力少壮者三两人，不住研，三日夜勿歇，飞过，入钵中研二万遍。砒霜研三万下。丹砂向钵中更研三伏时。郁李仁、巴豆研如膏。白蘘荷、胡葱、醍醐入砂盆中研如膏。钩吻研绞取自然汁。

13. 磨　蓬莪茂于砂盆中用醋磨令尽。

14. 飞　石钟乳、雄黄水飞，澄去黑者。磁石以水沉飞过了。黄石脂飞过三度，澄者去之，取飞过任用。石膏，生甘草水飞过。伏龙肝，以滑石水飞过两遍。白垩，盐汤飞过。

（三）有关淘洗及干燥等操作

1. 淘洗操作

淘：牵牛子入水中淘。桑螵蛸淘七遍。贝子淘令净。丹砂、滑石、紫菀用东流水淘令净。

洗：仙茅用清水洗。吴茱萸用盐水洗。枇杷叶、石硫黄以甘草汤洗。雄黄醋洗。

浴：龙骨，夫使先以香草煎汤浴过两度。

2. 干燥操作

拭干：丹砂、石钟乳、雌黄、砒霜、石决明拭干。

阴干：郁李仁、苏方木、莎草、续断、桑上寄生、五加皮、蛴螬、虾蟆、杜若、白花蛇、茵陈蒿阴干用。

悬令风干：百部于檐下悬令风吹干。瓜蒂使榔榔叶裹，于东墙有风处挂令吹干用。白杨用布袋盛，于屋东挂令干用。马兜铃用生绢袋盛，于东屋角畔悬令干用。蝉花于屋下东角悬干用。椿木根用袋盛挂屋南畔阴干用。泽兰用绢袋盛，悬于屋南畔角上令干用。桃仁以绢袋盛，于檐下悬令干用。

日干：吴茱萸、海藻、常山、秦艽……日干。云母、滑石、石钟乳……日中晒干。前胡、白芷……日中晒干。芍药、麻黄、大黄、狗脊……晒干。香薷、仙茅、刘寄奴、商陆……曝干。

焙干：紫菀、王不留行……火上焙干。黄连于柳木火中焙干。鹿茸以慢火焙干。

炙令干：鳖甲、矾石火畔炙之令干。蓬莪茂醋磨火畔吸令干。

蒸干：蒟酱用生姜汁蒸干。

（四）有关药物炮制操作

1. 浸

酒浸：当归、补骨脂、密蒙花、常山、伏翼、百部酒浸一宿。巴戟天、蔓荆实、续断酒浸一伏时。腽肭脐酒浸一日。楝实酒拌浸令湿。诃梨勒酒内浸。

无灰酒浸：蚯蚓无灰酒浸一日。

清酒浸：肉苁蓉清酒浸。

苦酒浸：白花蛇苦酒浸。

醋浸：蛇蜕醋浸。荜茇，用头醋浸。石灰以醋浸。

水浸：楮实用水浸三日。桔梗水中浸。

东流水浸：枸杞、猪苓、密陀僧东流水浸。商陆东流水浸两宿。

新汲水浸：皂荚新汲水浸一宿。

急水浸：鹿茸以物盛于急水中浸之一百日满出。

浆水浸：王不留行、石榴用浆水浸一宿。黄连用浆水浸二伏时。

沸浆水浸：桑螵蛸，用沸浆水浸。

甘草水浸：款冬，甘草水浸。砒霜，甘草水浸从申至子。栀子、雷丸，甘草水浸一宿。

生甘草水浸：白前，生甘草水浸一伏时。

熟甘草水浸：络石，熟甘草水浸一伏时。

熟甘草汤浸：枸杞，熟甘草汤浸一宿。雀卵，煎甘草汤浸一宿。

还元汤浸：秦艽，用还元汤浸一宿。

沸汤浸：杏核仁，沸汤浸少时去皮膜。

汤浸：郁李仁先汤浸，后蜜浸一宿。

血卤水浸：乌贼鱼骨，血卤水浸。

米泔水浸：射干，米泔水浸一宿。

糯米水浸：蚯蚓，用糯米水浸一宿。

糯米泔浸：白僵蚕，糯米泔浸一日。白薇，糯米泔汁浸一宿。

芭蕉水浸：辛夷，用芭蕉水浸一宿。

乌豆水浸：仙茅，用乌豆水浸。

生蜜水浸：黄檗，生蜜水浸半日。

蜜浸：紫菀、杜若，蜜浸一夜。五味子，蜜浸蒸。

乌牛乳浸：槐实，用乌牛乳浸。

黄牛乳浸：莨菪，黄牛乳浸。

生羊血浸：虎睛，生羊血浸。

猪脂浸：阿胶，猪脂内浸一宿。

童溺浸：草蒿，七岁儿童七个溺浸七日七夜。

药汁浸：蛇床子，以浓蓝汁并百部草根自然汁二味同浸三伏时。

2. 蒸

单蒸：海藻、诃梨勒、赤地利蒸一伏时。蒲黄、椿木根、酸枣仁、黄芪蒸半日。王不留行、白杨、榉树皮、蔓荆实蒸从巳至未。白薇、补骨脂、苏方木蒸从巳至申。肉苁蓉蒸从巳至酉。菓耳蒸从午至亥。

酒拌蒸：恶实酒拌蒸。柏实酒拌蒸一伏时。蜀椒酒拌令湿蒸，从巳至午。桃仁、牵牛子酒拌蒸从巳至未。牡丹清酒拌蒸从巳至未。狗脊、刘寄奴酒拌蒸从巳至申。荜澄茄酒浸蒸从巳至酉。仙茅酒拌蒸从巳至亥。覆盆子酒蒸一宿。

浆水蒸：营实用浆水拌令湿蒸一宿。

腊水蒸：大黄洒腊水蒸从未至亥。

蜜蒸：徐长卿拌少蜜令遍，用瓷器盛，蒸三伏时。密蒙花拌蜜令润蒸。骨碎补用蜜拌令润，架柳甑蒸一日出。芍药蜜水拌蒸从巳至未。

生羊血蒸：白马茎，生羊血蒸半日。

加辅料蒸：荠草，甘草、水蓼同蒸。漏芦，生甘草拌相对蒸从巳至申。败酱，入甘草叶相拌对蒸，从巳至未出。白芷，以黄精蒸一伏时。防己，剉车前草根相对同蒸半日。女萎，拌豆淋酒蒸从巳至未。蒟酱，生姜自然汁拌之一日，蒸干为度。

3. 煮　曾青，缓缓煮五昼夜，勿令水火失。

水煮：蕤核，水煮一伏时。皂荚，下水于火畔煮。

东流水煮：雄黄，东流水入坩埚煮三伏时。密陀僧，东流水煮一伏时。丹砂，东流水煮三伏时。杏仁，东流水煮从巳至午。石决明、牡蛎，东流水、盐煮一伏时。昆布，下东流水从巳煮至亥，水旋添，勿令少。

浆水煮：辛夷，用浆水煮从巳至未。蝉花，浆水煮一日至夜。楝实，用浆水煮一伏时。真珠，浆水煮三日夜。

天池水煮：云母，下天池水，著火煮七日夜，水火勿令失度。

生甘草水煮：鬼督邮，用生甘草水煮一伏时。

五香水煮：石钟乳，五香水煮过一伏时。

血卤水煮：乌贼鱼骨，血卤水煮一伏时。

酒煮：鹿茸，以无灰酒煮其胶阴干。白花蛇，一切蛇干湿须酒煮过用。

醋煮：莨菪，头醋一镒，煮尽醋为度。吴茱萸醋煮。

鹿茸：碱醋煮七日，旋旋添醋，勿令火歇，戌时不用著火，只从子时至戌时也。

盐汤煮：蓖麻子，盐汤煮半日。

加辅料煮：甲香，用生茅香、皂荚二味煮半日。滑石，以牡丹皮同煮一伏时。凝水石，生姜自然汁煮。代赭，用细茶脚汤煮一伏时。巴豆，以麻油并酒等煮。水银，以紫背天葵并夜交藤自然汁二味同煮一伏时，其毒自退。

4. 煎　瓜蒌作煎，搅取汁，冷饮任用。蒴藋，用作煎，捣取自然汁，缓缓于锅子中煎如稀饧。云母，以天池水煎。鳖甲，与头醋下火煎。

水浴锅煎：柏实，若天久阴，即于铛中著水，用瓶器盛柏子仁，著火缓缓煮成煎为度。

5. 炼　石蜜，炼蜜一斤只得十二两半。熊脂，炼过就器中安生椒，炼了，去脂革并椒，入瓶中（按，椒有防腐作用）。

6. 炒　贝母，拌糯米于鏊上同炒，待米黄熟，然后去米。芫青，用糯米、小麻子相拌同炒，待米黄黑出。胡麻，拌小豆相对同炒。吴公，木末炒令木末焦。卫矛，酥缓炒。枳壳，麸炒。豆蔻，于鏊上缓炒。马陆，用糠头炒焦黑。蛴螬，与糯米同炒，待米焦黑为度。卖子木，酥炒。淫羊藿，羊脂炒。

7. 熬　蚯蚓、山茱萸熬。桑螵蛸于瓷锅中熬令干。桔梗缓火熬令干。甘遂熬令脆用之。丹砂入熬蜜丸。常山捣熬。天麻于瓶中上，用火熬过。又蒺藜子，缓火熬焦熟。

8. 炙

单纯炙：阿胶，于柳木火上炙，待泡了。腽肭脐，微火上炙令香。蛇蜕、伏翼，炙令干。

加辅料炙：黄檗蜜涂，文武火炙。肉苁蓉、厚朴、白花蛇、皂荚、枇杷叶、虾蟆等涂酥炙。杜仲，用酥蜜和炙。鹿茸，以好羊脂拌天灵盖末，涂于鹿茸上，慢火炙之，令内外黄脆。

9. 焙

单纯焙：石钟乳、天麻缓火焙之。白僵蚕、虎骨、虎睛、桑根白皮等微火焙干。桃仁焙取肉用。蒲黄隔三重纸焙令色黄。

加辅料焙：葶苈子以糯米相合焙。密陀僧用柳蚛末焙。

10. 炮　贝母，柳木灰中炮令黄。附子，炮令皱。肉豆蔻，以糯米作粉，使热汤搜裹豆蔻，于煻灰中炮，待米团子焦黄熟。

11. 煅

直火煅：真牡蛎火煅，入火中烧令通赤。自然铜，火煅两伏时。砒霜，火煅从巳至申。丹砂，火煅从巳至子时方歇。石灰，下火煅，令腥秽气出。

闷火煅：头发，入瓶子，以火煅之，令通赤。矾石，瓷瓶盛，于火中煅，令内外通赤。硝石，以瓷瓶子盛，于五斤火中煅，令通赤。

根据上述资料来看，《雷公炮炙论》有下列几个特点。

第一，本书专论制药，与其他本草以主治功用为重点内容者大不相同，所以，《雷公炮炙论》是中国最早的制药专著。葛洪《肘后备急方》、刘涓子《刘涓子鬼遗方》仅在书中提到炮制；陶弘景对炮制虽有系统的总结，但未写成专著，仅附在《本草经集注》中。而本书总结了古代制药的经验，千余年来，都得到制药业的重视。后世的制药书，亦常以“雷公”或“炮炙”来命名。在我国药学界中，本书有深刻的影响，直到现代，制药业中仍尊雷公为炮制的始祖。所以本书是一部很重要的炮制专著。

第二，本书保存了古代很多制药史料，是研究我国中药炮制发展史的重要参考资料。

例如炙法，本书所讲的炙是将药材直接用火烤炙的一种方法，但今日所讲的炙是把药材与液体辅料共炒。

又如炮法，本书是将药材置煻灰中烧到爆裂为度，而今天把药材用武火急炒至爆裂呈焦黄色为炮。从上述 2 例可以反映出，中药炮制的概念是在不断衍变的。

第三，本书的研究，可以揭示后人托古之风的现象。有些制药方法，并非出于雷公，但是著书的人，硬要挂上雷公的名字。题名明·李中梓《雷公炮制药性解》，所引《雷公炮炙论》资料很少，亦署名雷公。据张心徵《伪书通考》云："……中梓著书有《伤寒括要》……五种，独无是书，因中梓有医名，故托之耳。"如此说来，《雷公炮制药性解》不仅非雷公著，也不是李中梓著。

又如明·缪希雍《炮炙大法》，开篇即有按雷公炮制法有十七：炮、爁、煿、炙、煨、炒、煅、炼、制、度、飞、伏、镑、摋、㬬、曝、露。其中爁、煿、煨、度、伏、镑、摋、露等法皆不见于《雷公炮炙论》条文中。例如，煨法在宋代局方才提到用面裹肉豆蔻煨，但《雷公炮炙论》中对肉豆蔻，用糯米粉以热汤搜裹之，于煻灰中加热至米团子焦黄熟称为"炮"。可见煨、爁、煿等法，不一定都是雷公创造的，但是著书人找不出创造者是谁，便统统称是雷公创造的，称为"雷公十七法"。

第四，本书参考文献很少，大部分都是炮制操作实录。参考文献仅见到《乾宁记》一种书，其余均是实验记载。所以本书是一部极有价值的实验记录文献。书中对于疑似药物的鉴别和制药时所用辅料的数据，都是宝贵的记录。例如，"自然铜"条云："若修事五两，以醋两镒为度。""紫草"条云："每修事紫草一斤，用蜡三两。""丹砂"条云："凡煅自然住火，五两朱砂，用甘草二两，紫背天葵一镒，五方草自然汁一镒。"对于疑似药鉴别，如"蓖麻子"条云："凡使，勿用黑天赤利子，缘在地蒌上生，是颗两头尖，有毒，药中不用。其蓖麻子形似巴豆，节节有黄黑斑点。"

由于历史条件限制，书中也存在一些迷信的东西。例如，云母"经妇人手把者，并不中用"。龙骨"妇人采得者不用"。丹砂"夫修事朱砂，先于一静室内焚香斋沐，然后取砂，以香水浴过了"再制。类似情况还有很多，这都是制药上的糟粕，应当批判对待。

八、《雷公炮炙论》辑校所用参考文献索引

编号	药名	见录的本草	《大观》卷-页	《政和》页次	《纲目》页次	《药性解》页次	《炮炙大法》页次	《指南》页次
1	丹砂	《本经》	3-1	79	625	3	9	13上
2	曾青	《本经》	3-26	91	668			
3	云母	《本经》	3-4	80	619		10	29下
4	石钟乳	《本经》	3-10	83	650	4	10	33下
5	消石	《本经》	3-15	85	696	6		
6	芒消	《别录》	3-16	86	693		11	23上
7	矾石	《本经》	3-12	84	706	5	11	
8	滑石	《本经》	3-22	88	643	7	11	15上
9	黄石脂	《别录》	3-32	94	647	9		15上
10	太一禹馀粮	《本经》	3-27	91	666	6		15上
11	水银	《本经》	4-14	107	628	2	13	35下
12	雄黄	《本经》	4-2	101	635	8	12	30上
13	雌黄	《本经》	4-13	104	638			30上
14	石硫黄	《本经》	4-10	103	702	13	13	20上
15	凝水石	《本经》	4-25	112	690			
16	石膏	《本经》	4-16	108	639	7	14	14下
17	磁石	《本经》	4-23	111	661	12	14 117	31下
18	铁	《本经》	1-30	41	608			
19	光明盐(圣石)	《唐本》	1-30	41 117	689			
20	密陀僧	《唐本》	4-29	113	604	3	9	35下
21	铅	《本经》	1-30	41				
22	骐骥竭	《唐本》	13-15	321	1373		51	25下
23	代赭	《本经》	5-15	129	663			15上
24	白垩	《本经》	5-21	132	576			
25	石灰	《本经》	5-21	123	576		15	
26	伏龙肝	《别录》	5-1	122	583		6	
27	硇砂	《唐本》	1-30	41				
28	梁上尘	《唐本》	5-28	134	588			
29	无名异	《开宝》	1-30	41				

续表

编号	药名	见录的本草	《大观》卷－页	《政和》页次	《纲目》页次	《药性解》页次	《炮炙大法》页次	《指南》页次
30	金银铜铁气	《开宝》	4－21	110	594			
31	砒霜	《开宝》	5－5	124	673			
32	自然铜	《开宝》	5－24	133	597	11		24 上
33	神砂	《炮炙论序》	1－30	41				
34	神锦	《炮炙论序》	1－30	41				
35	修天	《炮炙论序》	1－30	41				
36	石	《炮炙论序》	1－30	41				
37	天门冬	《本经》	6－20	147	1025	36	16	8 上
38	萎蕤	《别录》	6－41	154	734			3 下
39	黄精	《别录》	6－5	143	732	48		4 下
40	干地黄	《本经》	6－26	150	892	28	17	4 下
41	菖蒲	《本经》	6－8	144	1063	56	18	19 下
42	远志	《本经》	6－69	163	749	45	22	3 下
43	泽泻	《本经》	6－66	162	1060	39	21	28 上
44	薯蓣	《本经》	6－62	160	1223	26	21	9 上
45	甘草	《本经》	6－23	148	717	25	17	2 下
46	人参	《本经》	6－15	146	722	24	16	4 上
47	石斛	《本经》	6－76	165	1076	62	22	9 下
48	牛膝	《本经》	6－37	153	896	48	19	8 下
49	细辛	《本经》	6－74	164	788	38	22	16 下
50	独活	《本经》	6－52	158	773	33	20	18 上
51	升麻	《别录》	6－55	158	775	37	20	18 上
52	柴胡	《本经》	6－46	156	769	34	20	16 上
53	防葵	《本经》	6－43	155	947			
54	薏苡人	《本经》	6－63	160	1129	53	21	9 上
55	车前子	《本经》	6－56	159	918	50	21	10 上
56	木香	《本经》	6－59	160	805	81	21	8 下
57	龙胆	《本经》	6－72	164	785	41	22	19 上
58	菟丝子	《本经》	6－33	152	1002	54	19	6 下
59	巴戟天	《本经》	6－77	165	748	69	22	7 上
60	肉苁蓉	《本经》	7－16	179	737	50	24	3 下
61	蒺藜	《本经》	7－13	177	935	63	23	10 上

续表

编号	药名	见录的本草	《大观》卷 – 页	《政和》页次	《纲目》页次	《药性解》页次	《炮炙大法》页次	《指南》页次
62	络石	《本经》	7 – 11	177	1049			
63	黄连	《本经》	7 – 8	176	761	30	18	5 下
64	王不留行	《本经》	7 – 54	191	915	68	26	
65	蒲黄	《本经》	7 – 21	180	1066	49	24	
66	续断	《本经》	7 – 24	181	867	49	24	
67	云实	《本经》	7 – 52	191	955			
68	黄芪	《本经》	7 – 15	178	720	24	23	3 上
69	徐长卿	《本经》	7 – 50	190	789			
70	杜若	《本经》	7 – 46	189	808			
71	蛇床子	《本经》	7 – 40	186	798	71	25	
72	茵陈蒿	《本经》	7 – 45	188	851	74	25	
73	漏卢	《本经》	7 – 27	182	868		24	
74	茜根	《本经》	7 – 33	184	1040		25	28 上
75	飞廉	《本经》	7 – 34	184	868			
76	营实	《本经》	7 – 28	182	1017			
77	五味子	《本经》	7 – 36	185	1003	37	25	9 下
78	鬼督邮	《唐本》	7 – 54	191	789			
79	白花藤	《唐本》	7 – 54	191	1045			
80	当归	《本经》	8 – 15	199	794	25	27	4 下
81	秦艽	《本经》	8 – 30	204	768	45	28	16 上
82	芍药	《本经》	8 – 22	201	802	27	27	3 下
83	麻黄	《本经》	8 – 18	200	886	35	27	17 上
84	前胡	《别录》	8 – 53	210	771	35	20	7 上
85	知母	《本经》	8 – 34	205	736	29	28	11 下
86	贝母	《本经》	8 – 36	205	780	29	29	16 下
87	栝楼	《本经》	8 – 10	197	1018		27	19 下
88	玄参	《本经》	8 – 27	203	752	42	28	
89	苦参	《本经》	8 – 14	198	776	42	27	15 下
90	狗脊	《本经》	8 – 44	207	746	68	30	
91	萆薢	《本经》	1 – 30	41	1031			
92	瞿麦	《本经》	8 – 25	202	914		28	26 下
93	败酱	《本经》	8 – 54	210	910			

续表

编号	药名	见录的本草	《大观》卷－页	《政和》页次	《纲目》页次	《药性解》页次	《炮炙大法》页次	《指南》页次
94	白芷	《本经》	8－38	206	800	32	29	19 上
95	紫草	《本经》	8－50	209	756	65	30	
96	紫菀	《本经》	8－48	209	898	51	30	7 下
97	白薇	《本经》	8－66	213	789		31	25 下
98	枲耳实	《本经》	8－5	195	876	74	26	
99	女萎	《唐本》	8－69	214	1034			
100	淫羊藿	《本经》	8－28	206	750			
101	款冬花	《本经》	9－24	226	910		34	
102	牡丹	《本经》	9－26	227	804	53	34	3 下
103	防己	《本经》	9－14	223	1042	40		20 上
104	泽兰	《本经》	9－12	222	832	68	32	33 上
105	白前	《别录》	9－43	233	790	66	36	7 下
106	百部	《别录》	9－20	225	1027	51	34	9 下
107	恶实	《别录》	9－3	218	874	65	31	7 下
108	莎草	《别录》	9－48	235	822	35	36	11 上
109	海藻	《本经》	9－10	222	1072		32	
110	昆布	《别录》	9－13	223	1073		32	
111	蒟酱	《唐本》	9－32	229	815			
112	阿魏	《唐本》	9－17	224	1379		33	32 下
113	大黄	《本经》	10－15	247	941	30	37	14 上
114	桔梗	《本经》	10－20	249	730	31	38	7 上
115	甘遂	《本经》	10－33	254	951		39	
116	葶苈	《本经》	10－18	248	917	59		10 上
117	大戟	《本经》	10－39	256	949	58		
118	旋复花	《本经》	10－25	251	862	58	38	
119	钩吻	《本经》	10－27	252	998			
120	藜芦	《本经》	10－26	251	960			
121	附子	《本经》	10－1	242	962	56	36	5 上
122	天雄	《本经》	1－30	41				
123	侧子	《别录》	10－9	245	972	57		
124	射干	《本经》	10－28	253	986	58		17 上
125	半夏	《本经》	10－11	245	980	32	37	6 上

续表

编号	药名	见录的本草	《大观》卷-页	《政和》页次	《纲目》页次	《药性解》页次	《炮炙大法》页次	《指南》页次
126	莨菪子	《本经》	10-22	250	953			
127	蜀漆	《本经》	10-32	254	958			
128	常山	《本经》	10-30	253	958			
129	青葙子	《本经》	10-35	255	863	63		26 下
130	蛇含	《本经》	10-30	253	921			
131	草蒿	《本经》	10-23	250	852	68	38	22 下
132	虎杖	《别录》	13-46	333	933			
133	蒴藋	《别录》	11-10	266	925			
134	赤地利	《唐本》	11-43	278	1047			
135	赤车使者	《唐本》	11-57	284	836			
136	刘寄奴	《唐本》	11-31	274	860	76	41	
137	牵牛子	《别录》	11-7	264	1012	59	40	
138	蓖麻子	《唐本》	11-9	265	956		40	35 上
139	芦根	《别录》	11-23	271	882	71	40	
140	商陆	《本经》	11-3	263	944	59		
141	角蒿	《唐本》	11-25	272	855			
142	天麻	《开宝》	9-15	223	739			
143	萆拔	《开宝》	9-31	229	814	68		33 上
144	卢会	《开宝》	9-30	230	1380	67		
145	延胡	《开宝》	1-31	41　230	779			
146	补骨脂	《开宝》	9-37	231	817	46	35	7 上
147	肉豆蔻	《开宝》	9-36	231	816	55	35	8 下
148	蓬莪茂	《开宝》	9-41	232	820	44	35	10 下
149	毕澄茄	《开宝》	9-49	235	1321			
150	马兜铃	《开宝》	11-26	272	1010	52	41	17 上
151	仙茅	《开宝》	11-28	273	751	64	41	13 下
152	骨碎补	《开宝》	11-33	274	1076	47	41	19 下
153	杴毛	《炮炙论序》	1-30	41				
154	紫背	《炮炙论序》	1-30	41	905			
155	宗心	《炮炙论序》	1-30	41				
156	芹花	《炮炙论序》	1-30	41				
157	赤须	《炮炙论序》	1-30	41				

续表

编号	药名	见录的本草	《大观》卷－页	《政和》页次	《纲目》页次	《药性解》页次	《炮炙大法》页次	《指南》页次
158	茯苓	《本经》	12－17	296	1468	77	45	4 上
159	琥珀	《别录》	12－19	297	1471	78	45	12 上
160	柏实	《本经》	12－14	295	1349	79	44	27 上
161	柏叶	《本经》	12－14	295	1349		44	27 上
162	桂	《别录》	12－3	290	1355	80	43	17 下
163	杜仲	《本经》	12－36	305	1388	84	47	4 上
164	蔓荆实	《本经》	12－32	303	1458	83	47	18 上
165	桑上寄生	《本经》	12－35	304	1474		47	21 上
166	蕤核	《本经》	12－41	307	1442	96	48	
167	五加皮	《本经》	12－29	302	1450	94	47	
168	沉香	《别录》	12－43	308	1361	89	48	11 上
169	檗木	《本经》	12－24	300	1383	85	46	11 下
170	辛夷	《本经》	12－23	304	1361	95	47	9 上
171	酸枣人	《本经》	12－22	299	1440	87	46	4 上
172	槐实(花附)	《本经》	12－9	292	1398	81	44	17 下
173	楮实	《别录》	12－26	300	1433	94	46	
174	枸杞	《本经》	12－11	294	1453	86	44	6 下
175	橘柚	《本经》	23－5	462	1281	14	58	8 上
176	柑	《开宝》	1－30	41	1284			
177	橘花	《炮炙论序》	1－30	41				
178	厚朴	《本经》	13－24	324	1386	84	52	
179	猪苓	《本经》	13－33	328	1472	89	53	18 上
180	竹沥	《本经》	1－31	41	1476			
181	山茱萸	《本经》	13－29	327	1443	83	52	7 上
182	吴茱萸	《本经》	13－8	318	1322	82	50	
183	栀子	《本经》	13－14	320	1439	82	51	
184	槟榔	《别录》	13－11	319	1305	87	51	18 下
185	卫矛	《本经》	13－41	331	1448			
186	桑根白皮	《本经》	13－1	315	1429	85	49	8 上
187	巴豆	《本经》	14－1	339	1423	97	54	
188	蜀椒	《本经》	14－4	340	1316	101	54	33 上
189	莽草	《本经》	14－18	346	994			

续表

编号	药名	见录的本草	《大观》卷－页	《政和》页次	《纲目》页次	《药性解》页次	《炮炙大法》页次	《指南》页次
190	郁李人	《本经》	14－16	345	1445	93		18 上
191	雷丸	《本经》	14－21	347	1473	98	56	25 下
192	榉树皮	《别录》	14－25	348	1411			
193	白杨	《唐本》	14－23	348	1415			
194	皂荚	《本经》	14－6	341	1404	97	55	27 上
195	楝实	《本经》	14－13	344	1396		56	32 上
196	苏方木	《唐本》	14－24	348	1419	89	57	
197	诃梨勒	《唐本》	14－8	342	1409	93	55	27 下
198	卖子木	《唐本》	14－46	358	1464			
199	椿木根	《唐本》	14－15	344	1388	95	56	32 下
200	胡椒	《唐本》	14－27	349	1320		57	
201	橡实	《唐本》	14－30	351	1294			
202	无食子	《唐本》	14－19	346	1409			
203	枳椇	《唐本》	1－30	41	1313			
204	金樱子	《开宝》	12－50	310	1444		49	19 下
205	丁香	《开宝》	12－42	307	1363	88	48	
206	密蒙花	《开宝》	13－48	334	1463	95	54	
207	枳壳	《开宝》	13－20	323	1435	14	52	
208	五倍子	《开宝》	1－30	41　333	1511			
209	杴	《炮炙论序》	1－30	41				
210	龙骨	《本经》	16－1	368	1574	110	69	12 下
211	牛黄	《本经》	16－6	370	1754	112	70	12 上
212	射香	《本经》	16－4	369	1784	112	70	
213	发髲	《本经》	15－1	363	1812	107	67	
214	溺	《别录》	1－30	41				
215	酥	《别录》	1－30	41	1750			
216	熊脂	《本经》	16－7	371	1771	115		
217	阿胶	《本经》	16－11	372	1751	114	71	
218	醍醐	《唐本》	16－13	373	1751			
219	犀角	《本经》	17－17	383	1767	111	72	11 下
220	羚羊角	《本经》	17－15	382	1773	111	72	12 上
221	白马茎	《本经》	17－1	375	1743		71	

续表

编号	药名	见录的本草	《大观》卷－页	《政和》页次	《纲目》页次	《药性解》页次	《炮炙大法》页次	《指南》页次
222	狗胆	《本经》	1－30	41				
223	鹿茸	《本经》	17－4	377	1775	113	71	21 上
224	鹿角	《本经》	17－4	377	1776	113	71	21 下
225	鹿角胶	《本经》	17－4	377	1778	113	71	21 下
226	虎睛	《别录》	17－19	384	1761	110	73	12 下
227	象胆	《开宝》	1－30 16－8	41　371	1766			
228	腽肭脐	《开宝》	18－12	394	1798	115	74	22 上
229	猯髓	《炮炙论序》	1－30	41				
230	鸡子	《本经》	19－1	398	1667	109		34 下
231	雀苏	《别录》	19－9	401	1684	109		
232	燕	《本经》	1－30	41				
233	鸬鹚	《别录》	1－30	41				
234	鸾血	《炮炙论序》	1－30	41				
235	鹤粪	《炮炙论序》	1－30	41				
236	石蜜	《本经》	20－1	411	1502	117	75	
237	牡蛎	《本经》	20－6	412	1638	117	76	12 下
238	桑螵蛸	《本经》	20－11	415	1514		76	32 上
239	海蛤	《本经》	20－13	416	1643		77	22 下
240	石决明	《别录》	20－12	416	1642	118	77	15 下
241	鳣鱼	《别录》	1－30	41				
242	伏翼	《本经》	19－11	402	1687	110	75	
243	露蜂房	《本经》	21－2	424	1506		78	
244	白僵蚕	《本经》	21－14	430	1516	124	78	33 下
245	蛴螬	《本经》	21－10	428	1540			
246	鳖甲	《本经》	21－4	425	1630	119	79	13 上
247	乌贼鱼骨	《本经》	21－11	429	1615	127	78	22 下
248	虾蟆	《本经》	22－1	440	1559	122	79	24 下
249	雄鼠骨	《别录》	1－30	41　440	1799			
250	蜘蛛	《别录》	22－12	444	1530			
251	芫青	《别录》	22－29	454	1529			
252	斑猫	《本经》	22－29	454	1529	125	81	

续表

编号	药名	见录的本草	《大观》卷－页	《政和》页次	《纲目》页次	《药性解》页次	《炮炙大法》页次	《指南》页次
253	亭长	《别录》	22－29	454	1529			
254	赤头	《本经》	22－29	454	1529			
255	蛇蜕	《本经》	22－9	444	1582		80	
256	蜈蚣	《本经》	22－16	447	1562	123	80	34 上
257	马陆	《本经》	22－28	453	1563			
258	蚯蚓	《本经》	22－10	445	1564			
259	贝子	《本经》	22－20	449	1647			
260	甲香	《唐本》	22－33	456	1650			
261	珂	《唐本》	22－30	454	1649			
262	蛤蚧	《开宝》	22－15	447	1582		81	34 下
263	真珠	《开宝》	20－9	414	1641	118	76	36 上
264	白花蛇	《开宝》	22－22	450	1585	121	82	32 上
265	鲑	《开宝》	1－30	41	1315			
266	蝉花	《慎微》	21－9	428	1545			
267	豆蔻	《别录》	23－1	460	811	55	58	26 上
268	覆盆子	《别录》	23－13	465	1006	76	59	17 上
269	枇杷叶	《别录》	23－21	470	1287	17	60	10 下
270	木瓜	《别录》	23－17	468	1271	91	59	16 上
271	杏核人	《本经》	23－30	474	1250	15	61	7 下
272	桃核人	《本经》	23－25	472	1256	16	60	17 下
273	桃花	《别录》	23－25	472	1256	16	61	17 下
274	鬼髑髅	《别录》	23－25	472	1256	16	61	17 下
275	安石榴	《别录》	23－33	475	1279	18		31 下
276	瓜蒂	《本经》	27－6	503	1332		65	
277	瓜子	《别录》	27－6	503	1332			
278	白蘘荷	《别录》	28－10	514	885			
279	紫苏	《别录》	28－12	514	840		67	
280	香薷	《别录》	28－14	515	834			
281	马齿苋	《开宝》	29－2	519	1212		67	
282	胡葱	《开宝》	29－6	518	1178			30 下
283	醍醐菜	《慎微》	28－16	516	1221			
284	胡麻	《本经》	24－1	481	1101	22	62	29 上

续表

编号	药名	见录的本草	《大观》卷－页	《政和》页次	《纲目》页次	《药性解》页次	《炮炙大法》页次	《指南》页次
285	金锁天(灰藋)	《嘉祐》	24－8	485	1220			
286	麴	《嘉祐》	25－14	492	1155	20	64	14下
287	甑中箅	《炮炙论序》	1－30	41				
288	阴胶(甑垢)	《炮炙论序》	1－30	41	1498			

注：此处不确定具体古籍出处，遵作者原貌。

《濒湖炮炙法》辑校

（明）李时珍 撰
尚志钧 辑校

前　言

《濒湖炮炙法》是笔者汇集李时珍《本草纲目》药物“修治”专目而成的。《本草纲目》载药1892种，其中有330种药记有“修治”专日。“修治”专目综述了前代炮制经验。上自《名医别录》，下至明代，总计有50多家的炮制资料，皆被李时珍收录在“修治”专目中。所以，《本草纲目》中的“修治”专目，集中国药物炮制之大成。为了方便学习和研究，笔者将《本草纲目》药物“修治”专目汇集成册，名为《濒湖炮炙法》。

像这样的汇集，前代已有人做了。如清代康熙四十三年（1704）张叡（仲岩）从《本草纲目》“修治”专目中，选择常用药物124种，汇编成册，题名为《修事指南》。1928年世界书局石印该书时，改其名为《制药指南》；1931年上海万有书局铅印时改其名为《国医制药学》。该书所载各药炮制资料皆抄自《本草纲目》“修治”专目，但该书在序中对李时珍一字未提，竟署紫琅张仲岩著。这是不够好的，敬希读者明察。

张仲岩所集《本草纲目》“修治”专目资料，仅属部分内容。笔者现把《本草纲目》“修治”专目资料全部录出，定名为《濒湖炮炙法》，借以颂扬伟大医药学家李时珍对中药炮制的贡献。

在汇集本书时笔者采用了1977—1981年人民卫生出版社出版的校点本《本草纲目》作为底本，主要参考了1957年人民卫生出版社据1885年合肥张绍棠味古斋重校刊本影印的《本草纲目》（简称张绍棠本）、清光绪三十年（1904）武昌柯逢时影宋并重刊的《经史证类大观本草》（简称《大观》）、1957 年人民卫生出版社影印的《重修政和经史证类备用本草》（简称《政和》）、1957 年商务印书馆出版的寇宗奭《本草衍义》（简称"宗奭"）。

本书收录炮制药物 330 种，分为 5 卷。卷 1 是玉石类，收药 46 种；卷 2 是草类，收药 124 种；卷 3 是木类，收药 47 种；卷 4 是虫兽类（包括禽、鱼），收药 73 种；卷 5 是果菜米谷类，收药 40 种。笔者对每种药条文，均予校勘。凡与校本有出入处，均作校记，附于该药条文之下。

每种药物下所讲的炮制内容，均是汇集各家的炮制资料而成的，多则有数家之言，少则是一家之言。如"附子"条，由苏颂、陶弘景、雷敩、朱震亨等几家之言组合而成，"白僵蚕"条由陶弘景、苏恭、苏颂、寇宗奭、雷敩等几家之言组合而成，"白胶"条由《别录》、陶弘景、苏恭、孟诜、雷敩、李时珍、《卫生方》、《医通》等几家之言组合而成。有些药物下的炮制内容仅为一家之言，如败酱、款冬花、紫菀、瞿麦等药物下仅录雷敩一家的文字。

本书论述药物炮制方法，虽多综述前人的资料，但对李时珍本人的炮制经验也有收录。在 330 种药物中，"修治"专目下载有李时珍本人炮制经验或见解的，就有 144 种，其中有很多药（如木香、高良姜、茺蔚、枫香脂、樟脑等）下的炮制内容，都是对李时珍个人经验的记载，而非他人经验的综述。

对药物炮制，李时珍在方法上有所发展。例如，"独活"条，雷敩曰："采得细剉，以淫羊藿拌，裛二日，暴干去藿用，免烦人心。"李时珍认为此法不切实用，并认为"此乃服食家治法，寻常去皮或焙用尔"。又如"牵牛子"条，雷敩曰："凡采得子……临用舂去黑皮。"李时珍曰："今多只碾取头末，去皮麸不用。"

对前代有问题的炮制方法，李时珍都加以指正。例如，"砒石"条，雷敩曰："凡使用……入瓶再煅。"李时珍曰："医家皆言生砒经见火则毒甚，而雷氏治法用火煅，今所用多是飞炼者，盖皆欲求速效，不惜其毒也。"又如"大戟"条，雷敩曰："采得后，于槐砧上细剉，与海芋叶拌蒸，从巳至申，去芋叶，晒干用。"李时珍曰："海芋叶麻而有毒，恐不可用也。"

对药物炮制与药效的关系，李时珍阐述较详。例如，"甘草"条，李时珍曰："大抵补中宜炙用，泻火宜生用。""知母"条，李时珍曰："引经上行则用酒浸焙干，下行则用盐水润焙。""牛膝"条，李时珍曰："今惟以酒浸入药，欲下则生用，滋补则焙用，或酒拌蒸过用。"

李时珍对药物炮制与药物保管亦有研究。例如，“腽肭脐”条，李时珍曰：“以汉椒、樟脑同收，则不坏。”又如“当归”条，李时珍曰：“凡晒干乘热纸封瓮收之，不蛀。”有补养功效的药物，极易虫蛀，虫蛀多因虫卵落在药物上繁殖而生。晒得干热，可消灭虫卵，再用纸封，藏在瓮内可阻止虫卵重犯，即不蛀。这个方法很合乎科学道理。

对于前人药物炮制，李时珍重视实践，不轻信之。例如，“麋角”条，李时珍曰：“麋鹿茸角，今人罕能分别。陈自明以小者为鹿茸，大者为麋茸，亦臆见也。不若亲视其采取时为有准也。”

李时珍对药物炮制作用进行解释时，采用取类比象的方法。例如，“当归”条，雷敩曰：“若要破血，即使头一节硬实处。若要止痛止血，即用尾。若一并用，服食无效。”张元素曰：“头止血，尾破血，身和血，全用即一破一止也。”李时珍曰：“雷、张二氏所说头尾功效各异。凡物之根，身半已上，气脉上行，法乎天；身半已下，气脉下行，法乎地。人身法象天地，则治上当用头，治中当用身，治下当用尾，通治则全用。”

本书记载了50多家的有关药物炮制的论述，约涉及数十种炮制方法，所涉及的炮制方法有水制、火制、水火共制、加料制、制霜、制曲等法。其中大多数制法，例如半夏、天南星、胆南星等药物的炮制方法至今仍为炮制生产所沿用。

本书对保存古代炮制文献亦有重要意义。例如，“大黄”条引陈承曰：“大黄采时，皆以火石煿干货卖。”“甲香”条引《经验方》曰：“（甲香）以蜜、酒煮一日，浴过煿干用。”“大黄”条、“甲香”条都提到了煿法。按《集韵》云：“煿，同爆，火干也。”明·缪希雍《炮炙大法》卷首说“按雷公炮制法有十七：曰炮、曰爁、曰煿……”查《证类本草》唐慎微所引“雷公曰”的文字，皆无煿法。但《本草纲目》所引“承曰”“《经验方》曰”有煿法。则煿法似出于宋代陈承。

李时珍所引前人的炮制资料，多数可以查出。例如，所引“敩曰”之文，都可在《证类本草》中查出。但也有个别的条文，是查不出的。例如，“象胆”条有“敩曰：凡使，勿用杂胆。其象胆干了，上有青竹文斑光腻，其味微带甘。入药勿便和众药，须先捣成粉，乃和众药”。查《证类本草》卷16“象”条并无“雷公曰”，亦无此文。不知此条出自何处。

此外，李时珍援引前代炮制资料时，所标出处不统一。例如，援引《日华子本草》炮制资料，在鹿茸、蛤蚧、雄雀屎等药下注为“日华曰”，在苍术、辛夷、厚朴等药下注为“大明曰”。“日华”“大明”指同一本书。又如在马陆、络石等药下注为“雷曰”，在牵牛子、海藻、大戟、甘遂等药下注为“敩曰”。“雷”“敩”皆指《雷公炮炙论》。现一仍其旧，不加改动。

在药物名称上，李时珍有时用 2 个名字，如香蒲与蒲黄、薰陆香与乳香、虎掌与天南星、莎草与香附子。笔者在汇集成本书时，仅选一个通用的名字。如对于上述 4 个例子，就分别选用蒲黄、乳香、天南星、香附子。

总之，李时珍《本草纲目》“修治”专目，集中国药物炮制之大成，内容丰富，切合实用。只因这些“修治”专目分散在《本草纲目》全书中，检阅时很不方便，笔者从实用角度出发，为了方便中药炮制工作者查阅，特将《本草纲目》“修治”专目汇集成册。

由于本人学识水平所限，错误在所难免，敬希读者指正。

尚志钧

1983 年 4 月

编校说明

（一）本书为尚志钧先生辑注的本草古籍。本次整理以尚志钧先生已出版的《濒湖炮炙法》原书（以下简称“原书”）为基础书稿。

（二）原书有简化字，也有繁体字，本书统一使用简化字。本书在编辑加工时，主要依据国家语言文字工作委员会文字规范文件（《简化字总表》《异体字整理表》等）的规定，以及《汉语大字典》的相关释义，在不影响原义的情况下，将原书中的繁体字、异体字、通假字等改为现行规范字，但在以下情况中做变通或特别处理。

1. 将原书文字进行简化时，若简化后字义容易淆错或不明晰，则慎重直接简化。个别字词根据学界专家意见进行简化，如“禹餘粮”之“餘”只简化为“馀”而不作“余”。

2. 《异体字整理表》等书中归并不当或关系有歧见的异体字，本书不做简单归并。如《异体字整理表》将“剉”并入“锉”，但“剉”（本草古籍中的“剉”为中草药切制的方法）与“锉”使用的工具、加工的方式与结果都不相同，故不予归并。

3. 古书中的特有的、习惯的用词，不改为现代用词。如“花文”不改为“花纹”。

4. 尚志钧先生摘录古籍药名时为尊重古籍文字原貌，所写药名与现代规范药名不同的，本书不做改动。如“漏卢”“卮子”“毕澄茄”“胡卢巴”等。但在非古籍引文部分，仍用现行规范名称表述。

5. 原书凡涉及“炮炙”与“炮制”，除古籍书名中原作“炮炙”者，其他均据《现代汉语词典》改为“炮制”。

6. 摘录古籍原文的字词，在不影响阅读的情况下，为尊重古籍原貌，未做统一。如“曝干”与“暴干”。

（三）对于书稿中明显的错别字以及常识性错误，编辑加工时直接予以改正，不予出注。

（四）本书“角蒿”“人牙”“粪清”“人中黄”“爪甲”等药物条文经查皆不是李时珍《本草纲目》“[修治]”的内容，或为尚志钧先生进行总结或化裁，本书尊尚志钧先生文字原貌，不予改动。

（五）本书中“卷四虫兽类”经查阅资料，还包括鳞、介、禽、人部内容，鉴于编辑能力有限，修改卷名或重新分卷，恐会造成新的争议，尊尚志钧先生文字原貌，亦不予改动。

（六）为方便读者阅读，在描述古籍卷页时，均用阿拉伯数字表示。如“卷13”“卷28”等。

（七）为方便查找及统计，尊重并保留原书对古籍药物条文添加的编号。

在本书的编辑整理过程中，有幸得到了尚志钧先生弟子郑金生研究员以及国内多位中医文献学者、古籍出版专家的悉心指教。由于本书专业性强、体量较大，且出版时间紧促，编辑水平有限，疏漏谬误，恐所难免，欢迎广大读者批评指正，以期再版更正。

目 录

濒湖炮炙法卷一　玉石类 …… 199

1 白垩 …… 201

2 梁上尘 …… 201

3 银屑 …… 201

4 赤铜屑 …… 201

5 自然铜 …… 202

6 铅 …… 202

7 铅霜 …… 202

8 密陀僧 …… 202

9 铁华粉 …… 202

10 玉屑 …… 203

11 玉泉 …… 203

12 云母 …… 203

13 紫石英 …… 204

14 丹砂 …… 204

15 水银 …… 204

16 水银粉 …… 205

17 粉霜 …… 205

18 灵砂 …… 205

19 雄黄 …… 206
20 雌黄 …… 206
21 石膏 …… 207
22 滑石 …… 207
23 五色石脂 …… 207
24 炉甘石 …… 207
25 井泉石 …… 207
26 石钟乳 …… 207
27 阳起石 …… 208
28 慈石 …… 208
29 代赭石 …… 208
30 禹馀粮 …… 208
31 太一馀粮 …… 209
32 曾青 …… 209
33 砒石 …… 209
34 土黄 …… 209
35 礞石 …… 209
36 花乳石 …… 209
37 金牙石 …… 210
38 蛇黄 …… 210
39 食盐 …… 210
40 凝水石 …… 210
41 玄明粉 …… 210
42 消石 …… 211
43 硇砂 …… 211
44 石硫黄 …… 211
45 矾石 …… 212
46 风化消 …… 212
濒湖炮炙法卷二　草类 …… 213
47 甘草 …… 215
48 黄耆 …… 215
49 人参 …… 215
50 桔梗 …… 215

51 黄精 …… 216
52 萎蕤 …… 216
53 知母 …… 216
54 肉苁蓉 …… 216
55 赤箭 …… 217
56 苍术 …… 217
57 狗脊 …… 217
58 巴戟天 …… 217
59 远志 …… 217
60 淫羊藿 …… 218
61 仙茅 …… 218
62 玄参 …… 218
63 紫草 …… 218
64 黄连 …… 218
65 秦艽 …… 219
66 柴胡 …… 219
67 前胡 …… 219
68 独活 …… 219
69 升麻 …… 220
70 苦参 …… 220
71 贝母 …… 220
72 龙胆 …… 220
73 细辛 …… 220
74 鬼督邮 …… 221
75 徐长卿 …… 221
76 白微 …… 221
77 白前 …… 221
78 当归 …… 221
79 蛇床 …… 222
80 白芷 …… 222
81 芍药 …… 222
82 牡丹 …… 222
83 木香 …… 223

84 杜若 …… 223
85 高良姜 …… 223
86 豆蔻 …… 223
87 荜茇 …… 223
88 蒟酱 …… 223
89 肉豆蔻 …… 224
90 补骨脂 …… 224
91 蓬莪茂 …… 224
92 荆三棱 …… 224
93 香附子 …… 224
94 泽兰 …… 225
95 香薷 …… 225
96 赤车使者 …… 225
97 艾 …… 225
98 青蒿 …… 225
〔附〕 角蒿 …… 226
99 茺蔚 …… 226
100 刘寄奴草 …… 226
101 旋覆花 …… 226
102 青葙 …… 226
103 续断 …… 226
104 漏卢 …… 226
105 飞廉 …… 227
106 胡卢巴 …… 227
107 蠡实 …… 227
108 恶实 …… 227
109 枲耳 …… 227
110 蘘荷 …… 227
111 麻黄 …… 227
112 灯心草 …… 227
113 干地黄 …… 228
114 熟地黄 …… 228
115 牛膝 …… 228

116　紫菀 …………………………………………………………… 228
117　麦门冬 ………………………………………………………… 228
118　败酱 …………………………………………………………… 229
119　款冬花 ………………………………………………………… 229
120　瞿麦 …………………………………………………………… 229
121　王不留行 ……………………………………………………… 229
122　葶苈 …………………………………………………………… 229
123　车前 …………………………………………………………… 230
124　虎杖 …………………………………………………………… 230
125　蒺藜 …………………………………………………………… 230
126　大黄 …………………………………………………………… 230
127　商陆 …………………………………………………………… 230
128　防葵 …………………………………………………………… 230
129　大戟 …………………………………………………………… 231
130　甘遂 …………………………………………………………… 231
131　续随子 ………………………………………………………… 231
132　莨菪 …………………………………………………………… 231
133　云实 …………………………………………………………… 231
134　蓖麻子 ………………………………………………………… 231
135　常山 …………………………………………………………… 232
136　藜芦 …………………………………………………………… 232
137　附子 …………………………………………………………… 232
138　天雄 …………………………………………………………… 233
139　侧子 …………………………………………………………… 233
140　乌头 …………………………………………………………… 233
141　天南星 ………………………………………………………… 233
142　半夏 …………………………………………………………… 234
143　射干 …………………………………………………………… 234
144　芫花 …………………………………………………………… 234
145　莽草 …………………………………………………………… 235
146　菟丝子 ………………………………………………………… 235
147　五味子 ………………………………………………………… 235
148　覆盆子 ………………………………………………………… 235

149 马兜铃 …… 236
150 牵牛子 …… 236
151 栝楼 …… 236
152 天门冬 …… 236
153 百部 …… 236
154 何首乌 …… 237
155 女萎 …… 237
156 茜草 …… 237
157 防己 …… 237
158 赤地利 …… 238
159 络石 …… 238
160 泽泻 …… 238
161 菖蒲 …… 238
162 蒲黄 …… 238
163 水萍 …… 238
164 海藻 …… 238
165 昆布 …… 239
166 石斛 …… 239
167 骨碎补 …… 239
168 石韦 …… 239
169 卷柏 …… 239
170 马勃 …… 239
濒湖炮炙法卷三　木类 …… 241
171 柏实 …… 243
172 柏叶 …… 243
173 松脂 …… 243
174 辛夷 …… 244
175 沉香 …… 244
176 枫香脂 …… 244
177 乳香 …… 244
178 没药 …… 244
179 骐驎竭 …… 244
180 龙脑香 …… 244

181 樟脑 …… 245
182 檗木 …… 245
183 厚朴 …… 245
184 杜仲 …… 245
185 干漆 …… 245
186 椿樗 …… 246
187 楝实 …… 246
188 槐实 …… 246
189 槐花 …… 246
190 皂荚 …… 246
191 皂荚子 …… 246
192 无食子 …… 247
193 诃黎勒 …… 247
194 榉木皮 …… 247
195 白杨木皮 …… 247
196 苏方木 …… 247
197 巴豆 …… 247
198 大风子 …… 248
199 桑根白皮 …… 248
200 楮实 …… 248
201 枳实 …… 249
202 卮子 …… 249
203 蕤核 …… 249
204 山茱萸 …… 249
205 郁李 …… 249
206 卫矛 …… 250
207 枸杞 …… 250
208 牡荆沥 …… 250
209 蔓荆实 …… 250
210 密蒙花 …… 250
211 卖子木 …… 250
212 茯苓 …… 250
213 琥珀 …… 251

214 猪苓 …… 251
215 雷丸 …… 251
216 桑上寄生 …… 251
217 淡竹沥 …… 251
濒湖炮炙法卷四 虫兽类 …… 253
218 蜂蜜 …… 255
219 露蜂房 …… 255
220 五倍子 …… 255
221 桑螵蛸 …… 256
222 白僵蚕 …… 256
223 樗鸡 …… 256
224 斑蝥 …… 256
225 水蛭 …… 257
226 蛴螬 …… 257
227 蝉蜕 …… 257
228 蜣螂 …… 257
229 蜚虻 …… 258
230 蟾蜍 …… 258
231 蟾酥 …… 258
232 蛤蟆 …… 258
233 蜈蚣 …… 259
234 马陆 …… 259
235 蚯蚓 …… 259
236 龙骨 …… 259
237 龙齿 …… 259
238 鼍甲 …… 259
239 鲮鲤甲 …… 260
240 石龙子 …… 260
241 蛤蚧 …… 260
242 蛇蜕 …… 260
243 白花蛇 …… 260
244 乌贼鱼骨 …… 261
245 龟甲 …… 261

246 秦龟甲 …… 261
247 绿毛龟 …… 261
248 鳖甲 …… 261
249 蟹 …… 262
250 牡蛎 …… 262
251 真珠 …… 262
252 海蛤 …… 263
253 石决明 …… 263
254 蛤粉 …… 263
255 魁蛤 …… 263
256 贝子 …… 263
257 珂 …… 264
258 甲香 …… 264
259 人牙 …… 264
260 粪清 …… 265
261 人中黄 …… 265
262 爪甲 …… 265
263 乱发 …… 265
264 天灵盖 …… 265
265 人胞 …… 266
266 胞衣水 …… 266
267 猪脂 …… 266
268 白马阴茎 …… 266
269 阿胶 …… 266
270 牛黄 …… 267
271 虎骨 …… 267
272 虎睛 …… 267
273 象胆 …… 267
274 犀角 …… 268
275 熊脂 …… 268
276 熊掌 …… 268
277 羚羊角 …… 268
278 鹿茸 …… 268

279　鹿角 ………………………………………………………… 269
280　白胶 ………………………………………………………… 269
281　麋角 ………………………………………………………… 270
282　麝香 ………………………………………………………… 270
283　猫屎 ………………………………………………………… 270
284　膃肭脐 ……………………………………………………… 271
285　猬皮 ………………………………………………………… 271
286　雄雀屎 ……………………………………………………… 271
287　伏翼 ………………………………………………………… 271
288　天鼠屎 ……………………………………………………… 271
289　五灵脂 ……………………………………………………… 271
290　鸱头 ………………………………………………………… 272
濒湖炮炙法卷五　果菜米谷类 ……………………………… 273
291　山楂 ………………………………………………………… 275
292　白柿 ………………………………………………………… 275
293　醂柿 ………………………………………………………… 275
294　柿糕 ………………………………………………………… 275
295　酸榴皮 ……………………………………………………… 275
296　黄橘皮 ……………………………………………………… 276
297　青橘皮 ……………………………………………………… 276
298　橘核 ………………………………………………………… 276
299　薯蓣 ………………………………………………………… 276
300　李根皮 ……………………………………………………… 277
301　杏仁 ………………………………………………………… 277
302　乌梅 ………………………………………………………… 277
303　桃核仁 ……………………………………………………… 277
304　桃花 ………………………………………………………… 278
305　桃茎及白皮 ………………………………………………… 278
306　桃胶 ………………………………………………………… 278
307　木瓜 ………………………………………………………… 278
308　枇杷叶 ……………………………………………………… 278
309　橡实 ………………………………………………………… 278
310　橡斗壳 ……………………………………………………… 279

311 槲若 …… 279
312 槟榔 …… 279
313 大腹皮 …… 279
314 椰子皮 …… 279
315 蜀椒 …… 279
316 毕澄茄 …… 280
317 吴茱萸 …… 280
318 甜瓜子仁 …… 280
319 甜瓜蒂 …… 280
320 莲实 …… 280
321 荷叶 …… 281
322 芡实 …… 281
323 韭子 …… 281
324 胡葱 …… 282
325 灰藋 …… 282
326 胡麻 …… 282
327 大麻仁 …… 282
328 薏苡仁 …… 282
329 罂粟壳 …… 283
330 白扁豆 …… 283

濒湖炮炙法卷一　玉石类

1 白垩

〔敩曰〕凡使，勿用色青并底白者，捣筛末，以盐汤飞过，曝干用，则免结涩人肠也。每垩二两，用盐一分。〔大明曰〕入药烧用。不入汤饮。

2 梁上尘

〔敩曰〕凡梁上尘，须去烟火大远，高堂殿上者，拂下，筛净末用。〔时珍曰〕凡用倒挂尘，烧令烟尽，筛取末入药。雷氏所说，似是梁上灰尘，今人不见用。

3 银屑

〔弘景曰〕医方镇心丸用之，不可正服。为屑，当以水银研令消也。〔恭曰〕方家用银屑，取见成银箔，以水银消之为泥，合消石及盐研为粉，烧出水银，淘去盐石，为粉极细，用之乃佳，不得只[1]磨取屑耳。〔时珍曰〕入药只用银箔易细，若用水银盐消制者，反有毒矣。《龙木论》谓之银液。又有锡箔可伪，宜辨之。

【校注】

[1] **只** 《政和》卷4“银屑”条作“已”。

4 赤铜屑

〔时珍曰〕即打铜落下屑也。或以红铜火煅水淬，亦自落下。以水淘净，用好酒入沙锅内炒见火星，取研末用。

5　自然铜

〔敩曰〕采得石髓铅捶碎，同甘草汤煮一[1]伏时，至明漉出，摊令干，入臼中捣了，重筛过，以醋浸一宿，至明，用六一泥[2]泥瓷盒子，盛二升，文武火中养三日夜，才干用盖盖了，火煅两伏时，去土研如粉用。凡修事五两，以醋两镒为度。〔时珍曰〕今人只以火煅醋淬七次，研细水飞过用。

【校注】

[1] **一**　原作“二”，今据《大观》、《政和》卷5“自然铜”条改。

[2] **泥**　原作“混”，今据《大观》、《政和》卷5“自然铜”条改。

6　铅

〔时珍曰〕凡用，以铁铫熔化泻瓦上，滤去渣脚，如此数次收用。其黑锡灰，则以铅沙取黑灰。白锡灰，不入药。

7　铅霜

〔颂曰〕铅霜，用铅杂水银十五分之一合炼作片，置醋瓮中密封，经久成霜。〔时珍曰〕以铅打成钱，穿成串，瓦盆盛生醋，以串横盆中，离醋三寸，仍以瓦盆覆之，置阴处，候生霜刷下，仍合住。

8　密陀僧

〔敩曰〕凡使，捣细，安瓷锅中，重纸袋盛柳蛀末焙之，次下东流水浸满，火煮一伏时，去柳末、纸袋，取用。

9　铁华粉

〔志曰〕作铁华粉法：取钢煅作叶，如笏或团，平面磨错，令光净，以盐水洒之，于醋瓮中，阴处埋之，一百日铁上衣生，即成粉矣。刮取细捣筛，入乳钵研如面，和合诸药为丸散，此铁之精华，功用强于铁粉也。〔大明曰〕悬于酱瓿上生霜者，名铁胤粉。淘去粗滓咸味，烘干用。

10 玉屑

〔弘景曰〕玉屑是以玉为屑，非别一物也。仙经服瑴玉，有捣如米粒，乃以苦酒辈，消令如泥，亦有合为浆者。凡服玉皆不得用已成器物，及冢中玉璞。〔恭曰〕饵玉当以消作水者为佳。屑如麻豆服者，取其精润脏腑，滓秽当完出也。又为粉服者，即使人淋壅。屑如麻豆，其义殊深。化水法，在淮南三十六水法中。

11 玉泉

〔青霞子曰〕作玉浆法：玉屑一升，地榆草一升，稻米一升，取白露二升，铜器中煮，米熟绞汁，玉屑化为水，以药纳入，所谓神仙玉浆也。〔藏器曰〕以玉投[1]朱草汁，化成醴。朱草，瑞草也。术家取蟾蜍膏软玉如泥，以苦酒消之成水。

【校注】

〔1〕投　原作“杀”，今据《大观》、《政和》卷3“玉膏”条改。

12 云母

〔敩曰〕凡使，黄黑者厚而顽，赤色者，经妇人手把者，并不中用。须要光莹如冰[1]色者为上。每一斤，用小地胆草、紫背天葵、生甘草、地黄汁各一镒，干者细剉，湿者取汁了，于瓷锅中安置，下天池水三镒，着火煮七日夜，水火勿令失度，云母自然成碧玉浆在埚底，却以天池水猛投其中，搅之，浮如蜗涎者即去之。如此三度淘净，取沉香一两捣作末，以天池水煎沉香汤三[2]升以来[3]，分为三度，再淘云母浆了，日晒任用。〔抱朴子曰〕服五云之法：或以桂葱水玉化之为水，或以露于铁器中，以玄[4]水熬之为水，或以消石合于筒中埋之为水，或以蜜溲为酪，或以秋露渍之百日，韦囊挻[5]以为粉，或以无颠草樗血合饵之。服至一年百病除，三年反老成童，五年役使鬼神。〔胡演曰〕炼粉法：八九月间取云母，以矾石拌匀，入瓦罐内封口，三伏时则自柔软，去矾，次日取百草头上露水渍之，百日，韦囊挻以为粉。〔时珍曰〕道书言盐汤煮云母可为粉。又云：云母一斤，盐一斗渍之，铜器中蒸一日，臼中捣成粉。又云：云母一斤，白盐一升，同捣细，入重布袋挼之，沃令盐味尽，悬高处风吹，自然成粉。

【校注】

[1] **冰** 原作"水"，今据《政和》卷3"云母"条改。

[2] **三** 原作"二"，据改同上。

[3] **来** 原作"末"，据改同上。

[4] **玄** 原作"原"，今据《抱朴子·内篇》卷11改。《政和》卷3"云母"条"玄"作"元"。

[5] **挻** 原作"挺"，今据《抱朴子·内篇》卷11及《政和》卷3"云母"条改，与《千金要方》卷27"饵云母水方"中的"鹿皮为囊揉挻之"文合。

13 紫石英

〔时珍曰〕凡入丸散，用火煅醋淬七次，碾末水飞过，晒干入药。

14 丹砂

〔敩曰〕凡修事朱砂，静室焚香斋沐后，取砂以香水浴过，拭干，碎捣之，钵中更研三伏时。取一瓷锅子，每朱砂五[1]两，用[2]甘草二两，紫背天葵一镒，五方草一镒，著砂上下[3]，以东流水煮三伏时，勿令水火[4]阙。去药，以东流水淘净干晒[5]，又研如粉。用小瓷瓶入青芝草、山须草半两盖之，下十斤火煅，从巳至子[6]方歇，候冷取出，细研用。如要服，则以熬蜜丸细麻子大，空腹服一丸。〔时珍曰〕今法惟取好砂研末，以流水飞三次用。其末砂多杂石末、铁屑，不堪入药。又法：以绢袋盛砂，用荞麦灰淋汁，煮三伏时取出，流水浸洗过，研粉飞晒用。又丹砂以石胆、消石和埋土中，可化为水。

【校注】

[1] **五** 原作"一"，今据《政和》卷3"丹砂"条改。

[2] **用** 原作"同"，据改同上。

[3] **下** 原脱，今据《政和》卷3"丹砂"条补。

[4] **火** 据改同上。

[5] **晒** 原作"熬"，今据《政和》卷3"丹砂"条改。

[6] **子** 原作"午"，据改同上。

15 水银

〔敩曰〕凡使，勿用草汞并旧朱漆中者，经别药制过者，在尸中过者，半生半死者。其朱砂中水银色微红，收得后用葫芦贮之，免遗失。若先以紫背天葵并夜交藤自然汁二味同煮一伏时，其毒自退。若修十两，二汁各[1]七镒。

【校注】

[1] **各** 原作“合”，今据《政和》卷4“水银”条改。

16　水银粉

〔时珍曰〕升炼轻粉法：用水银一两，白矾二两，食盐一两，同研不见星，铺于铁器内，以小乌盆覆之。筛灶灰，盐水和，封固盆口。以炭打二炷香取开，则粉升于盆上矣。其白如雪，轻盈可爱。一两汞，可升粉八钱。又法：水银一两，皂矾七钱，白盐五钱，同研，如上升炼。又法：先以皂矾四两，盐一两，焰消五钱，共炒黄为曲。水银一两，又曲二两，白矾二钱，研匀，如上升炼。《海客论》云：诸矾不与水银相合，而绿矾和盐能制水银成粉，何也？盖水银者金之魂魄，绿矾者铁之精华，二气同根，是以暂制成粉。无盐则色不白。

17　粉霜

〔时珍曰〕升炼法：用真汞粉一两，入瓦罐内令匀。以灯盏仰盖罐口，盐泥涂缝。先以小炭火铺罐底四围，以水湿纸不住手在灯盏内擦，勿令间断。逐渐加火，至罐颈住火。冷定取出，即成霜如白蜡。按《外台秘要》载古方崔氏造水银霜法云：用水银十两，石硫黄十两，各以一铛熬之。良久银热黄消，急倾入一铛，少缓即不相入，仍急搅之。良久硫成灰，银不见，乃下伏龙肝末十两，盐末一两，搅之。别以盐末铺铛底一分，入药在上，又以盐末盖面一分，以瓦盆覆之，盐土和泥涂缝，炭火煅一伏时，先文后武，开盆刷下，凡一转。后分旧土为四分，以一分和霜，入盐末二两，如前法飞之讫。又以土一分，盐末二两，和飞如前，凡四转。土尽更用新土，如此七转，乃成霜用之。此法后人罕知，故附于此云。

18　灵砂

〔慎微曰〕灵砂，用水银一两，硫黄六铢，细研炒作青砂头，后入水火既济炉，抽之如束针纹者，成就也。〔时珍曰〕按胡演《丹药秘诀》云：升灵砂法，用新锅安逍遥炉上，蜜揩锅底，文火下烧，入硫黄二两熔化，投水银半斤，以铁匙急搅，作青砂头。如有焰起，喷醋解之。待汞不见星，取出细研，盛入水火鼎内，盐泥固济，下以自然火升之，干水十二盏为度，取出如束针纹者，成矣。《庚辛玉册》云：灵砂者，至神之物也。硫汞制而成形，谓之丹基。夺天地造化之功，窃阴阳不测之妙。可以变化五行，炼成九还。其未升鼎者，谓之青金丹头；已升鼎者，乃曰灵砂。灵砂有三：以一伏时周天火而成者，谓之金鼎灵砂；以九度抽添用周天火而成者，谓之九转灵砂；以地数三十日炒炼而成者，谓之医家老火灵砂。并宜桑灰淋醋煮伏过用，乃良。

19 雄黄

〔敩曰〕每雄黄三两，以甘草、紫背天葵、地胆、碧棱花各五两，细剉，东流水入坩埚中，煮三伏时，漉出，捣如粉，水飞澄去黑者，晒干再研用。其内有劫铁石，又号赴矢黄，能劫于铁，并不入药用。〔思邈曰〕凡服食用武都雄黄，须油煎九日九夜，乃可入药；不尔有毒，慎勿生用。〔时珍曰〕一法：用米醋入萝卜汁煮干用良。〔抱朴子曰〕饵法：或以蒸煮，或以消石化为水，或以猪脂裹蒸之于赤土下，或以松脂和之，或以三物炼之。引之[1]如布，白如冰[2]。服之令人长生，除百病，杀三虫。伏火者，可点铜成金，变银成金。

【校注】

[1] **引之** 原脱，今据《抱朴子·内篇》卷11“仙药篇”及《政和》卷4“雄黄”条补。

[2] **冰** 原作“水”，今据《抱朴子·内篇》卷11“仙药篇”及《政和》卷4“雄黄”条改。

20 雌黄

〔敩曰〕凡修事，勿令妇人、鸡、犬、新犯淫人、有患人、不男人、非形人，及曾是刑狱臭秽之地，犯之则雌黄黑如铁色，不堪用也，反损人寿。每四两，用天碧枝、和阳草、粟遂子草各五两，入瓷锅中煮三伏时，其色如金汁，一垛在锅底下。用东流水猛投于中，如此淘三度，去水拭干，臼中捣筛，研如尘用。又曰：雌得芹花，立便成庾[1]。芹花一名立起草，形如芍药，煮雌能住火也。

【校注】

[1] **庾** 《政和》卷1作“庚”。

21 石膏

〔敩曰〕凡使，石臼中捣成粉，罗过，生甘草水飞过，澄晒筛研用。〔时珍曰〕古法惟打碎如豆大，绢包入汤煮之。近人因其性寒，火煅过用，或糖拌炒过，则不妨脾胃。

22 滑石

〔敩曰〕凡用白滑石，先以刀刮净研粉，以牡丹皮同煮一伏时。去牡丹皮，取滑石，以东流水淘过，晒干用。

23 五色石脂

〔敩曰〕凡使赤脂，研如粉，新汲水飞过三度，晒干用。〔时珍曰〕亦有火煅水飞者。

24 炉甘石

〔时珍曰〕凡用炉甘石，以炭火煅红，童子小便淬七次，水洗净，研粉，水飞过，晒用。

25 井泉石

〔禹锡曰〕凡用，细研水飞过。不尔，令人淋。

26 石钟乳

〔敩曰〕凡使，勿用头粗厚并尾大者，为孔公石，不用。色黑及经大火惊过，并久在地上收者，曾经药物制者，并不得用。须要鲜明、薄而有光润者，似鹅翎筒子为上，有长五六寸者。凡修事法：钟乳八两，用沉香、零陵香、藿香、甘松、白茅各一两，水煮过，再煮汁，方用煮乳，一伏时漉出。以甘草、紫背天葵各二两同煮，漉出拭干，缓火焙之，入臼杵粉，筛过入钵中，令有力少壮者二三人不住研，三日三夜勿歇。然后以水飞澄，过绢笼，于日中晒干，入钵再研二万遍，乃以瓷盒收之。〔慎微曰〕《太清经》炼钟乳法：取好细末置金银器中，瓦一片密盖，勿令泄气，蒸之，自然化作水也。李补阙炼乳法见后。

27 阳起石

〔大明曰〕凡入药烧后水煅[1]用之，凝白者佳。〔时珍曰〕凡用，火中煅赤，酒淬七次，研细水飞过，日干。亦有用烧酒浸过，同樟脑入罐升炼，取粉用者。

【校注】

[1] **煅** 《大观》、《政和》卷4“阳起石”条俱与此同，疑当作“淬”。

28 慈[1]石

〔敩曰〕凡修事一斤，用五花皮一镒，地榆一镒，故[2]绵十五两，三[3]件并剉。于石上捶，碎作二三十块。将石入瓷瓶中，下草药，以东流水煮三日夜，漉出拭干，布裹再捶细，乃碾如尘，水飞过再碾用。〔宗奭曰〕入药须火烧醋淬，研末水飞。或醋煮三日夜。

【校注】

[1] **慈** 《大观》、《政和》卷4俱作“磁”，今通用。

[2] **故** 原作“取”，今据《政和》卷4“磁石”条改。

[3] **三** 原作“二”，据改同上。

29 代赭石

〔敩曰〕凡使，研细，以腊水重重飞过，水面上有赤色如薄云者去之。乃用细茶脚汤煮一伏时，取出又研一万匝。以净铁铛烧赤，下白蜜蜡一两，待化投新汲水冲之，再煮一二十沸，取出晒干用。〔时珍曰〕今人惟煅赤以醋淬三次或七次，研，水飞过用，取其相制，并为肝经血分引用也。《相感志》云：代赭以酒醋煮之，插铁钉于内，扇之成汁。

30 禹馀粮

〔弘景曰〕凡用，细研水洮，取汁澄之，勿令有沙土也。〔敩曰〕见太一下。

31 太一馀粮

〔敩曰〕凡修事，用黑豆五合，黄精五合，水二斗，煮取五升，置瓷锅中，下馀粮四两煮之，旋添，汁尽为度，其药气自然香如新米，捣了，又研一万杵，方用。

32 曾青

〔敩曰〕凡使，勿用夹石及铜青。每一两要紫背天葵、甘草、青芝草三件，干湿各一镒，细剉，放瓷锅内，安青于中，东流水二镒，缓缓煮之，五昼夜，勿令水火失时。取出以东流水浴过，研乳如粉用。

33 砒石

〔敩曰〕凡使用，以小瓷瓶盛，后入紫背天葵、石龙芮二味，火煅，从巳至申，便用甘草[1]水浸，从申至子，出拭干，入瓶再煅，别研三万下用。〔时珍曰〕医家皆言生砒轻见火则毒甚，而雷氏治法用火煅，今所用多是飞炼者，盖皆欲求速效，不惜其毒也，曷若用生者为愈乎？

【校注】

［1］草　原作“从”，今据《大观》、《政和》卷5“砒霜”条改，与《本草纲目》本条“主治”项文字合。

34 土黄

〔时珍曰〕用砒石二两，木鳖子仁、巴豆仁各半两，硇砂二钱，为末，用木鳖子油、石脑油和成一块，油裹，埋土坑内，四十九日取出，劈作小块，瓷器收用。

35 礞石

〔时珍曰〕用大坩埚一个，以礞石四两打碎，入消石四两拌匀。炭火十五斤簇定，煅至消尽，其石色如金为度。取出研末，水飞去消毒，晒干用。

36 花乳石

〔时珍曰〕凡入丸散，以罐固济，顶火煅过，出火毒，研细水飞晒干用。

37 金牙石

〔大明曰〕入药烧赤[1]，去粗[2]乃用。

【校注】

[1] **赤** 《政和》卷5“金牙”条作“淬”。

[2] **粗** 《政和》卷5“金牙”条此字下有“汁”。

38 蛇黄

〔大明曰〕入药烧赤醋淬三四次，研末水飞用。

39 食盐

〔时珍曰〕凡盐，人多以矾、消、灰、石之类杂之，入药须以水化，澄去脚滓，煎炼白色，乃良。

40 凝水石

〔敩曰〕凡使，须用生姜自然汁煮干研粉用。每十两，用生姜[1]一镒[2]也。

【校注】

[1] **生姜** 《政和》卷4“凝水石”条作“姜汁”。

[2] **镒** 原作“溢”，今据《政和》卷4“凝水石”条改。

41 玄明粉

〔时珍曰〕制法：用白净朴消十斤，长流水一石，煎化去滓，星月下露一夜，去水取消。每一斗，用萝卜一斤切片，同煮熟滤净，再露一夜取出。每消一斤，用甘草一两，同煎去滓，再露一夜取出。以大沙罐一个，筑实盛之，盐泥固济厚半寸，不盖口，置炉中，以炭火十斤，从文至武煅之。待沸定，以瓦一片盖口，仍前固济，再以十五斤顶火煅之。放冷一伏时，取出，隔纸安地上，盆覆三日出火毒，研末。每一斤，入生甘草末一两，炙甘草末一两，和匀，瓶收用。

42 消石

〔大明曰〕真消石，柳枝汤煎三周时，如汤少，即加热者，伏火即止。〔敩曰〕凡使消石，先研如粉，用鸡肠菜、柏子仁共二[1]十五个，和作一处，丸如小帝珠子，以瓷瓶子于五斤火中煅赤，投消石四两于瓶内，连投药丸入瓶，自然伏火也。〔抱朴子曰〕能消柔五金，化七十二石为水。制之须用地莲子、猪牙皂角、苦参、南星、巴豆、汉防己、晚蚕砂。〔时珍曰〕熔化，投甘草入内，即伏火。

【校注】

[1] **二** 《大观》、《政和》卷3“消石”条无。

43 硇砂

〔宗奭曰〕凡用，须水飞过，去尘秽，入瓷器中，重汤煮干，则杀其毒。〔时珍曰〕今时人多用水飞净，醋煮干如霜，刮下用之。

44 石硫黄

〔敩曰〕凡使，勿用青赤色及半白半青、半赤半黑者。自有黄色，内莹净似物命者，贵也。凡用四两。先以龙尾蒿自然汁一镒，东流水三镒，紫背天葵汁一镒，粟逐[1]子茎汁一镒[2]，四件合之搅令匀。一[3]坩埚[4]，用六乙泥固济底下，将硫黄碎之，入锅中，以前汁旋旋添入，火煮汁尽为度。再以百部末十两，柳蚛末二斤，一簇草二斤，细剉，以东流水同硫黄煮二伏时。取出，去诸药，用熟甘草汤洗了，入钵研二万匝用。〔时珍曰〕凡用硫黄，入丸散用，须以萝卜剜空，入硫在内，合定，稻糠火煨熟，去其臭气；以紫背浮萍同煮过，消其火毒；以皂荚汤淘之，去其黑浆。一法：打碎，以绢袋盛，用无灰酒煮三伏时用。又消石能化硫为水，以竹筒盛硫埋马粪中一月亦成水，名硫黄液。

【校注】

[1] **逐** 《大观》、《政和》卷4“石硫黄”条俱作“遂”。

[2] **一镒** 原脱，《大观》亦脱，今据《政和》卷4“石硫黄”条补。

[3] **一** 原作“入”，今据《大观》、《政和》卷4“石硫黄”条改。

[4] **埚** 此下原有“内”字，今据《大观》、《政和》卷4“石硫黄”条删。

45 矾石

〔敩曰〕凡使白矾石，以瓷瓶盛，于火中煅令内外通赤，用钳揭起盖，旋安石蜂巢入内烧之。每十两用巢六两，烧尽为度。取出放冷，研粉，以纸裹，安五寸深土坑中一宿，取用。又法：取光明如水晶，酸、咸、涩味全者，研粉。以瓷瓶用六一泥泥之，待干，入粉三升在内，旋旋入五方草、紫背天葵各自然[1]汁一镒，下火逼令药[2]汁干，盖了瓶口，更泥上下，用火一百斤煅之。从巳至未，去火取出，其色如银，研如轻粉用之。〔时珍曰〕今人但煅干汁用，谓之枯矾，不煅者为生矾。若入服食，须循法度。按《九鼎神丹秘诀》炼矾石入服食法：用新桑合槃一具。于密室净扫，以火烧地令热，洒水于上，或洒苦酒于上，乃布白矾于地上，以槃覆之，四面以灰拥定。一日夜，其石精皆飞于槃上，扫取收之。未尽者，更如前法，数遍乃止，此为矾精。若欲作水，即以扫下矾精一斤，纳三年苦酒一斗中清之，号曰矾华，百日弥佳。若急用之，七日亦可。

【校注】

［1］**自然** 原缺，今据《政和》卷3“矾石”条补。

［2］**下火逼令药** 原作“待”，今据《政和》卷3“矾石”条改。

46 风化消

〔时珍曰〕以芒消于风日中消尽水气，自成轻飘白粉也。或以瓷瓶盛，挂檐下，待消渗出瓶外，刮下收之。别有甜瓜盛消渗出刮收者，或黄牯牛胆收消刮取，皆非甜消也。

濒湖炮炙法卷二一　草类

47 甘草

〔雷敩曰〕凡使，须去头尾尖处，其头尾吐人。每用切长三寸，擘作六七片，入瓷器中盛，用酒浸蒸，从巳至午，取出暴干剉细用。一法：每斤用酥七两涂炙，酥尽为度。又法：先炮令内外赤黄用。〔时珍曰〕方书炙甘草皆用长流水蘸湿炙之，至熟刮去赤皮，或用浆水炙熟，未有酥炙、酒蒸者。大抵补中宜炙用，泻火宜生用。

48 黄耆

〔敩曰〕凡使，勿用木耆草，真相似，只是生时叶短并根横也。须去头上皱皮，蒸半日，擘细，于槐砧上剉用。〔时珍曰〕今人但捶扁，以蜜水涂炙数次，以熟为度。亦有以盐汤润透，器盛，于汤瓶蒸熟切用者。

49 人参

〔弘景曰〕人参易蛀蚛，唯纳新器中密封，可经年不坏。〔炳曰〕人参频见风日则易蛀，惟用盛过麻油瓦罐，泡净焙干，入华阴细辛与参相间收之，密封，可留经年。一法：用淋过灶灰晒干罐收亦可。〔李言闻曰〕人参生时背阳，故不喜见风日。凡生用宜㕮咀，熟用宜隔纸焙之，或醇酒润透㕮咀焙熟用，并忌铁器。

50 桔梗

〔敩曰〕凡使，勿用木梗，真似桔梗，只是咬之腥涩不堪。凡用桔梗，须去头上尖硬二三分已来，并两畔附枝。于槐[1]砧上细剉，用生百合捣膏，投水中浸一伏时滤出，缓火熬令干用。每桔梗四两，用百合二两五钱[2]。〔时珍曰〕今但刮去浮皮，米泔水浸一夜，切片微炒用。

【校注】

[1] **槐** 原作“块”，今据《大观》、《政和》卷10“桔梗”条改。

[2] **二两五钱** 《大观》、《政和》卷10“桔梗”条俱作“五分”。古二钱半为一分，五分即一两二钱半，此正加倍。

51 黄精

〔敩曰〕凡采得，以溪水洗净蒸之，从巳至子，薄切暴干用。〔颂曰〕羊公服黄精法：二月、三月采根，入地八九寸为上。细切一石，以水二石五斗，煮去苦味，漉出，囊中压取汁，澄清再煎，如膏乃止。以炒黑黄豆末，相和得所，捏作饼子，如钱大。初服二枚，日益之。亦可焙干筛末，水服。〔诜曰〕饵黄精法：取瓮子去底，釜内安置得所，入黄精令满，密盖，蒸至气溜，即暴之。如此九蒸九暴。若生则刺人咽喉。若服生者，初时只可一寸半，渐渐增之，十日不食，服止三尺五寸。三百日后，尽见鬼神，久必升天。根、叶、花、实皆可食之，但以相对者是正，不对者名偏精也。

52 萎蕤

〔敩曰〕凡使，勿用黄精并钩吻，二物相似。萎蕤节上有须毛，茎斑，叶尖处有小黄点，为不同。采得以竹刀刮去节皮，洗净，以蜜水浸一宿，蒸了焙干用。

53 知母

〔敩曰〕凡使，先于槐砧上剉细，焙[1]干，木臼杵捣，勿犯铁器。〔时珍曰〕凡用，拣肥润里白者，去毛切。引经上行则用酒浸焙干，下行则用盐水润焙。

【校注】

[1] **焙** 原作“烧”，今据《大观》、《政和》卷8“知母”条改。

54 肉苁蓉

〔敩曰〕凡[1]使，先须清酒浸一宿，至明以棕刷去沙土浮甲，劈破中心，去白膜一重，如竹丝草样。有此，能隔人心前气不散，令人上气也。以甑蒸之，从午至酉取出，又用酥炙得所。

【校注】

[1] **凡** 原作“见”，今据《大观》、《政和》卷7“肉苁蓉”条改。

55 赤箭

〔敩曰〕修事天麻十两，剉，安于瓶中。用蒺藜子一镒，缓火熬焦，盖于天麻上，以三重纸封系，从巳至未，取出。蒺藜炒过，盖系如前，凡七遍。用布拭上气汗，刀劈焙干，单捣用。若用御风草，亦同此法。〔时珍曰〕此乃治风痹药，故如此修事也。若治肝经风虚，惟洗净，以湿纸包，于糠火中煨熟，取出切片，酒浸一宿，焙干用。

56 苍术

〔大明曰〕用术以米泔浸一宿，入药。〔宗奭曰〕苍术辛烈，须米泔浸洗，再换泔浸二日，去上粗皮用。〔时珍曰〕苍术性燥，故以糯米泔浸去其油，切片焙干用。亦有用脂麻同炒，以制其燥者。

57 狗脊

〔敩曰〕凡修事，火燎去须，细剉了，酒浸一夜，蒸之，从巳至申，取出晒干用。〔时珍曰〕今人惟剉炒去毛须用。

58 巴戟天

〔敩曰〕凡使，须用枸杞子汤浸一宿，待稍软漉出，再酒浸一伏时，漉出，同菊花熬焦黄，去菊花，以布拭干用。〔时珍曰〕今法：惟以酒浸一宿，剉焙入药。若急用，只以温水浸软去心也。

59 远志

〔敩曰〕凡使，须去心，否则令人烦闷。仍用甘草汤浸一宿，暴干或焙干用。

60 淫羊藿

〔敩曰〕凡使，时呼仙灵脾，以夹刀夹去叶四畔花枝，每一斤用羊脂四两拌炒，待脂尽为度。

61 仙茅

〔敩曰〕采得以清水洗，刮去皮，于槐砧上用铜刀切豆许大，以生稀布袋盛，于乌豆水中浸一宿，取出用酒拌湿蒸之，从巳至亥，取出暴干。勿犯铁器及牛乳，斑人鬓须。〔大明曰〕彭祖单服法：以竹刀刮切，糯米泔浸去赤汁出毒，后无妨损。

62 玄参

〔敩曰〕凡采得后，须用蒲草重重相隔，入甑蒸两伏时，晒干用。勿犯铜器，饵之噎人喉，丧人目。

63 紫草

〔敩曰〕凡使，每一斤用蜡三[1]两溶水拌蒸之，待水干，取去头并两畔髭，细剉用。

【校注】

[1] 三　原作“二”，今据《大观》、《政和》卷8“紫草”条改。

64 黄连

〔敩曰〕凡使，以布拭去肉毛，用浆水浸二伏时，漉出，于柳木火上焙干用。〔时珍曰〕五脏六腑皆有火，平则治，动则病，故有君火相火之说，其实一气而已。黄连入手少阴心经，为治火之主药：治本脏之火，则生用之；治肝胆之实火，则以猪胆汁浸炒；治肝胆之虚火，则以醋浸炒；治上焦之火，则以酒炒；治中焦之火，则以姜汁炒；治下焦之火，则以盐水或朴消研细调水和[1]炒；治气分湿热之火，则以茱萸汤浸炒；治血分块中伏火，则以干漆末调[2]水炒；治食积之火，则以黄土研细调水和[3]炒。诸法不独为之引导，盖辛热能制其苦寒，咸寒能制其燥性，在用者详酌之。

【校注】

［1］**研细调水和**　原脱。按，李时珍所引此段文出自《本草蒙筌》。《本草蒙筌》卷2“黄连”条注云：“硝、茱、漆、土，俱研细调水和炒。”因据补。

［2］**末调**　原脱。《本草蒙筌》卷2“黄连”条云：“血瘕火，伴干漆末。”注云：“硝、茱、漆、土，俱研细调水和炒。”因据补。

［3］**研细调水和**　原脱。《本草蒙筌》卷2“黄连”条云：“食积泻亦可服，陈壁土（向东者妙）研炒之。”注云：“硝、茱、漆、土，俱研细调水和炒。”因据补。

65　秦艽

〔敩曰〕秦艽须于脚文处认取：左文列为秦，治疾；右文列为艽，即发脚气。凡用秦，以布拭去黄白毛，乃用还元汤浸一宿，日干用。〔时珍曰〕秦艽但以左文者为良，分秦与艽为二名，谬矣。

66　柴胡

〔敩曰〕凡采得银州柴胡，去须及头，用银刀削去赤薄皮少许，以粗布拭净，剉用。勿[1]令犯火，立便无效也。

【校注】

［1］**勿**　原作“物”，今据《大观》、《政和》卷6“柴胡”条改。

67　前胡

〔敩曰〕修事先用刀刮去苍黑皮并髭土[1]了，细剉，以甜竹沥浸令润，日中晒干用。

【校注】

［1］**土**　原作“上”，今据金陵本改，与《大观》、《政和》卷8“前胡”条合。

68　独活

〔敩曰〕采得细剉，以淫羊藿拌，裛二日，暴干去藿用，免烦人心。〔时珍曰〕

此乃服食家治法，寻常去皮或焙用尔。

69 升麻

〔敩曰〕采得刮去粗皮，用黄精自然汁浸一宿，暴干，剉蒸再暴用。〔时珍曰〕今人惟取里白外黑而紧实者，谓之鬼脸升麻，去须及头芦，剉用。

70 苦参

〔敩曰〕采根，用糯米浓泔汁浸一宿，其腥秽气并浮在水面上，须重重淘过，即蒸之，从巳至申，取晒切用。

71 贝母

〔敩曰〕凡使，先于柳木灰中炮黄，擘破[1]，去内口鼻中[2]有米许大者心一颗，后拌糯米于𨫼上同炒，待米黄，去米用。

【校注】

[1] **破** 原脱，今据《大观》、《政和》卷8“贝母”条补。

[2] **中** 《大观》、《政和》卷8“贝母”条俱作“上”。

72 龙胆

〔敩曰〕采得阴干。用时，铜刀切去须、土[1]、头了[2]，剉细，甘草汤浸一宿，漉出，暴干用。

【校注】

[1] **土** 原作“上”，今据《大观》、《政和》卷6“龙胆”条改。

[2] **了** 原作“子”，今据《大观》、《政和》卷6“龙胆”条改。

73 细辛

〔敩曰〕凡使细辛，切去头、土[1]了[2]，以瓜水浸一[3]宿，暴干用。须拣去双叶者，服之害人。

【校注】

［1］土　原脱，今据《大观》、《政和》卷6“细辛”条补。

［2］了　原作“子”，今据《大观》、《政和》卷6“细辛”条改。

［3］一　原脱，今据《大观》、《政和》卷6“细辛”条补。

74　鬼督邮

〔敩曰〕凡采得，细剉，用生甘草水煮一伏时，日干用。

75　徐长卿

〔敩曰〕凡采得，粗杵，拌少蜜令遍，以瓷器盛，蒸三伏时，日干用。

76　白微[1]

〔敩曰〕凡采得，以糯米泔汁浸一宿，取出去髭，于槐砧上细剉，蒸之，从巳至申[2]，晒干用。〔时珍曰〕后人惟以酒洗用。

【校注】

［1］微　《大观》、《政和》卷8“白薇”条俱作“薇”。

［2］巳至申　原作“申至巳”，今据《大观》、《政和》卷8“白薇”条改。

77　白前

〔敩曰〕凡用，以生甘草水浸一伏时，漉出，去头、须了，焙干收用。

78　当归

〔敩曰〕凡用，去芦头，以酒浸一宿入药。止血破血，头尾效各不同。若要破血，即使头一节硬实处。若要止痛止血，即用尾。若一并用，服食无效，不如不使，惟单使妙也。〔元素曰〕头止血，尾破血，身和血，全用即一破一止也。先以水洗净土。治上酒浸，治外酒洗过，或火干、日干、入药。〔杲曰〕头止血而上行，身养血而中守，梢破血而下流，全活血而不走。〔时珍曰〕雷、张二氏所说头尾功效各异。凡物之根，身半已上，气脉上行，法乎天；身半已下，气脉下行，法乎地。人身法象天地，则治上当用头，治中当用身，治下当用尾，通治则全用，乃一定之理也。当以张氏之说为优。凡晒干乘热纸封瓮收之，不蛀。

79 蛇床

〔敩曰〕凡使，须用浓蓝汁并百部草根自然汁，同浸一[1]伏时，漉出日干。却用生地黄汁相拌蒸之，从巳[2]至亥，取出日干用。〔大明曰〕凡服食，即挼去皮壳，取仁微炒杀毒，即不辣也。作汤洗浴，则生用之。

【校注】

[1] **一** 《大观》、《政和》卷7“蛇床子”条俱作“三”。

[2] **巳** 《大观》、《政和》卷7“蛇床子”条俱作“午”。

80 白芷

〔敩曰〕采得，刮去土皮，细剉，以黄精片[1]等分，同蒸一伏时，晒干去黄精用。〔时珍曰〕今人采根洗刮寸截，以石灰拌匀，晒收，为其易蛀，并欲色白也。入药微焙。

【校注】

[1] **片** 《大观》、《政和》卷8“白芷”条作“亦细剉”。

81 芍药

〔敩曰〕凡采得，竹刀刮去皮并头土[1]，剉细，以蜜水拌蒸，从巳至未，晒干用。〔时珍曰〕今人多生用，惟避中寒者以酒炒，入女人血药以醋炒耳。

【校注】

[1] **土** 原作“上”，今据《大观》、《政和》卷8“芍药”条改。

82 牡丹

〔敩曰〕凡采得根，日干，以铜刀劈破去骨，剉如大豆许，用清[1]酒拌蒸，从巳至未，日干用。

【校注】

［1］**清** 原脱，今据《大观》、《政和》卷9“牡丹”条补。

83 木香

〔时珍曰〕凡入理气药，只生用，不见火。若实大肠，宜面[1]煨熟用。

【校注】

［1］**面** 此下疑脱“裹”字。

84 杜若

〔敩曰〕凡使，勿用鸭喋草根，真相似，只是味效不同。凡采得根，以刀刮去黄赤皮，细剉，用三重绢袋阴干。临使以蜜浸一夜，漉出用。

85 高良姜

〔时珍曰〕高良姜、红豆蔻，并宜炒过入药。亦有以姜同吴茱萸、东壁土炒过入药用者。

86 豆蔻

〔敩曰〕凡使，须去[1]蒂，取向里子及皮，用茱萸同于鏊上缓炒，待茱萸微黄黑，即去茱萸，取草豆蔻皮及子杵用之。〔时珍曰〕今人惟以面裹塘火煨熟，去皮用之。

【校注】

［1］**去** 原作“用”，义正相反，今据《大观》、《政和》卷23“豆蔻”条改。

87 荜茇

〔敩曰〕凡使，去挺用头，以醋浸一宿，焙干，以刀刮去皮粟子令净乃用，免伤人肺，令人上气。

88 蒟酱

〔敩曰〕凡采得后，以刀刮上粗皮，捣细。每五两[1]，用生姜自然汁五两拌之，蒸一日，曝干用。

【校注】

［1］**两** 原作“钱”，今据《大观》、《政和》卷9“蒟酱”条改。

89 肉豆蔻

〔敩曰〕凡使，须以糯米粉熟汤搜裹豆蔻，于煻灰火中煨熟，去粉用。勿令犯铁[1]。

【校注】

［1］**铁** 《大观》、《政和》卷9“肉豆蔻”条俱作“铜”。

90 补骨脂

〔敩曰〕此性燥毒，须用酒浸一宿，漉出，以东流水浸三日夜，蒸之，从巳至申，日干用。一法：以盐同炒过，曝干用。

91 蓬莪茂

〔敩曰〕凡使，于砂盆中以醋磨令尽，然后于火畔熁干，重筛过用。〔颂曰〕此物极坚硬，难捣治，用时热灰火中煨令透，乘热捣之，即碎如粉。〔时珍曰〕今人多以醋炒或煮熟入药，取其引入血分也。

92 荆三棱

〔元素曰〕入用须炮熟。〔时珍曰〕消积须用醋浸一日，炒或煮熟焙干，入药乃良。

93 香附子

〔敩曰〕凡采得，阴干，于石臼中捣之，切忌铁器。〔时珍曰〕凡采得，连苗[1]暴干，以火燎去苗及毛。用时以水洗净，石上磨去皮，用童子小便浸透，洗晒捣用。或生或炒，或以酒醋盐水浸，诸法各从本方，详见于下[2]。又稻草煮之，味不苦。

【校注】

[1] **苗** 原作“不”，今从张绍棠本改。

[2] **详见于下** 此指炮制诣法详见于《本草纲目》“发明”项所述“生则上行胸膈，外达皮肤；熟则下走肝肾，外彻腰足。炒黑则止血，得童溲浸炒则入血分而补虚，盐水浸炒则入血分而润燥，青盐炒则补肾气，酒浸炒则行经络，醋浸炒则消积聚，姜汁炒则化痰饮”。

94 泽兰

〔敩曰〕凡用大小泽兰，细剉，以绢袋盛，悬于屋南畔角上，令干用。（兰草叶修治同泽兰。）

95 香薷

〔敩曰〕凡采得，去根留叶，剉暴干，勿令犯火。服至十两，一生不得食白山桃也。〔时珍曰〕八九月开花着穗时，采之阴干，入用。

96 赤车使者

〔敩曰〕此草原名小锦枝。凡用，并粗捣，以七岁童子小便拌蒸，晒干入药。

97 艾

〔宗奭曰〕艾叶干捣，去青滓，取白，入石硫黄末少许，谓之硫黄艾，灸家用之。得米粉少许，可捣为末，入服食药用。〔时珍曰〕凡用艾叶，须用陈久者，治令细软，谓之熟艾。若生艾灸火，则伤人肌脉。故孟子云：七年之病，求三年之艾。拣取净叶，扬去尘屑，入石臼内木杵捣熟，罗去渣滓，取白者再捣，至柔烂如绵为度。用时焙燥，则灸火得力。入妇人丸散，须以熟艾，用醋煮干，捣成饼子，烘干再捣为末用。或以糯糊和作饼，及酒炒者，皆不佳。洪氏《容斋随笔》云：艾难著力，若入白茯苓三五片同碾，即时可作细末，亦一异也。

98 青蒿

〔敩曰〕凡使，惟中为妙，到膝即仰，到腰即俯。使子勿使叶，使根勿使茎，四件若同使，翻然成痼疾。采得叶，用七岁儿七个溺，浸七日七夜，漉出晒干。

〔附〕 角蒿

〔敩曰〕凡使，勿用红蒿并邪蒿，二味真似角蒿，只是此香而角短尔。采得，于槐砧上细剉用之。

99 茺蔚

〔时珍曰〕凡用，微炒香，亦或蒸熟，烈日曝燥，舂簸去壳，取仁用。

100 刘寄奴草

〔敩曰〕凡采得，去茎、叶，只用实。以布拭去薄壳令净，拌酒蒸，从巳至申，暴干用。〔时珍曰〕茎、叶、花、子皆可用。

101 旋覆花

〔敩曰〕采得花，去蕊[1]并壳皮及蒂子，蒸之，从巳至午，晒干用。

【校注】

[1] **去蕊** 《大观》、《政和》卷10“旋覆花”条说去裹花蕊之壳皮，未说去蕊。

102 青葙

〔敩曰〕凡用，先烧铁杵臼，乃[1]捣用之。

【校注】

[1] **乃** 《大观》、《政和》卷10“青葙子”条俱作“单”。

103 续断

〔敩曰〕凡采得根，横切剉之，又去向里硬筋。以酒浸一伏时，焙干，入药用。

104 漏卢

〔敩曰〕凡采得漏卢，细剉，以生甘草相对拌蒸之，从巳至申，拣出晒干用。

105 飞廉

〔敩曰〕凡用根，先刮去粗皮，杵细，以苦酒拌一夜，漉出，日干细杵用。

106 胡卢巴

〔时珍曰〕凡入药，淘净，以酒浸一宿，晒干，蒸熟或炒过用。

107 蠡实

〔时珍曰〕凡入药，炒过用，治疝则以醋拌炒之。

108 恶实

〔敩曰〕凡用，拣净，以酒拌蒸，待有白霜重出，以布拭去，焙干捣粉用。

109 枲耳

〔大明曰〕入药炒熟，捣去刺用，或酒拌蒸过用。〔敩曰〕凡采得，去心，取黄精，以竹刀细切拌之，蒸，从巳至亥时，出，去黄精，阴干用。

110 蘘荷

〔敩曰〕凡使，勿用革牛草，真相似，其革牛草腥涩。凡使白蘘荷，以铜刀刮去粗皮一重，细切，入砂盆中研如膏，取自然汁炼作煎，新器摊冷，如干胶状，刮取用之。

111 麻黄

〔弘景曰〕用之折去节根，水煮十余沸，以竹片掠去上沫。沫令人烦，根节能止汗故也。

112 灯心草

〔时珍曰〕灯心难研，以粳米粉浆染过，晒干研末，入水澄之，浮者是灯心也，晒干用。

113 干地黄

〔藏器曰〕干地黄，本经不言生干及蒸干。方家所用二物各别，蒸干即温补，生干即平宣，当依此法用。〔时珍曰〕本经所谓干地黄者，即生地黄之干者也。其法取地黄一百斤，择肥者六十斤洗净，晒令微皱。以拣下者洗净，木臼中捣绞汁尽，投酒更捣，取汁拌前地黄，日中晒干，或火焙干用。

114 熟地黄

〔颂曰〕作熟地黄法：取肥地黄三二十斤净洗，别以拣下瘦短者三二十斤捣绞取汁，投石器中，浸漉令浃，甑上浸三四过，时时浸滤转蒸讫，又暴使汁尽。其地黄当光黑如漆，味甘如饴。须瓷器收之，以其脂柔喜润也。〔敩曰〕采生地黄去皮，瓷锅上柳木甑蒸之，摊令气歇，拌酒再蒸，又出令干。勿犯铜铁器，令人肾消并发白，男损营，女损卫也。〔时珍曰〕近时造法：拣取沉水肥大者，以好酒入缩砂仁末在内，拌匀，柳木甑于瓦锅内蒸令气透，晾干。再以砂仁酒拌蒸晾。如此九蒸九晾乃止。盖地黄性泥，得砂仁之香而窜，合和五脏冲和之气，归宿丹田故也。今市中惟以酒煮熟售者，不可用。

115 牛膝

〔敩曰〕凡使，去头芦，以黄精自然汁浸一宿，漉出，剉，焙干用。〔时珍曰〕今惟以酒浸入药，欲下则生用，滋补则焙用，或酒拌蒸过用。

116 紫菀

〔敩曰〕凡使，先去须。有白如练色者，号曰[1]羊须草，自然不同。去头及土，用东流水洗净，以蜜浸一宿，至明于火上焙干用。一两用蜜二分。

【校注】

[1] 曰 原作“白”，今据《大观》、《政和》卷8“紫菀”条改，与本书下“女菀”条濒湖引雷敩语合。

117 麦门冬

〔弘景曰〕凡用，取肥大者，汤泽，抽去心，不尔令人烦。大抵一斤须减去四五两也。〔时珍曰〕凡入汤液，以滚水润湿，少顷抽去心，或以瓦焙软，乘热去心。若入丸散，须瓦焙热，即于风中吹冷，如此三四次，即易燥，且不损药力。或以汤浸捣膏和药，亦可。滋补药，则以酒浸擂之。

118 败酱

〔敩曰〕凡收得便粗杵，入甘草叶相拌对蒸，从巳至未，去甘草叶，焙干用。

119 款冬花

〔敩曰〕凡采得，须去向里裹花蕊壳，并向里实如栗[1]零壳者。并枝叶，以甘草水浸一宿，却取款冬叶相拌裛一夜，晒干去叶用。

【校注】

[1] 栗　《大观》、《政和》卷9“款冬花”条俱作“粟”。

120 瞿麦

〔敩曰〕凡使，只用蕊壳，不用茎、叶。若一时同使，即空心令人气噎，小便不禁也。用时以篁竹沥浸一伏时，漉晒。

121 王不留行

〔敩曰〕凡采得，拌湿[1]蒸之，从巳至未。以浆水浸一宿，焙干用。

【校注】

[1] 湿　《大观》、《政和》卷7“王不留行”条俱作“浑”。

122 葶苈

〔敩曰〕凡使葶苈，以糯米相合，置于燠[1]上，微焙，待米熟，去米，捣用。

【校注】

[1] 燠　《大观》、《政和》卷10“葶苈”条作“焙”。“燠”“焙”俱费解。张绍棠本作“灶”，义长。

123 车前

〔时珍曰〕（子）凡用，须以水淘洗去泥沙，晒干。入汤液，炒过用；入丸散，则以酒浸一夜，蒸熟研烂，作饼晒干，焙研。〔敩曰〕（草及根）凡使，须一窠有九叶，内有蕊，茎可长一尺二寸者。和蕊、叶、根，去土[1]了，称一镒者，力全。使叶勿使蕊茎，剉细，于新瓦上摊干用。

【校注】

[1] 土　原作“上”，今据《政和》卷6“车前子”条改。

124 虎杖

〔敩曰〕采得细剉，却用叶包一夜，晒干用。

125 蒺藜

〔敩曰〕凡使，拣净蒸之，从午至酉，日干，木臼舂令刺尽，用酒拌再蒸，从午至酉，日干用。〔大明曰〕入药不计丸散，并炒去刺用。

126 大黄

〔雷曰〕凡使，细切，以文如水旋斑紧重者，剉片蒸之，从巳至未，晒干，又洒腊水蒸之，从未至亥，如此凡七次，晒干，却洒淡蜜水再蒸一伏时，其大黄必如乌膏样，乃晒干用。〔藏器曰〕凡用，有蒸、有生、有熟，不得一概用之。〔承曰〕大黄采时，皆以火石煿干货卖，更无生者，用之亦不须更多炮炙蒸煮。

127 商陆

〔敩曰〕取花白者根，铜刀刮去皮，薄切，以东流水浸两宿，漉出，架甑蒸，以黑豆叶一重，商陆一重，如此蒸之，从午至亥，取出去豆叶，暴干剉用。无豆叶，以豆代之。

128 防葵

〔敩曰〕凡使，须拣去蚛末，用甘草汤浸一宿，漉出暴干，用黄精自然汁一二升拌了，土器中炒至汁尽用。

129　大戟

〔敩曰〕凡使，勿用附生者，误服令人泄气不禁，即煎荠苨汤解之。采得后，于槐砧上细剉，与海芋叶拌蒸，从巳至申，去芋叶，晒干用。〔时珍曰〕凡采得，以浆水煮软，去骨，晒干用。海芋叶麻而有毒，恐不可用也。

130　甘遂

〔敩曰〕凡采得，去茎，于槐砧上细剉，用生甘草汤、荠苨自然汁二味，搅浸三日，其水如墨[1]汁，乃漉出，用东流水淘六七次，令水清为度。漉出，于土器中熬脆用之。〔时珍曰〕今人多以面裹[2]煨熟用，以去其毒。

【校注】

[1] 墨　原作"黑"，今据《大观》、《政和》卷10"甘遂"条改。

[2] 裹　原脱，今详文义补。

131　续随子

〔时珍曰〕凡用，去壳，取色白者，以纸包，压去油，取霜用。

132　莨菪

〔敩曰〕修事莨菪子十两，以头醋一镒，煮干为度。却用黄牛乳汁浸一宿，至明日乳汁黑，即是真者。晒干捣筛用。

133　云实

〔敩曰〕凡采得，粗捣，相对拌浑颗橡实，蒸一日，拣出暴干。

134　蓖麻子

〔敩曰〕凡使，勿用黑天赤利子，缘在地蒌上生[1]，是颗两头尖有毒。其蓖麻子，节节有黄黑斑。凡使，以盐汤煮半日，去皮取子研用。〔时珍曰〕取蓖麻油法：用蓖麻仁五升捣烂，以水一斗煮之，有沫撇起，待沫尽乃止。去水，以沫煎至点灯不炸、滴水不散为度。

【校注】

[1] **生** 原脱，今据《大观》、《政和》卷11“蓖麻子”条补。

135 常山

〔敩曰〕采时连根苗收。如用茎、叶，临时去根，以甘草细剉，同水拌湿蒸之。临时去甘草，取蜀漆细剉，又拌甘草水匀，再蒸，日干用。其常山，凡用，以酒浸一宿，漉出日干，熬捣用。〔时珍曰〕近时有酒浸蒸熟或瓦炒熟者，亦不甚吐人。又有醋制者，吐人。

136 藜芦

〔雷曰〕凡采得，去头，用糯米泔汁煮之，从巳至未，晒干用。

137 附子

〔保昇曰〕附子、乌头、天雄、侧子、乌喙，采得，以生熟汤浸半日，勿令灭气，出以白灰裛之，数易使干。又法：以米粥及糟曲等淹之。并不及前法。〔颂曰〕五物收时，一处造酿。其法：先于六月内，造大小面曲。未采前半月，用大麦煮成粥，以曲造醋，候熟去糟。其醋不用太酸，酸则以水解之。将附子去根须，于新瓮内淹七日，日搅一遍，捞出以疏筛摊之，令生白衣。乃向慢风日中晒之百十日，以透干为度。若猛日，则皱而皮不附肉。〔时珍曰〕按《附子记》云：此物畏恶[1]最多，不能常熟。或种美而苗不茂，或苗秀而根不充，或以酿而腐，或以曝而挛，若有神物阴为之者。故园人常祷于神，目为药妖。其酿法：用醋醅安密室中，淹覆弥月，乃发出晾干。方出酿时，其大有如拳者，已定辄不盈握，故及一两者极难得。土人云：但得半两以上者皆良。蜀人饵者少，惟秦陕闽浙人宜之。然秦人才市其下者，闽浙才得其中者，其上品则皆贵人得之矣。〔弘景曰〕凡用附子、乌头、天雄，皆热灰微炮令拆，勿过焦。惟姜附汤生用之。俗方每用附子，须甘草、人参、生姜相配者，正制其毒故也。〔敩曰〕凡使乌头，宜文武火中炮令皴拆，擘破用。若用附子，须底平有九角如铁色，一个重一两者，即是气全。勿用杂木火，只以柳木灰火中炮令皴拆，以刀刮去上孕子，并去底尖[2]，擘破，于屋下平[3]地上掘一土坑安之，一宿取出，焙干用。若阴制者，生去皮尖底，薄切，以东流水并黑豆浸五日夜，漉出，日中晒干[4]用。〔震亨曰〕凡乌、附、天雄，须用童子小便浸透煮过，以杀其毒，并助下行之力，入盐少许尤好。或以小便浸二七日，拣去坏者，以竹刀每个切作四片，井水淘净，逐日换水，再浸七日，晒干用。〔时珍曰〕附子生用则发散，熟用则峻补。生用者，须如阴制之法，去皮脐入药。熟用者，以水浸过，炮令发拆，去皮脐，乘热[5]切片再炒，令内外俱黄，去火毒入药。又法：每一个，用甘草二钱，盐水、姜汁、童尿各半盏，同煮熟，出火毒一夜用之，则毒去也。

【校注】

[1] **畏恶** 原脱，今据《彰明附子记》补。

[2] **尖** 原作“火”，今据《政和》卷10“附子”条改。

[3] **平** 原作“午”，《政和》卷10“附子”条同。今从张绍棠本改。

[4] **干** 原脱，今据《政和》卷10“附子”条补。

[5] **热** 原作“熟”，今从张绍棠本改。

138 天雄

〔敩曰〕宜炮皴去皮尖底用，或阴制如附子法亦得。〔大明曰〕凡丸散炮去皮用，饮药即和皮生使甚佳。〔时珍曰〕熟用一法：每十两以酒浸七日。掘土坑，用炭半秤煅赤，去火，以醋二升沃之，候干，乘热入天雄在内，小盆合一夜，取出，去脐用之。

139 侧子

同附子。

140 乌头

〔时珍曰〕草乌头或生用，或炮用，或以乌大豆同煮熟，去其毒用。

141 天南星

〔颂曰〕九月采虎掌根，去皮脐，入器中汤浸五七日，日换三四遍，洗去涎，暴干用。或再火炮裂用。〔时珍曰〕凡天南星须用一两以上者佳。治风痰，有生用者，须以温汤洗净，仍以白矾汤，或入皂角汁，浸三日夜，日日换水，暴干用。若熟用者，须于黄土地掘一小坑，深五六寸，以炭火烧赤，以好酒沃之。安南星于内，瓦盆覆定，灰泥固济，一夜取出用。急用，即以湿纸包，于煻灰火中炮裂也。一法：治风热痰，以酒浸一宿，桑柴火蒸之，常洒酒入甑内，令气猛。一伏时取出，竹刀切开，味不麻舌为熟。未熟再蒸，至不麻乃止。脾虚多痰，则以生姜渣和黄泥包南星煨熟，去泥焙用。造南星曲法：以姜汁、矾汤，和南星末作小饼子，安篮内，楮叶包盖，待上黄衣，乃取晒收之。造胆星法：以南星生研末，腊月取黄牯牛胆汁和剂，纳入胆中，系悬风处干之。年久者弥佳。

142　半夏

〔弘景曰〕凡用，以汤洗十许过，令滑尽。不尔，有毒戟人咽喉。方中有半夏必须用生姜者，以制其毒故也。〔敩曰〕修事半夏四两，用白芥子末二两，酽醋六[1]两，搅浊，将半夏投中，洗三遍用之。若洗涎不尽，令人气逆，肝气怒满。〔时珍曰〕今[2]治半夏，惟洗去皮垢，以汤泡浸七日，逐日换汤，晾干切片，姜汁拌焙入药。或研为末，以姜汁入汤浸澄三日，沥去涎水，晒干用，谓之半夏粉。或研末以姜汁和作饼子，日干用，谓之半夏饼。或研末以姜汁、白矾汤和作饼，楮叶包置篮中，待生黄衣，日干用，谓之半夏曲。白飞霞《医通》云：痰分之病，半夏为主，造而为曲尤佳。治湿痰以姜汁、白矾汤和之，治风痰以姜汁及皂荚煮汁和之，治火痰以姜汁、竹沥或荆沥和之，治寒痰以姜汁、矾汤入白芥子末和之，此皆造曲妙法也。

【校注】

［1］**六**　原作“二”，今据《大观》、《政和》卷10“半夏”条改。

［2］**今**　原作“全”，今详文义改。

143　射干

〔敩曰〕凡采根，先以米泔水浸一宿，漉出，然后以篁竹叶煮之，从午至亥，日干用。

144　芫花

〔弘景曰〕用当微熬。不可近眼。〔时珍曰〕芫花留数年陈久者良。用时以好醋煮十数沸，去醋，以水浸一宿，晒干用，则毒灭也。或以醋炒者次之。

145 莽草

〔敩曰〕凡使，取叶细剉，以生甘草、水蓼二味同盛[1]入[2]生稀绢袋中[3]，甑中蒸一日，去二件，晒干用。

【校注】

［1］**同盛** 《大观》《政和》作“并细剉”。

［2］**入** 《大观》、《政和》卷14“莽草”条作“用”。

［3］**袋中** 此下，《大观》、《政和》卷14“莽草”条有“上甘草、水蓼同蒸”。

146 菟丝子

〔敩曰〕凡使，勿用天碧草子，真相似，只是味酸涩并粘也。菟丝采得，去壳了，用苦酒浸二日。漉出，以黄精自然汁相对，浸一宿。至明，用微火煎至干。入臼中，烧热铁杵，一去[1]三千余杵，成粉用之。〔时珍曰〕凡用，以温水淘去沙泥，酒浸一宿，曝干捣之。不尽者，再浸曝捣，须臾悉细。又法：酒浸四五日，蒸曝四五次，研作饼，焙干再研末。或云：曝干时，入纸条数枚同捣，即刻成粉，且省力也。

【校注】

［1］**去** 《政和》卷6“菟丝子”条同，《大观》作“劲”。

147 五味子

〔敩曰〕凡用，以铜刀劈作两片，用蜜浸蒸，从巳至申，却以浆浸一宿，焙干用。〔时珍曰〕入补药熟用，入嗽药生用。

148 覆盆子

〔诜曰〕覆盆子五月采之，烈日曝干。不尔易烂。〔雷曰〕凡使，用东流水淘去黄叶并皮蒂，取子以酒拌蒸一宿，以东流水淘两遍，又晒干方用。〔时珍曰〕采得捣作薄饼，晒干密贮，临时以酒拌蒸尤妙。

149　马兜铃

〔敩曰〕凡采得实，去叶及蔓，以生绢袋盛于东屋角畔，待干劈开，去革膜，取净子焙用。

150　牵牛子

〔敩曰〕凡采得子，晒干，水淘去浮者，再晒，拌酒蒸，从巳至未，晒干收之。临用舂去黑皮。〔时珍曰〕今多只碾取头末，去皮麸不用。亦有半生半熟用者。

151　栝楼

〔敩曰〕凡使皮、子、茎、根，其效各别。其栝，圆黄皮厚蒂小；楼则形长赤皮蒂粗。阴人服楼，阳人服栝。并去壳皮革膜及油。用根亦取大二三围者，去皮捣烂，以水澄粉用。〔时珍曰〕栝楼古方全用，后世乃分子瓤各用。天花粉〔周定王曰〕秋冬采根，去皮寸切，水浸[1]，逐日换水，四五日取出，捣泥，以绢袋[2]滤汁澄粉，晒干用。

【校注】

［1］**浸**　原作“温”，今据《救荒本草·草部·根及实皆可食·栝楼根》改。

［2］**袋**　原作“衣”，据改同上。

152　天门冬

〔弘景曰〕门冬采得蒸，剥去皮食之，甚甘美，止饥。虽曝干，尤脂润难捣，必须曝于日中或火烘之。今人呼苗为棘刺，煮作饮宜人，而终非真棘刺也。〔颂曰〕二、三、七、八月采根，蒸剥去皮，四破去心，曝干用。〔敩曰〕采得去皮、心，用柳木甑及柳木柴蒸一伏时，洒酒令遍，更添火蒸。作小架去地二尺，摊于上，曝干用。

153　百部

〔敩曰〕凡采得，以竹刀劈，去心、皮、花，作数十条，悬檐下风干。却用酒浸一宿，漉出焙干，剉用。或一窠八十三条者，号曰地仙苗。若修事饵之，可千岁也。

154　何首乌

〔志曰〕春夏秋采其根，雌雄并用。乘湿以布拭去土，曝干。临时以苦竹刀切，米泔浸经宿，曝干，木杵臼捣之。忌铁器。〔慎微曰〕方用新采者，去皮，铜刀切薄片，入甑内，以瓷锅蒸之。旋以热水从上淋下，勿令满溢，直候无气味[1]，乃取出曝干用。〔时珍曰〕近时制法：用何首乌赤白各一斤，竹刀刮去粗皮，米泔浸一夜，切片。用黑豆三斗，每次用三升三合三勺，以水泡过。砂锅内铺豆一层，首乌一层，重重铺尽，蒸之。豆熟，取出去豆，将何首乌晒干，再以豆蒸。如此九蒸九晒，乃用。

【校注】

[1] **味**　原作“息”，今据《大观》、《政和》卷11“何首乌”条改。

155　女萎

〔敩曰〕凡采得，阴干，去头并白蕊，于槐砧上剉，拌豆淋酒蒸之，从巳至未，出，晒干。

156　茜草

〔敩曰〕凡使，用铜刀于槐砧上剉，日干，勿犯铅铁器。勿用赤柳草根，真相似，只是味酸涩。误服令人患内障眼，速服甘草水解[1]之，即毒气散。

【校注】

[1] **解**　原作“止”，今据《大观》、《政和》卷7“茜根”条改。

157　防己

〔敩曰〕凡使，勿用木条，色黄、腥、皮皱、上有丁足子，不堪用。惟要心有花文黄色者，细剉，以车前草根相对蒸半日，晒干取用。〔时珍曰〕今人多去皮剉，酒洗晒干用。

158　赤地利

〔敩曰〕凡采得，细剉，用蓝叶并根，同入生绢袋盛之，蒸一伏时，去蓝晒用。

159　络石

〔雷曰〕凡采得，用粗布揩去毛了[1]，以熟甘草水浸一伏时，切，晒用。

【校注】

[1] 了　原作“子”，今据《大观》、《政和》卷7“络石”条改。

160　泽泻

〔敩曰〕不计多少，细剉，酒浸一宿，取出暴干，任用。

161　菖蒲

〔敩曰〕凡使，勿用泥菖、夏菖二件，如竹根鞭，形黑，气秽味腥。惟石上生者，根条嫩黄，紧硬节稠，一寸九节者，是真也。采得以铜刀刮去黄黑硬节皮一重，以嫩桑枝条相拌蒸熟，暴干剉用。〔时珍曰〕服食须如上法制。若常用，但去毛微炒耳。

162　蒲黄

〔敩曰〕凡使，勿用松黄并黄蒿。其二件全似，只是味跙及吐人。真蒲黄须隔三重纸焙令色黄，蒸半日，却再焙干用之妙。〔大明曰〕破血消肿者，生用之；补血止血者，须炒用。

163　水萍

〔时珍曰〕紫背浮萍，七月采之，拣净，以竹筛摊晒，下置水一盆映之，即易干也。

164　海藻

〔敩曰〕凡使，须用生乌豆，并紫背天葵，三件同蒸一伏时，日干用。〔时珍曰〕近人但洗净咸味，焙干用。

165　昆布

〔敩曰〕凡使昆布，每一斤，用甑箅大小十个，同剉细，以东流水煮之，从巳至亥，待咸味去，乃晒焙用。

166　石斛

〔敩曰〕凡使，去根头，用酒浸一宿，暴干，以酥拌蒸之，从巳至酉，徐徐焙干，用入补药乃效。

167　骨碎补

〔敩曰〕凡采得，用铜刀刮去黄赤毛，细切，蜜拌润，甑蒸一日，晒干用。急用只焙干，不蒸亦得也。

168　石韦

〔别录曰〕凡用，去黄毛。毛[1]射人肺，令人咳，不可疗。〔大明曰〕入药去梗，须微炙用。一法：以羊脂炒干用。

【校注】

［1］**毛**　原脱，今据《大观》、《政和》卷8及《千金翼方》卷2“石韦”条补。

169　卷柏

〔时珍曰〕凡用，以盐水煮半日，再以井水煮半日，晒干焙用。

170　马勃

〔时珍曰〕凡用，以生布张开，将马勃于上摩擦，下以盘承，取末用。

濒湖炮炙法卷三　木类

171 柏实

〔敩曰〕凡使，先以酒浸一宿，至明漉出，晒干。用黄精自然汁于日中煎之，缓火煮成煎为度。每煎柏子仁三两，用酒五两浸。〔时珍曰〕此法是服食家用者。寻常用，只蒸熟曝烈[1]舂簸取仁，炒研入药。

【校注】

[1] **烈** 复刻江西本作“裂”，义长。

172 柏叶

〔敩曰〕凡用，挼去两畔并心枝了，用糯泔浸七日，以酒拌蒸一伏时。每一斤用黄精自然汁十二两浸焙，又浸又焙，待汁干用之。〔时珍曰〕此服食治法也。常用或生或炒，各从本方。

173 松脂

〔弘景曰〕采炼松脂法，并在服食方中。以桑灰汁或酒煮软，挼纳寒水中数十过，白滑则可用。〔颂曰〕凡用松脂，先须炼治。用大釜加水置甑，用白茅藉甑底，又加黄砂于茅上，厚寸许。然后布松脂于上，炊以桑薪，汤减频添热水。候松脂尽入釜中，乃出之，投于冷水，既凝又蒸，如此三[1]过，其白如玉，然后入用。

【校注】

[1] **三** 原作“二”，今据《大观》、《政和》卷12“松脂”条改。

174　辛夷

〔敩曰〕凡用辛夷，拭去赤肉毛了，以芭蕉水浸一宿，用浆水煮之，从巳至未，取出焙干用。若治眼目中患，即一时去皮，用向里实者。〔大明曰〕入药微炙。

175　沉香

〔敩曰〕凡使沉香，须要不枯，如觜角硬重沉于水下者为上，半沉者次之。不可见火。〔时珍曰〕欲入丸散，以纸裹置怀中，待燥研之。或入乳钵以水磨粉，晒干亦可。若入煎剂，惟磨汁临时入之。

176　枫香脂

〔时珍曰〕凡用，以齑水煮二十沸，入冷水中，揉扯数十次，晒干用。

177　乳香

〔颂曰〕乳性至粘难碾。用时以缯袋挂于窗隙间，良久取研，乃不粘也。〔大明曰〕入丸散，微炒杀毒，则不粘。〔时珍曰〕或言乳香入丸药，以少酒研如泥，以水飞过，晒干用。或言以灯心同研则易细。或言以糯米数粒同研，或言以人指甲二三片同研，或言以乳钵坐热水中乳之，皆易细。《外丹本草》云：乳香以韭实、葱、蒜煅伏成汁，最柔五金。《丹房镜源》云：乳香哑铜。

178　没药

修治同乳香。

179　骐驎竭

〔敩曰〕凡使，先研作粉，筛过入丸散中用。若同众药捣，则化作尘飞也。

180　龙脑香

〔恭曰〕龙脑香合糯米炭、相思子贮之，则不耗。〔时珍曰〕或言以鸡毛、相思子（相思子即红豆，有小毒。）同入小瓷罐密收之佳。《相感志》言以杉木炭养之更良，不耗。今人多以樟脑升打乱之，不可不辨也。

181　樟脑

〔时珍曰〕凡用，每一两以二碗合住，湿纸糊口，文武火熁之。半时许取出，冷定用。又法：每一两，用黄连、薄荷六钱，白芷、细辛四钱，荆芥、密蒙花二钱，当归、槐花一钱。以新土碗铺杉木片于底，安药在上，入水半盏，洒脑于上，再以一碗合住，糊口，安火煨之。待水干取开，其脑自升于上。以翎扫下，形似松脂，可入风热眼药。人亦多以乱片脑，不可不辨。

182　檗木

〔敩曰〕凡使檗皮，削去粗皮，用生蜜水浸半日，漉出晒干，用蜜涂，文武火炙，令蜜尽为度。每五两，用蜜三两。〔元素曰〕二制治上焦，单制治中焦，不制治下焦也。〔时珍曰〕黄檗性寒而沉，生用则降实火，熟用则不伤胃，酒制则治上，盐制则治下，蜜制则治中。

183　厚朴

〔敩曰〕凡使，要紫色味辛者为好，刮去粗皮。入丸散，每一斤用酥四两炙熟用。若入汤饮，用自然姜汁八两炙尽为度。〔大明曰〕凡入药去粗皮，用姜汁炙，或浸炒用。〔宗奭曰〕味苦。不以姜制，则棘人喉舌。

184　杜仲

〔敩曰〕凡使，削去粗皮。每一斤，用酥一[1]两，蜜三两，和涂火炙，以尽为度。细剉用。

【校注】

［1］一　《大观》、《政和》卷12“杜仲”条俱作“二”。

185　干漆

〔大明曰〕干漆入药，须捣碎炒熟。不尔，损人肠胃。若是湿漆，煎干更好。

亦有烧存性者。

186　椿樗

（白皮及根皮）〔敩曰〕凡使椿根，不近西头者为上。采出拌生葱蒸半日，剉细，以袋盛挂屋南畔，阴干用。〔时珍曰〕椿、樗木皮、根皮，并刮去粗皮，阴干，临时切焙入用。

187　楝实

〔敩曰〕凡采得，晒[1]干，酒拌令透，蒸待皮软，刮去皮，取肉去核用。凡使肉不使核，使核不使肉。如使核，捶碎，用浆水煮一伏时，晒干。其花落子，谓之石茱萸，不入药用。〔嘉谟曰〕石茱萸亦入外科用。

【校注】

［1］**晒**　原作“熬”，今据《大观》、《政和》卷14“楝实”条改。

188　槐实

〔敩曰〕凡采得，去单子并五子者，只取两子、三子者，以铜锤锤破，用乌牛乳浸一宿，蒸过用。

189　槐花

〔宗奭曰〕未开时采收，陈久者良，入药炒用。染家以水煮一沸出之，其稠滓为饼，染色更鲜也。

190　皂荚

〔敩曰〕凡使，要赤肥并不蛀者，以新汲水浸一宿，用铜刀削去粗皮，以酥反复炙透，捶去子、弦用。每荚一两，用酥五钱。〔好古曰〕凡用，有蜜炙、酥炙、绞汁、烧灰之异，各依方法。

191　皂荚子

〔敩曰〕拣取圆满坚硬不蛀者，以瓶煮熟，剥去硬皮一重，取向里白肉两片，去黄，以铜刀切，晒用。其黄消人肾气。

192 无食子

〔敩曰〕凡使，勿犯铜铁，并被火惊。用颗小、无杕[1]米者妙[2]。用浆水于砂盆中研令尽，焙干再研，如乌犀色入药。

【校注】

[1] **杕** 《大观》卷14“无食子”条作“狄”，《政和》作“杕”。

[2] **妙** 原作“炒”，今据《大观》、《政和》卷14“无食子”条改。

193 诃黎勒

〔敩曰〕凡用诃黎勒，酒浸后蒸一伏时，刀削去路，取肉剉焙用。用核则去肉。

194 榉木皮

〔敩曰〕凡使，勿用三四年者无力，用二十年以来者心空，其树只有半边，向西生者良。剥下去粗皮，细剉蒸之，从巳至未，出，焙干用。

195 白杨木皮

〔敩曰〕凡使，铜刀刮去粗皮蒸之，从巳至未。以布袋盛，挂屋东角，待干用。

196 苏方木

〔敩曰〕凡使，去上粗皮并节。若得中心文横如紫角者，号曰木中尊，其力倍常百等。须细剉重捣，拌细梅树枝蒸之，从巳至申，阴干用。

197 巴豆

〔弘景曰〕巴豆最能泻人，新者佳，用之去心、皮，熬令黄黑，捣如膏，乃和丸散。〔敩曰〕凡用巴与[1]豆，敲碎，以麻油并酒等煮干研膏用。每一两，用油、酒各七合。〔大明曰〕凡入丸散，炒用不如去心、膜，换水煮五度（各一沸）也。

〔时珍曰〕巴豆有用仁者，用壳者，用油者，有生用者，麸炒者，醋煮者，烧存性者，有研烂以纸包压去油者（谓之巴豆霜）。

【校注】

［1］**与** 《大观》、《政和》卷14“巴豆”条俱无，濒湖据雷公上文加。

198 大风子

〔时珍曰〕取大风子油法：用子三斤（去壳及黄油者）研极烂，瓷器盛之，封口入滚汤中，盖锅密封，勿令透气，文武火煎至黑色如膏，名大风油，可以和药。

199 桑根白皮

〔别录曰〕采无时。出土上者杀人。〔弘景曰〕东行桑根乃易得，而江边多出土，不可轻信。〔时珍曰〕古本草言桑根见地上者名马领[1]，有毒杀人。旁行出土者名伏蛇，亦有毒而治心痛。故吴淑《事类赋》云：伏蛇疗疾[2]，马领[3]杀人。〔敩曰〕凡使，采十年以上向东畔嫩根，铜刀刮去青黄薄皮一重，取里白皮切，焙干用。其皮中涎勿去之，药力俱在其上也。忌铁及铅。或云：木之白皮亦可用。煮汁染褐色，久不落。

【校注】

［1］**领** 原缺空一字，据《太平御览》卷955“桑”条引《神农本草》文补。

［2］**疗疾** 原作“痛”字，今据《事类赋》卷25“桑”条补。

［3］**领** 原缺空一字，今据《事类赋》卷25“桑”条补。

200 楮实

〔敩曰〕采得后，水浸三日，搅旋投水，浮者去之。晒干，以酒浸一伏时了，蒸之，从巳至亥，焙干用。《经验后[1]方》煎法：六月六日，采[2]取穀（即楮）子五升，以水一斗[3]，煮取五升，去滓，微火煎如饧用。

【校注】

［1］**后** 原脱，今据《大观》、《政和》卷12“楮实”条附方补。

［2］**采** 据改同上。

［3］**斗** 《大观》、《政和》卷12“楮实”条附方俱作“石”，义同“担”。

201　枳实

〔弘景曰〕枳实采，破令干，除核，微炙令香[1]用。以陈者为良。俗方多用，道家不须。〔敩曰〕枳实、枳壳性效不同。若使枳壳，取辛苦腥并有隙油者，要尘[2]久年深者为佳。并去穰核，以小麦麸炒至麸焦，去麸用。

【校注】

［1］**香**　原作“干”，今据《大观》、《政和》卷13“枳实”条改。

［2］**尘**　《大观》《政和》同。《尔雅·释诂》云，尘，久也。诗书借“陈”为之，今亦通用“陈”字。

202　卮子

〔敩曰〕凡使，须要如雀[1]脑，并须长有九路赤色者为上。先去皮、须，取仁，以甘草水浸一宿，漉出焙干，捣筛为末用。〔震亨曰〕治上焦、中焦连壳用，下焦去壳，洗去黄浆，炒用。治血病，炒黑用。〔好古曰〕去心胸中热，用仁；去肌表热，用皮。

【校注】

［1］**雀**　原作“萑”，今据《大观》、《政和》卷13“栀子”条改。

203　蕤核

〔敩曰〕凡使，蕤核仁，以汤浸去皮、尖，擘作两片。每四两，用芒消一两，木通草七两，同水煮一伏时，取仁研膏入药。

204　山茱萸

〔敩曰〕凡使，以酒润，去核取皮，一斤只取四两已来，缓火熬干方用。能壮元气，秘精。其核能滑精，不可服。

205　郁李

〔敩曰〕先以汤浸，去皮、尖，用生蜜浸一宿，漉出阴干，研如膏用之。

206 卫矛

〔敩曰〕采得只使箭头用，拭去赤毛，以酥拌缓炒。每一两，用酥二钱半。

207 枸杞

（地骨皮）〔敩曰〕凡使根，掘得以东流水浸，刷去土，捶去心，以熟甘草汤浸一宿，焙干。（枸杞子）〔时珍曰〕凡用，拣净枝梗，取鲜明者洗净，酒润一夜，捣烂入药。

208 牡荆沥

〔时珍曰〕取法：用新采荆茎，截尺五长，架于两砖上，中间烧火炙之，两头以器承取，热服，或入药中。又法：截三四寸长，束入瓶中，仍以一瓶合住固，外以糠火煨烧，其汁沥入下瓶中，亦妙。

209 蔓荆实

〔敩曰〕凡使，去蒂子下白膜一重，用酒浸一伏时，蒸之，从巳至未，晒[1]干用。〔时珍曰〕寻常只去膜打碎用之。

【校注】

[1] 晒　原作"熬"，今据《大观》、《政和》卷12"蔓荆实"条改。

210 密蒙花

〔敩曰〕凡使，拣净，酒浸一宿，漉出候干，拌蜜令润，蒸之从卯至酉，日干再拌蒸，如此三度，日干用。每一两用酒八两，蜜半两。

211 卖子木

〔敩曰〕凡采得，粗捣，每一两用酥五钱，同炒干入药。

212 茯苓

〔敩曰〕凡用，去皮[1]、心，捣细，于水盆中搅浊，浮者滤去之。此是茯苓赤筋，若误服饵，令人瞳子并黑睛点小，兼盲目。〔弘景曰〕作丸散者，先煮二三沸乃切，暴干用。

【校注】

［1］**去皮** 原作“皮去”，今据《大观》、《政和》卷12“茯苓”条改。

213 琥珀

〔敩曰〕入药，用水调侧柏子末，安瓷锅中，置琥珀于内煮之，从巳至申，当有异光，捣粉筛用。

214 猪苓

〔敩曰〕采得，铜刀削去粗皮，薄切，以东流水浸一夜。至明漉出，细切，以升麻叶对蒸一日，去叶，晒干用。〔时珍曰〕猪苓取其行湿，生用更佳。

215 雷丸

〔敩曰〕凡使，用甘草水浸一夜，铜刀刮去黑皮，破作四五片。以甘草水再浸一宿，蒸之，从巳至未，日干。酒拌再蒸，日干用。〔大明曰〕入药炮用。

216 桑上寄生

〔敩曰〕采得，铜刀和根、枝、茎、叶细剉，阴干用。勿见火。

217 淡竹沥

〔机曰〕将竹截作二尺长，劈开。以砖两片对立，架竹于上。以火炙出其沥，以盘承取。〔时珍〕一法：以竹截长五六寸，以瓶盛，倒悬，下用一器承之，周围以炭火逼之，其油沥于器下也。

濒湖炮炙法卷四　虫兽类

218 蜂蜜

〔敩曰〕凡炼蜜一斤，只得十二两半是数。若火少、火[1]过，并用不得。〔时珍曰〕凡炼沙蜜，每斤入水四两，银石器内，以桑柴火慢炼，掠去浮沫，至滴水成珠不散乃用，谓之水火炼法。又法：以器盛，置重汤中煮一日，候滴水不散，取用亦佳，且不伤火也。

【校注】

[1] 火　原作“大”，金陵版《本草纲目》同。今据《大观》、《政和》卷20“石蜜”条改。

219 露蜂房

〔敩曰〕凡使革蜂窠，先以鸦豆枕等同拌蒸，从巳至未时，出鸦豆枕了，晒干用。〔大明曰〕入药并炙用。

220 五倍子

（百药煎）〔时珍曰〕用五倍子为粗末。每一斤，以真茶一两煎浓汁，入酵糟四两，擂烂拌和，器盛置糠缸中罯之，待发起如发面状即成矣。捏作饼丸，晒干用。〔嘉谟曰〕入药者，五倍子（鲜者）十斤舂细，用瓷缸盛，稻草盖，盦七日夜。取出再捣，入桔梗、甘草末各二两，又盦一七。仍捣仍盦，满七次，取出捏饼，晒干用。如无鲜者，用干者水渍为之。又方：五倍子一斤，生糯米一两（滚水浸过），细茶一两，以上共研末，入罐内封固，六月要一七，取开配合用。又方：五倍子一斤（研末），酒曲半斤，细茶一把（研末）。右用小蓼汁调匀，入钵中按紧，上以长稻草封固。另用箩一个，多着稻草，将药钵坐草中，上以稻草盖，置净处。过一七后，看药上长起长霜，药则已成矣。或捏作丸，或作饼，晒干才可收用。

221 桑螵蛸

〔别录曰〕桑螵蛸生桑枝上，螳螂子也。二月、三月采，蒸过火炙用。不尔令人泄。〔敩曰〕凡使，勿用杂树上生者，名螺螺。须觅桑树东畔枝上者。采得去核子，用沸浆水浸淘七次，锅中熬干用。别作修事无效也。〔韩保昇曰〕三四月采得，以热浆水浸一伏时，焙干，于柳木灰中炮黄用。

222 白僵蚕

〔别录曰〕生颍川平泽。四月取自死者。勿令中湿，有毒不可用。〔弘景曰〕人家养蚕时，有合箔皆僵者，即暴燥都不坏。今见小白似有盐度者为好[1]。〔恭曰〕蚕自僵死，其色自白。陶[2]云似[3]有盐度，误矣。〔颂曰〕所在养蚕处有之。不拘早晚，但用白色而条直、食桑叶者佳。用时去丝绵及子，炒过。〔宗奭曰〕蚕有两三番，惟头番僵蚕最佳，大而无蛆。〔敩曰〕凡使，先以糯米泔浸一日，待蚕桑涎出，如蜗涎浮水上，然后漉出，微火焙干，以布拭净黄肉、毛，并黑口甲了，捣筛如粉，入药。

【校注】

[1] **为好** 原脱，今据《大观》、《政和》卷21“白僵蚕”条补。

[2] **陶** 据改同上。

[3] **似** 据改同上。

223 樗鸡

〔时珍曰〕凡使，去翅、足，以糯米或用面炒黄色，去米、面用。

224 斑蝥

〔敩曰〕凡斑蝥、芫青、亭长、地胆[1]修事，并用[2]糯米、小麻子相拌炒，至米黄黑色取出，去头、足、两翅，以血余裹，悬东墙角上一夜，至明[3]用之，则毒去也。〔**大明曰**〕入药须去翅、足，糯米炒熟，不可生用，即吐泻人。〔**时珍曰**〕一法用麸炒过，醋煮用之也。

【校注】

[1] **地胆** 金陵版《本草纲目》同。《大观》、《政和》卷22“芫青”条俱作“赤头”。

[2] **用** 原作“渍”，金陵版《本草纲目》同。今据《大观》、《政和》卷22“芫青”条改。

[3] **至明** 原脱，今据《大观》、《政和》卷22“芫青”条补。

225 水蛭

〔**保昇曰**〕采得，以篁竹筒盛，待干，用米泔浸一夜，暴干，以冬猪脂煎令焦黄，然后用之。〔**藏器曰**〕收干蛭，当展其身令长，腹中有子者去之。性最难死，虽以火炙，亦如鱼子烟熏经年，得水犹[1]活也。〔**大明曰**〕此物极难修治，须细剉，以微火炒，色黄乃熟。不尔，入腹生子为害。〔**时珍曰**〕昔有途行饮水，及食水菜，误吞水蛭入腹，生子为害，啖咂脏血，肠痛黄瘦者。惟以田泥或擂黄土水饮数升，则必尽下出也。盖蛭在人腹，忽得土气而下尔。或以牛、羊热血一二升，同猪脂饮之，亦下也。

【校注】

[1] **犹** 原作“尤”，金陵版《本草纲目》同。今据《大观》、《政和》卷22“水蛭”条改。

226 蛴螬

〔**敩曰**〕凡收得后，阴干，与糯米同炒，至米焦黑取出，去米及身上、口畔肉毛并黑尘了，作三四截，研粉用之。〔**时珍曰**〕诸方有干研及生取汁者，又不拘此例也。

227 蝉蜕

〔**时珍曰**〕凡用蜕壳，沸汤洗，去泥土、翅、足，浆水煮过，晒干用。

228 蜣螂

〔**别录曰**〕五月五日采取，蒸藏之，临用（去足）火炙。勿置水中，令人吐。

229 蜚虻

〔大明曰[1]〕入丸散，去翅、足，炒熟用。

【校注】

[1] **大明曰** 原无，今据《大观》、《政和》卷21“蜚虻”条补。

230 蟾蜍

〔蜀图经曰〕五月五日取得，日干或烘干用。一法：去皮、爪，酒浸一宿，又用黄精自然汁浸一宿，涂酥，炙干用。〔时珍曰〕今人皆于端午日捕取，风干，黄泥固[1]济，煅存性[2]用之。《永类钤方》云：蟾目赤，腹无八字者不可用。崔寔《四民月令》云：五月五日取蟾蜍，可治恶疮。即此也。亦有酒浸取肉者。钱仲阳治小儿冷热疳泻，如圣丸，用干者，酒煮成膏丸药[3]，亦一法也。

【校注】

[1] **固** 原作“故”，金陵版《本草纲目》同。今从张绍棠本改。

[2] **存性** 原作“性存”，金陵版《本草纲目》同。今从张绍棠本改。

[3] **丸药** 金陵版《本草纲目》同。《小儿药证真诀》卷下“如圣圆”作“用膏圆如麻子大”。

231 蟾酥

〔宗奭曰〕眉间白汁，谓之蟾酥。以油单纸裹眉裂之，酥出纸上，阴干用。〔时珍曰〕取蟾酥不一：或以手捏眉棱，取白汁于油纸上及桑叶上，插背阴处，一宿即自干白，安置竹筒内盛之，真者轻浮，入口味甜也；或以蒜及胡椒等辣物纳口中，则蟾身白汁出，以竹篦刮下，面和成块，干之。其汁不可入人目，令目赤、肿、盲，或以紫草汁洗点，即消。

232 蛤蟆

〔敩曰〕凡使蛤蟆，先去皮并肠及爪子，阴干。每个用真牛酥一分涂，炙干。若使黑虎，即连头、尾、皮、爪并阴干，酒浸三日，漉出焙用。

233 蜈蚣

〔敩曰〕凡使，勿用千足虫，真相似，只是头上有白肉，面并嘴尖。若误用，并把着，腥臭气入顶，能致死也。凡治蜈蚣，先以蜈蚣木末（或柳蛀末）于土器中炒，令木末焦黑，去木末，以竹刀刮去足、甲用。〔时珍曰〕蜈蚣木不知是何木也。今人惟以火炙去头、足用，或去尾、足，以薄荷叶火煨用之。

234 马陆

〔雷曰〕凡收得马陆，以糠头炒，至糠焦黑，取出去糠，竹刀刮去头、足，研末用。

235 蚯蚓

〔弘景曰〕若服干蚓，须熬作屑。〔敩曰〕凡收得，用糯米泔浸一夜，漉出，以无灰酒浸一日，焙干切。每一两，以蜀椒、糯米各二钱半同熬，至米熟，拣出用。〔时珍曰〕入药有为末，或化水，或烧灰者，各随方法。

236 龙骨

〔敩曰〕凡用龙骨，先煎香草汤浴两度，捣粉，绢袋盛之。用燕子一只，去肠肚，安袋于内，悬井面上，一宿取出，研粉。入补肾药中，其效如神。〔时珍曰〕近世方法，但煅赤为粉。亦有生用者。《事林广记》云：用酒浸一宿，焙干研粉，水飞三度用。如急用，以酒煮焙干。或云：凡入药，须水飞过晒干。每斤用黑豆一斗，蒸一伏时，晒干用。否则着人肠胃，晚年作热也。

237 龙齿

同龙骨。或云：以酥炙。

238 鼍甲

酥炙，或酒炙用。

239 鲮鲤甲

〔时珍曰〕方用或炮，或烧，或酥炙、醋炙、童便炙，或油煎、土炒、蛤粉炒，当各随本方，未有生用者。仍以尾甲乃力胜。

240 石龙子

〔时珍曰〕古方用酥炙或酒炙。惟治传尸劳瘵天灵盖丸，以石蜥蜴连肠肚，以醋炙四十九遍用之，亦一异也。

241 蛤蚧

〔敩曰〕其毒在眼。须去眼及甲上、尾上、腹上肉毛，以酒浸透，隔两重纸缓焙令干，以瓷器盛，悬屋东角上一夜用之，力可十倍，勿伤尾也。〔日华曰〕凡用，去头、足，洗去鳞鬣内不净，以酥炙用（或用蜜炙）。〔李珣曰〕凡用，须炙令黄色，熟捣。口含少许，奔走不喘息者，为真也。宜丸散中用。

242 蛇蜕

〔敩曰〕凡使，勿用青、黄、苍色者，只用白色如银者。先于地下掘坑，深一尺二寸，安蜕于中，一宿取出，醋浸炙干用。〔时珍曰〕今人用蛇蜕，先以皂荚水洗净缠竹上，或酒，或醋，或蜜浸，炙黄用。或烧存性，或盐泥固煅，各随方法。

243 白花蛇

〔颂曰〕头尾各一尺，有大毒，不可用。只用中段干者，以酒浸，去皮、骨，炙过收之则不蛀。其骨刺须远弃之，伤人，毒与生者同也。〔宗奭曰〕凡用，去头尾，换酒浸三日[1]，火炙，去尽皮、骨。此物甚毒，不可不防。〔时珍曰〕黔蛇长大，故头尾可去一尺。蕲蛇止可头尾各去三寸。亦有单用头尾者。大蛇一条，只得净肉四两而已，久留易蛀，惟取肉密封藏之，十年亦不坏也。按《圣济总录》云：凡用花蛇，春秋酒浸三宿，夏一宿，冬五宿，取出炭火焙干，如此三次。以砂瓶盛，埋地中一宿，出火气。去皮、骨，取肉用。

【校注】

[1] 日　《本草衍义》卷17及《政和》卷22“白花蛇”条，此字下俱有“弃酒不用”4字。

244　乌贼鱼骨

〔弘景曰〕炙黄用。〔敩曰〕凡使，勿用沙鱼骨，其形真似。但以上文顺者是真，横者是假。以血卤作水浸，并煮一伏时漉出。掘一坑烧红，入鱼骨在内，经宿取出入药，其效加倍也。

245　龟甲

以龟甲锯去四边，石上磨净，灰火炮过，涂酥炙黄用。亦有酒炙、醋炙、猪脂炙、烧灰用者。

246　秦龟甲

〔李珣曰〕经卜者更妙。以酥或酒炙黄用。

247　绿毛龟

〔时珍曰〕此龟古方无用者。近世滋补方往往用之，大抵与龟甲同功。刘氏先天丸用之，其法用龟九枚，以活鲤二尾安釜中，入水，覆以米筛，安龟在筛上蒸熟，取肉晒干。其甲仍以酥炙黄，入药用。又有连甲、肉、头、颈俱用者。

248　鳖甲

〔别录曰〕鳖甲生丹阳池泽。采无时。〔颂曰〕今处处有之，以岳州沅江所出甲有九肋者为胜。入药以醋炙黄用。〔弘景曰〕采得，生取甲，剔去肉者，为好。凡有连厌及干岩者便真。若肋骨出者是煮熟，不可用。〔敩曰〕凡使，要绿色、九肋、多裙、重七两者为上。用六一泥固瓶子底，待干，安甲于中，以物支起。若治癥块定心药，用头醋入瓶内，大火煎，尽三升，乃去裙、肋骨，炙干入用。若治劳，去热药，不用醋，用童子小便煎，尽一斗二升，乃去裙留骨，石臼捣粉，以鸡胜皮裹之，取东流水三斗盆盛，阁于盆上，一宿取用，力有万倍也。〔时珍曰〕按《卫生宝鉴》云：凡鳖甲，以煅灶灰一斗，酒五升，浸一夜，煮令烂如胶漆用，更佳。桑柴灰尤妙。

249 蟹

〔时珍曰〕凡蟹生烹、盐藏糟收、酒浸酱汁浸，皆为佳品。但久留易沙，见灯亦沙，得椒易膱。得皂荚或蒜及韶粉可免沙膱（膱，义同粘。）。得白芷则黄不散。得葱及五味子同煮则色不变。藏蟹名曰蝑蟹（音泻）[1]。

【校注】

[1] **音泻** 《广韵》卷3“蟹”字下云：“水虫。胡买切。”又卷4“蝑”字下云：“盐藏蟹。司夜切。”与“泻”音同。故知“音泻”2字，乃“蝑”字之注。

250 牡蛎

〔宗奭曰〕凡用，须泥固烧为粉。亦有生用者。〔敩曰〕凡用牡蛎，先用二十个，以东流水入盐一两，煮一伏时，再入火中煅赤，研粉用。〔时珍曰〕按温隐居云：牡蛎将童尿浸四十九日（五日一换），取出，以硫黄末和米醋涂上，黄泥固济，煅过用。

251 真珠

〔李珣曰〕凡用，以新完未经钻缀者研如粉，方堪服食。不细则伤人脏腑。〔敩曰〕凡用，以新净[1]者绢袋盛之。置牡蛎约重四五斤已来[2]于平底铛中，以物四向支稳，然后着珠于上。乃下地榆、五花皮、五方草各（剉）四两，笼住，以浆水不住火煮三日夜。取出，用甘草汤淘净，于臼中捣细重筛，更研二万下，方可服食。〔慎微曰〕《抱朴子》云：真珠径寸以上，服食令人长生。以酪浆渍之，皆化如水银，以浮石、蜂巢、蛇黄等物合之，可引长三四尺，为丸服之。〔时珍曰〕凡入药，不用首饰及见尸气者。以人乳浸三日，煮过如上捣研。一法：以绢袋盛，入豆腐腹中，煮一炷香，云不伤珠也。

【校注】

[1] **净** 原脱，今据《大观》、《政和》卷20“真珠”条补。

[2] **约重四五斤已来** 原作“四两”2字，金陵版《本草纲目》同。今据《大观》、《政和》卷20“真珠”条改。

252　海蛤

〔敩曰〕凡使海蛤，勿用游波虫[1]骨。真相似，只是面上无光。误饵之，令人狂走欲投水，如鬼祟，惟醋解之立愈。其海蛤用浆水煮一伏时，每一两入地骨皮、柏叶各二两，同煮一伏时，东流水淘三次，捣粉用。〔保昇曰〕取得，以半天河煮五十刻，以枸杞汁拌匀，入簟竹筒内蒸一伏时，捣用。

【校注】

[1] **虫**　金陵版《本草纲目》同。《大观》、《政和》卷20“海蛤”条引“雷公”俱作“蟲”，亦谓是虫，其虫名“游波蟲”。同条引“蜀本图经”乃径名“游波虫”。

253　石决明

〔珣曰〕凡用，以面裹煨熟[1]，磨去粗皮，烂捣，再乳细如面，方堪入药。〔敩曰〕每五两用盐半分[2]，同东流水入瓷器内煮一伏时，捣末研粉。再用五花皮、地榆、阿胶各十两，以东流水淘三度，日干，再研一万下，入药。服至十两，永不得食山桃，令人丧目。〔时珍曰〕今方家只以盐同东流水煮一伏时，研末水飞用。

【校注】

[1] **熟**　原作“热”，金陵版《本草纲目》及《大观》同。今据《政和》卷20“石决明”条改。

[2] **半分**　原作“半两”，金陵版《本草纲目》同。今据《大观》、《政和》卷20“石决明”条改。半分即一钱二分五。

254　蛤粉

〔震亨曰〕蛤粉，用蛤蜊烧煅成粉，不入煎剂。〔时珍曰〕按吴球云：凡用蛤粉，取紫口蛤蜊壳，炭火煅成，以熟栝楼连子同捣，和成团，风干用，最妙。

255　魁蛤

〔日华曰〕凡用，取陈久者炭火煅赤，米醋淬三度，出火毒，研粉。

256　贝子

〔珣曰〕凡入药，烧过用。〔敩曰〕凡使，勿用花虫壳，真相似，只是无效。

贝子以蜜、醋相对浸之，蒸过取出，以清酒淘，研。

257 珂

〔敩曰〕珂，要冬采得[1]色白腻者，并有白旋水文。勿令见火，即无用也。凡用，以铜刀刮末研细，重罗再研千下，不入妇人药也。

【校注】

[1] **得** 原脱，今据《大观》、《政和》卷22“珂”条补。

258 甲香

〔敩曰〕凡使，用生茅香、皂角同煮半日，石臼捣筛用之。〔经验方曰〕凡使，用黄泥同水煮一日，温水浴过；再以米泔或灰汁煮一日，再浴过；以蜜、酒煮一日，浴过煿干用。〔颂曰〕《传信方》载其法，云：每甲香一斤，以泔斗半，微火煮一伏时，换泔再煮。凡三[1]换漉出，众手刮去香上涎物。以白蜜[2]三合，水一斗，微火煮干。又以蜜三合，水一斗，再[3]煮。都[4]三伏时，以香烂止[5]。乃以炭火烧地令热，洒酒令润，铺香于上，以新瓦盖上一伏时。待冷硬，石臼木杵捣烂。入沉香末三两，麝一分，和捣印成，以瓶贮之，埋过经久方烧。凡烧此香，须用大火炉，多着热灰、刚炭猛烧令尽，去之。炉旁着火暖水，即香不散。此法出于刘兖奉礼也。〔宗奭曰〕甲香善能管香烟，与沉、檀、龙、麝香用之，尤佳。

【校注】

[1] **三** 原作“二”，金陵版《本草纲目》同。今据《大观》、《政和》卷22“甲香”条改。

[2] **蜜** 原作“米”，金陵版《本草纲目》同。据改同上。

[3] **再** 原脱，今据《大观》、《政和》卷22“甲香”条补。

[4] **都** 据改同上。

[5] **以香烂止** 据改同上。

259 人牙

〔时珍曰〕两旁曰牙，当中曰齿。入药烧用。《钱氏小儿方》云：用人牙烧存性，入麝香少许，温酒服半钱。治痘疮倒黡。闻人规《痘疹论》云：人牙散治痘疮方出，见倒靥，或青紫，或变黑，用人齿脱落者，不拘多少，瓦罐固济，煅过出火毒，研末用。”

260 粪清

〔大明曰〕腊月截淡竹，去青皮，纳粪中，浸渗取汁，治天行热疾中毒，名粪清。〔弘景曰〕以空罂塞口，纳粪中，积年得汁，甚黑而苦，名为黄龙汤，疗温病垂死者皆瘥。

261 人中黄

〔震亨曰〕人中黄，以竹筒入甘草末于内，竹木塞两头，冬月浸粪缸中，立春取出，悬风处阴干，破竹取草，晒干用。

262 爪甲

〔普济〕治破伤风。用人手足指甲烧存性六钱，姜制南星、独活、丹砂各二钱，为末，分作二服，酒下。

263 乱发

〔别录〕鼻衄，乱发烧灰，吹之立已。〔华佗中藏经〕头发切，入铫内炒存性，研。〔敩曰〕发髲，是男子年二十已来，无疾患，颜貌红白，于顶心剪下者。入丸药膏中用，先以苦参水浸一宿，漉出入瓶子，以火煅赤，放冷研用。〔时珍曰〕今人以皂荚水洗净，晒干，入罐固济，煅存性用，亦良。

264 天灵盖

〔藏器曰〕凡用，弥腐烂者乃佳[1]。有一片如三指阔者，取得，用煻灰火罨一夜。待腥秽气尽，却用童男溺，于瓷锅子中煮一伏时，漉出。于屋下掘一坑，深一尺，置骨于中一伏时，其药魂归神妙。阳人使阴，阴人使阳。〔好古曰〕方家有用檀香汤洗过，酥炙用，或烧存性者。男骨色不赤，女骨色赤，以此别之也。

【校注】

[1] **佳** 原作“住”，今据金陵版《本草纲目》改。

265　人胞

〔吴球曰〕紫河车，古方不分男女。近世男用男，女用女；一云男病用女，女病用男。初生者为佳，次则健壮无病妇人者亦可。取得，以清米泔摆净，竹器盛，于长流水中洗去筋膜，再以乳香酒洗过，篾笼盛之，烘干研末。亦有瓦焙研者，酒煮捣烂者，甑蒸捣晒者，以蒸者为佳。董炳云：今人皆酒煮火焙及去筋膜，大误矣。火焙水煮，其子多不育，惟蒸捣和药最良。筋膜乃初结真气，不可剔去也。

266　胞衣水

〔藏器曰〕此乃衣埋地下，七八年化为水，澄彻如冰[1]。南方人以甘草、升麻和诸药，瓶盛埋之，三五年后掘出，取为药也。

【校注】

[1] **如冰**　金陵版《本草纲目》同。《大观》、《政和》卷 15“人胞”条俱作“如真水”3 字。

267　猪脂

〔时珍曰〕凡凝者为肪为脂，释者为膏为油，腊月炼净收用。〔恭曰〕十二月上亥日，取入新瓶，埋亥地百日用之，名䏲脂。每升入鸡子白十四枚，更良。〔弘景曰〕勿令中水。腊月者历年不坏。项下膏谓之负革肪，入道家炼五金用。

268　白马阴茎

〔藏器曰〕凡收，当取银色无病白马，春月游牝时，力势正强者，生取阴干，百日用。〔敩曰〕用时以铜刀破作七片，将生羊血拌蒸半日，晒干，以粗布拭[1]去皮及干血，剉碎用。

【校注】

[1] **拭**　原脱，今据《大观》、《政和》卷 17“白马茎”条补。

269　阿胶

〔弘景曰〕凡用，皆火炙之。〔敩曰〕凡用，先以猪脂浸一夜，取出，柳木火上炙燥研用[1]。〔时珍曰〕今方法或炒成珠，或以面炒，或以酥[2]炙，或以蛤粉炒，或以草灰炒，或酒化成膏，或水化膏，当各从本方。

【校注】

[1] **炙燥研用** 金陵版《本草纲目》同。《大观》、《政和》卷16“阿胶”条俱作“炙待泡了，细碾用”。

[2] **酥** 原版未刻，金陵版《本草纲目》损坏，略似“酥”字，与上下文例较合，今据改。

270 牛黄

〔敩曰〕凡用，单捣细研如尘，绢裹定，以黄嫩牛皮裹，悬井中一宿，去水三四尺，明早取之。

271 虎骨

〔颂曰〕虎骨用头及胫[1]骨，色黄者佳。凡虎身数物，俱用雄虎者胜。药箭射杀者，不可入药，其毒浸渍骨血间，能伤人也。〔时珍曰〕凡用虎之诸骨，并捶碎去髓，涂酥或酒或醋，各随方法，炭火炙黄入药。

【校注】

[1] **胫** 原作“颈”，金陵版《本草纲目》同。今据《大观》、《政和》卷17“虎骨”条改。

272 虎睛

〔颂曰〕虎睛多伪，须自获者乃真。〔敩曰〕凡使虎睛，须问猎人，有雌有雄，有老有嫩，有杀得者。惟中毒自死者勿用之，能伤人。虎睛，以生羊血浸一宿漉出，微火焙干，捣粉用。〔时珍曰〕《千金》治狂邪，有虎睛汤、虎睛丸，并用酒浸炙干用。

273 象胆

〔敩曰〕凡使，勿用杂胆。其象胆干了，上有青竹文斑光腻，其味微带甘。入药勿便和众药，须先捣成粉，乃和众药。(本条《大观》《政和》无。)

274　犀角

〔弘景曰〕入药惟雄犀生者为佳。若犀片及见成器物皆被蒸煮，不堪用。〔颂曰〕凡犀入药有黑白二种，以黑者为胜，角尖又胜。生犀不独未经水火者，盖犀有捕得杀取者为上，蜕角者次之。〔宗奭曰〕鹿取茸，犀取尖，其精锐之力尽在是也。以西番生犀磨服为佳，入汤、散则屑之。〔敩曰〕凡使，勿用奴犀、牸犀、病水犀、挛子犀、无润犀。惟取乌黑肌皱、坼[1]裂光润者，错屑，入臼杵，细研万匝乃用。〔李珣曰〕凡犀角锯成，当以薄纸裹于怀中蒸燥，乘热捣之，应手如粉。故《归田录》云：翡翠屑金，人气粉犀。

【校注】

[1] **坼**　原作“折”，今据金陵版《本草纲目》改，与《大观》、《政和》卷17“犀角”条合。

275　熊脂

〔敩曰〕凡取得，每一斤入生椒十四个，同炼过，器盛收之。

276　熊掌

《圣惠方》云：熊掌难胹（义同烂），得酒、醋、水三件同煮，熟即大如皮球也。

277　羚羊角

〔敩曰〕凡用，有神羊角甚长，有二十四节，内有天生木胎。此角有神力，可[1]抵千牛。凡使，不可单用，须要不拆元对，绳缚，铁锉锉细，重重密裹，避风，以旋旋取用，捣筛极细，更研万匝入药，免刮人肠。

【校注】

[1] **可**　原脱，今据《大观》、《政和》卷17“羚羊角”条补。

278　鹿茸

〔别录曰〕四月、五月解角时取，阴干，使时燥。〔恭曰〕鹿茸，夏收之阴干，百不收一，且易臭，惟破之火干大好。〔敩曰〕凡使鹿茸，用黄精自然汁浸两日夜，漉出切焙捣用，免渴人也。又法：以鹿茸锯作片，每五两，用羊脂三两，拌天灵盖末涂之，慢火炙令内外黄脆，以鹿皮裹之，安室中一宿，则药魂归矣。乃慢火焙干，捣末用。〔日华曰〕只用酥炙炒研。〔宗奭曰〕茸上毛，先以酥薄涂匀，于烈焰中灼之，候毛尽微炙。不以酥，则火焰伤茸矣。〔时珍曰〕《澹寮》《济生》诸方，有用酥炙、酒炙，及酒蒸焙用者，当各随本方。

279　鹿角

〔诜曰〕凡用鹿角、麋角，并截段错屑，以蜜浸过，微火焙，令小变色，曝干，捣筛为末。或烧飞为丹，服之至妙。以角寸截，泥裹，于器中大火烧一日，如玉粉也。〔时珍曰〕按崔行功《纂要[1]方》鹿角粉法：以鹿角寸截，炭火烧过，捣末，水和成团，以绢袋三五重盛之，再煅再和，如此五度，以牛乳和，再烧过研用。

【校注】

[1] **纂要**　原作“要纂”，金陵版《本草纲目》同。今据《本草纲目》卷1“引据古今医家书目”改。

280　白胶

（一名鹿角胶）〔别录曰〕白胶生云中，煮鹿角作之。〔弘景曰〕今人少复煮作，惟合角弓用之。其法：先以米渖汁渍七日令软，煮煎如作阿胶法耳。又一法：剉角令细，入干牛皮一片，即易消烂。不尔，虽百年无一熟也。〔恭曰〕鹿角、麋角，但煮浓汁重煎，即为胶矣，何必使烂？欲求烂亦不难，陶未见耳。〔诜曰〕作胶法：细破寸截，以河[1]水浸七日令软，方煮之。〔敩曰〕采全角锯开，并长三寸，以物盛，于急水中浸一百日取出，刀刮去黄皮，拭净。以酽醋煮七日，旋旋添醋，勿令少歇。戌[2]时不用着火，只从子至戌也。日足，角白色[3]，软如粉。捣烂，每十[4]两入无灰酒一镒，煮成胶，阴干研筛用。〔时珍曰〕今人呼煮烂成粉者，为鹿角霜；取粉熬成胶，或只以浓汁熬成膏者，为鹿角胶。按胡瑛《卫生方》云：以米泔浸鹿角七日令软，入急流水中浸七日，去粗皮，以东流水、桑柴火煮七日，旋旋添水，入醋少许，捣成霜用。其汁，加无灰酒，熬成胶用。又邵以正《济急方》云：用新角三对，寸截，盛于长流水浸三日，刮净，入楮实子、桑白皮、黄蜡各二两，铁锅中水煮三日夜，不可少停，水少即添汤。日足，取出刮净，晒研为霜。韩悉《医通》云：以新鹿角寸截，囊盛，于流水中浸七日，以瓦缶入水，桑柴火煮。每一斤，入黄蜡半斤，以壶掩住，水少旋添。其角软，以竹刀刮净，捣为霜用。

【校注】

［1］**河**　《大观》、《政和》卷17“鹿茸”条作“馈”。

［2］**戍**　原作“成”，金陵版《本草纲目》同。今据《大观》、《政和》改。

［3］**白色**　原脱，今据《大观》、《政和》卷17“鹿茸”条补。

［4］**十**　原作“一”，金陵版《本草纲目》同。今据《大观》、《政和》卷17“鹿茸”条改。

281　麋角

〔敩曰〕麋角[1]，顶根[2]上有黄毛若金线，兼旁生小尖也[3]。色苍白者为上。〔诜曰〕凡用麋角，可五寸截之，中破，炙黄为末，入药。〔时珍曰〕麋鹿茸角，今人罕能分别。陈自明以小者为鹿茸，大者为麋茸，亦臆见也。不若亲视其采取时为有准也。造麋角胶、麋角霜，并与鹿角胶、鹿角霜同法。又《集灵方》云：用麋角一双，水浸七日，刮去皮，错屑。以银瓶盛牛乳浸一日，乳耗再加，至不耗乃止。用油纸密封瓶口。别用大麦铺锅中三寸，上安瓶，再以麦四周填满。入水浸一伏时，水耗旋加，待屑软如面取出，焙研成霜用。（麋茸修治与鹿茸同。）

【校注】

［1］**角**　此下原有“以”字，金陵版《本草纲目》同。今据《大观》、《政和》卷17“鹿茸”条删。

［2］**根**　金陵版《本草纲目》及《政和》同。《大观》卷17“鹿茸”条作“毗”。

［3］**也**　原脱，今据《大观》、《政和》卷17“鹿茸”条补。

282　麝香

〔敩曰〕凡使麝香，用当门子尤妙。以子日开之，微研用，不必苦细也。

283　猫屎

腊月采干者，泥固，烧存性，收用。

284　腽肭脐

〔敩曰〕用酒浸一日，纸裹炙香剉捣。或于银器中，以酒煎熟合药。〔时珍曰〕以汉椒、樟脑同收，则不坏。

285 猬皮

细剉，炒黑入药。

286　雄雀屎

〔日华曰〕凡鸟右翼掩左[1]者是雄。其屎头尖挺直。〔敩曰〕凡使，勿用雀儿粪。雀儿口黄，未经淫者也。其雀苏底坐尖在上是雄，两头圆者是雌。阴人使雄，阳人使雌。腊月采得，去两畔附着者，钵中研细，以甘草水浸一夜，去水焙干用。〔时珍曰〕《别录》止用雄雀屎。雌雄分用，则出自雷氏也。

【校注】

[1] **右翼掩左**　原作“左翼掩右”，金陵版《本草纲目》同。今据《大观》、《政和》卷19“雀卵”条引《日华子》(原无“翼”字) 改。濒湖似据“鹊”条陶注以改《日华子》，然与《尔雅·释鸟》及郑玄《毛诗郑笺·白华》均不相合。

287　伏翼

〔敩曰〕凡使，要重一斤者。先拭去肉上毛，及去爪、肠，留肉、翅并嘴、脚。以好酒浸一宿，取出，以黄精自然汁五两，涂炙至尽，炙干用。〔时珍曰〕近世用者，多煅存性耳。

288　天鼠屎

〔时珍曰〕凡采得，以水淘去灰土恶气，取细沙晒干焙用。其砂乃蚊蚋眼也。

289　五灵脂

〔颂曰〕此物多夹沙石，绝难修治。凡用，研为细末，以酒飞去沙石，晒干收用。

290 鸱头

〔弘景曰〕虽不限雌雄，雄者当胜。用须微炙，不用蠹者。古方治头面方有鸱头酒。

濒湖炮炙法卷五　果菜米谷类

291 山楂

〔时珍曰〕九月霜后取带熟者，去核曝干，或蒸熟去皮、核，捣作饼子，日干用。

292 白柿

〔时珍曰〕白柿即干柿生霜者。其法用大柿去皮捻扁，日晒夜露至干，内瓮中，待生白霜乃取出。今人谓之柿饼，亦曰柿花。其霜谓之柿霜。

293 醂柿

〔瑞曰〕水藏者性冷，盐藏者有毒。〔时珍曰〕醂，藏柿也。水收、盐浸之外，又有以熟柿用灰汁澡三四度，令汁尽着器中，经十余日即可食，治病非宜。

294 柿糕

〔时珍曰〕案李氏《食经》云：用糯米（洗净）一斗，大干柿五十个，同捣粉蒸食。如干，入煮枣泥和拌之。

295 酸榴皮

〔敩曰〕凡使榴皮、叶、根，勿犯铁，并不计干湿，皆以浆水浸一夜，取出用，其水如墨汁也。

296 黄橘皮

〔敩曰〕凡使，勿用柚[1]皮、皱子皮，二件用不得。凡修事，须去白膜一重，剉细，以鲤鱼皮裹一宿，至明取用。〔宗奭曰〕本草橘柚作一条，盖传误也。后世不知，以柚皮为橘皮，是贻无穷之患矣。此乃六陈之一，天下日用所须。今人又多以乳柑皮乱之，不可不择也。柑皮不甚苦，橘皮极苦，至熟亦苦。或以皮之紧慢分别，又因方土不同，亦互有紧慢也。〔时珍曰〕橘皮纹细色红而薄，内多筋脉，其味苦辛。柑皮纹粗色黄而厚，内多白膜，其味辛甘。柚皮最厚而虚，纹更粗，色黄，内多膜无筋，其味甘多、辛少，但以此别之，即不差矣。橘皮性温，柑、柚皮性冷，不可不知。今天下多以广中来者为胜，江西者次之。然亦多以柑皮杂之。柑皮犹可用，柚皮则悬绝矣。凡橘皮入和中理胃药则留白，入下气消痰药则去白，其说出于《圣济经》。去白者，以白汤入盐洗润透，刮去筋膜，晒干用。亦有煮焙者，各随本方。

【校注】

［1］柚　原作“桔”，今据《大观》、《政和》卷23“橘柚”条改。

297 青橘皮

〔时珍曰〕青橘皮乃橘之未黄而青色者，薄而光，其气芳烈。今人多以小柑、小柚、小橙伪为之，不可不慎辨之。入药以汤浸去瓤，切片醋拌，瓦炒过用。

298 橘核

〔时珍曰〕凡用，须以新瓦焙香，去壳取仁，研碎入药。

299 薯蓣

〔颂曰〕采白根刮去黄皮，以水浸之，糁白矾末少许入水中，经宿净洗去涎，焙干用。〔宗奭曰〕入药贵生干之，故古方皆用干山药。盖生则性滑，不可入药；熟则滞气，只堪啖[1]耳。其法：冬月以布裹手，用竹刀剐[2]去皮，竹筛盛，置檐风处，不得见日，一夕干五分，候全干收之。或置焙笼中，微火烘干亦佳。〔敩曰〕凡使，勿用平田生二三纪者，须要山中生经十[3]纪者。皮赤，四面有须者妙。

采得以铜刀刮去赤皮，洗去涎，蒸过暴干用。

【校注】

[1] **唛** 原作“谈”，今据《本草衍义》卷7及《政和》卷6“薯预”条改。

[2] **剮** 原作“刚”，据改同上。

[3] **十** 原作“千”，今据《大观》、《政和》卷6“薯预”条改。

300 李根皮

〔时珍曰〕李根皮取东行者，刮去皱皮，炙黄入药用。《别录》不言用何等李根，亦不言其味。但《药性论》云：入药用苦李根皮，味咸。而张仲景治奔豚气，奔豚汤中用甘李根白皮。则甘、苦二种皆可用欤?

301 杏仁

〔别录曰〕五月采之。〔弘景曰〕凡用杏仁，以汤浸去皮、尖，炒黄。或用面麸炒过。〔敩曰〕凡用，以汤浸去皮、尖。每斤入白火石一斤，乌豆三合，以东流水同煮，从巳至午，取出晒干用。〔时珍曰〕治风寒肺病药中，亦有连皮、尖用者，取其发散也。

302 乌梅

〔弘景曰〕用须去核，微炒之。〔时珍曰〕造法：取青梅篮盛，于突上熏黑。若以稻灰淋汁润湿蒸过，则肥泽不蠹。又白梅、霜梅取大青梅以盐汁渍之，日晒夜渍，十日成矣。久乃上霜。

303 桃核仁

〔别录曰〕七月采，取仁阴干。〔敩曰〕凡使，须去皮，用白术、乌豆二味，同于坩[1]埚中煮二伏时，漉出劈[2]开，心黄如金色乃用。〔时珍曰〕桃仁行血，宜连皮、尖生用。润燥活血，宜汤浸去皮、尖，炒黄用。或麦麸同炒，或烧存性，各随本方。双仁者有毒，不可食。

【校注】

[1] **坩** 《大观》、《政和》卷23“桃核人”条俱作“埳”，谓陶器。

[2] **劈** 《大观》、《政和》卷23“桃核人”条俱作“用手擘”。

304 桃花

〔别录曰〕三月三日采，阴干之。〔敩曰〕桃花勿用千叶者，令人鼻衄不止，目黄。收花拣净，以绢袋盛，悬檐下令干用。

305 桃茎及白皮

〔时珍曰〕树皮、根皮皆可，用根皮尤良。并取东行者，刮去粗皮，取白皮入药。

306 桃胶

〔时珍曰〕桃茂盛时，以刀割树皮，久则胶溢出，采收，以桑灰汤浸过，曝干用。如服食，当依本方修炼。

307 木瓜

〔敩曰〕凡使木瓜，勿犯铁器，以铜刀削去硬皮并子，切片晒干，以黄牛乳汁拌蒸，从巳至未，待如膏煎，乃晒用也。〔时珍曰〕今人但切片晒干入药尔。按《大明会典》：宣州岁贡乌烂虫蛀木瓜入御药局。亦取其陈久无木气，如栗子去木气之义尔。

308 枇杷叶

〔恭曰〕凡用，须火炙，以布拭去毛。不尔射人肺，令咳不已。或以粟秆作刷刷之，尤易洁净。〔敩曰〕凡采得秤，湿叶重一两，干者三叶重一两，乃为气足，堪用。粗布拭去毛，以甘草汤洗一遍，用绵再拭干。每一两以酥二钱半涂上，炙过用。〔时珍曰〕治胃病以姜汁涂炙，治肺病以蜜水涂炙，乃良。

309 橡实

〔雷曰〕霜后收采，去壳蒸之，从巳至未，剉作五片，日干用。〔周定王曰〕取子换水，浸十五次，淘去涩味，蒸极熟食之，可以济饥。

310 橡斗壳

〔大明曰〕入药并宜捣细，炒焦或烧存性研用。

311 槲若

〔颂曰〕若即叶[1]之名也。入药须微炙令焦。

【校注】

[1] **叶** 原作“菜”，今据《大观》、《政和》卷14“槲若”条改。

312 槟榔

〔敩曰〕头圆矮毗者为榔，形尖紫文者为槟。槟力小，榔力大。凡使，用白槟及存坐稳正、心坚有锦文者为妙。半白半黑并心虚者，不入药用。以刀刮去底，细切之。勿令经火，恐无力。若熟使，不如不用。〔时珍曰〕近时方药亦有以火煨焙用者，然初生白槟榔，须本境可得。若他处者，必经煮熏，安得生者耶？又槟榔生食，必以扶留藤、古贲灰为使，相合嚼之，吐去红水一口，乃滑美不涩，下气消食。此三物相去甚远，为物各异，而相成相合如此，亦为异矣。俗谓“槟榔为命赖扶留”以此。古贲灰即蛎蚌灰也。贲乃蚌字之讹。瓦屋子灰亦可用。

313 大腹皮

〔思邈曰〕鸩鸟多集槟榔树上。凡用槟榔皮，宜先以酒洗，后以大豆汁再洗过，晒干入灰火烧煨，切用。

314 椰子皮

〔颂曰〕不拘时月采其根皮，入药炙用。一云：其实皮亦可用。

315 蜀椒

〔敩曰〕凡使南椒，须去目及闭口者，以酒拌湿蒸，从巳至午，放冷密盖，无气后取出，便入瓷器中，勿令伤风也。〔宗奭曰〕凡用秦椒、蜀椒，并微炒使出汗，乘热入竹筒中，以梗捣去里面黄壳，取红用，未尽再捣。或只炒热，隔纸铺地上，以碗覆，待冷碾取红用。

316 毕澄茄

〔敩曰〕凡采得，去柄及皱皮了，用酒浸蒸之，从巳至酉，杵细晒干，入药用。

317 吴茱萸

〔敩曰〕凡使，去叶、梗[1]，每十两以盐二两投东流水四斗中，分作一百度洗之，自然无涎，日干入丸散用之。若用醋煮者，每十两用醋一镒，煮三十沸后，入茱萸熬干用。〔宗奭曰〕凡用吴茱萸，须深汤中浸去苦烈汁七次，始可焙用。

【校注】

[1] **梗**　《大观》、《政和》卷13“吴茱萸”条俱作“核”。濒湖谓茱萸无核，故改为“梗”。

318 甜瓜子仁

〔敩曰〕凡收得，曝干杵细，马尾筛筛过成粉，以纸三重裹压去油用。不去油，其力短也。西瓜子仁同。

319 甜瓜蒂

〔敩曰〕凡使，勿用白瓜蒂，要取青绿色瓜，气足时，其蒂自然落在蔓上。采得，系屋东有风处，吹干用。〔宗奭曰〕此甜瓜蒂也。去瓜皮用蒂，约半寸许，曝极干，临时研用。〔时珍曰〕按唐瑶云：甜瓜蒂以团而[1]短瓜、团瓜者良。若香甜瓜及长如瓠子者，皆供菜之瓜，其蒂不可用也。

【校注】

[1] **团而**　二字疑衍。

320 莲实

〔弘景曰〕藕实即莲子，八九月采黑坚如石者，干捣[1]破之。〔颂曰〕其菂至秋黑而沉水，为石莲子，可磨为饭食。〔时珍曰〕石莲剁去黑壳，谓之莲肉。以水浸去赤皮、青心，生食甚佳。入药须蒸熟去心，或晒或焙干用。亦有每一斤，用豮猪肚一个盛贮，煮熟捣焙用者。今药肆一种石莲子，状如土石而味苦，不知何物也？

【校注】

［1］捣　原作“持”，今据《唐本草》卷17及《大观》、《政和》卷23“藕实茎”条改。

321　荷叶

〔大明曰〕入药并炙[1]用。

【校注】

［1］炙　原作“多”，今据《大观》、《政和》卷23“藕实茎”条改。

322　芡实

〔诜曰〕凡用，蒸熟，烈日晒裂取仁，亦可舂取粉用。〔时珍曰〕新者煮食良。入涩精药，连壳用也可。案刘跂[1]《暇日记》云：芡实一斗，以防风四两煎汤浸过用，且经久不坏。

【校注】

［1］刘跂　原作“陈彦和”。按，下引文见《说郛》（陶珽重辑本）卷27载宋·刘跂著《暇日记》。因句末“不坏”下原有“陈彦和屡用之”一语，濒湖遂误以“陈彦和”为《暇日记》著者，今据改。

323　韭子

〔大明[1]曰〕入药拣净，蒸熟暴干，簸去黑皮，炒黄用。

【校注】

［1］大明　《大观》、《政和》卷28“韭”条所引“大明”文字仅有“入药炒用”一语。下文乃同条苏颂《图经》引崔元亮《海上方》中所云。

324　胡葱

〔敩曰〕凡采得，依纹擘碎，用绿梅子相对拌蒸一伏时，去梅子，砂盆中研如膏，瓦器晒干用。

325　灰藋

〔敩曰〕灰藋即金锁天叶，扑蔓翠上[1]，往往有金星，堪用。若白青色者，是忌[2]女茎，不中用也。若使金锁天，茎高二尺五六寸为妙。若长若短，皆不中使。凡用，勿令犯水，去根日干，以布拭去肉毛令尽，细剉，焙干用之。〔时珍曰〕妓女茎即地肤子苗，与灰藋茎相似而叶不同，亦可为蔬。

【校注】

［1］**上**　原脱，今据《大观》、《政和》卷24“灰藋”条补。

［2］**忌**　《大观》《政和》同。若从下文濒湖所说，则当作“妓”。

326　胡麻

〔弘景曰〕服食胡麻，取乌色者，当九蒸九暴，熬捣饵之。断谷，长生，充饥，虽易得，而学者未能常服，况余药耶？蒸不熟，令人发落。其性与茯苓相宜。俗方用之甚少，时以合汤丸尔。〔敩曰〕凡修事以水淘去浮者，晒干，以酒拌蒸，从巳至亥，出摊晒干。臼中舂去粗皮，留薄皮。以小豆对拌，同炒。豆熟，去豆用之。

327　大麻仁

〔宗奭曰〕麻仁极难去壳。取帛包置沸汤中，浸至冷出之。垂井中一夜，勿令着水。次日日中曝干，就新瓦上挼去壳，簸扬取仁，粒粒皆完。张仲景麻仁丸，即此大麻子中仁也。

328　薏苡仁

〔敩曰〕凡使，每一两，以糯米一两同炒熟，去糯米用。亦有更以盐汤煮过者。

329　罂粟壳

〔时珍曰〕凡用，以水洗润，去蒂及筋膜，取外薄皮，阴干细切，以米醋拌炒入药。亦有蜜炒、蜜炙者。

330　白扁豆

〔时珍曰〕凡用，取硬壳扁豆子，连皮炒熟，入药。亦有水浸去皮及生用者，从本方。